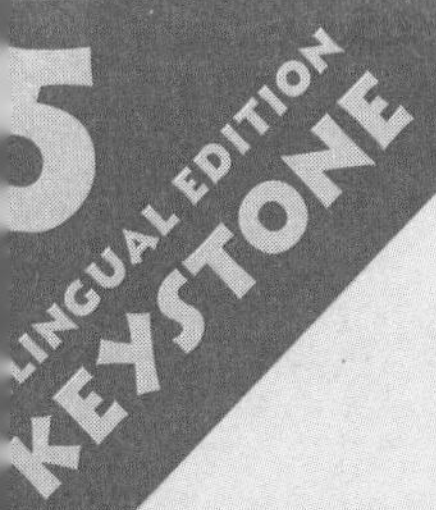

Programa Bilingüe de Sadlier
Acercándote a la fe

ACERCANDOTE A LA VIDA DE DIOS

Dr. Gerard F. Baumbach

Dr. Eleanor Ann Brownell
Moya Gullage
Helen Hemmer, I. H. M.
Gloria Hutchinson
Dr. Norman F. Josaitis
Rev. Michael J. Lanning, O. F. M.
Dr. Marie Murphy
Karen Ryan
Joseph F. Sweeney

El Comité Ad Hoc de la Conferencia Nacional de Obispos Católicos, que supervisa el uso del Catecismo, consideró que esta serie está conforme con el *Catecismo de la Iglesia Católica*.

con

Dr. Thomas H. Groome
Boston College

Consultor Teológico
Reverendísimo Edward K. Braxton, Ph.D., S.T.D.
Obispo Auxiliar de San Luis

Consultor Bíblico
Rev. Donald Senior, C.P., Ph.D., S.T.D.

Consultores de Liturgia y Catequesis
Dr. Gerard F. Baumbach
Dr. Eleanor Ann Brownell

Consultores de Pastoral
Rev. Msgr. John F. Barry
Rev. Virgilio P. Elizondo, Ph.D., S. T. D.

Traducción y adaptación
Dulce M. Jiménez-Abreu

Consultores de Catequesis para la serie
José Alas
Oscar Cruz
Thelma Delgado
María Cristina González, c.v.i.
Rogelio Manrique
Rebeca Salem
Yolanda Torres
Leyda Vázquez

William H. Sadlier, Inc.
9 Pine Street
New York, New York 10005-1002
http://www.sadlier.com

Indice/Contents

Primera unidad

Jesucristo bendice nuestras vidas

Unit One

Jesus Christ Blesses Our Lives

Segunda unidad

Sacramentos de iniciación

Unit two

Sacraments of Initiation

Tercera unidad

Sacramentos de sanación y servicio

Unit Three

Sacraments of Healing and Service

Cuarta unidad

Una comunidad de fe, esperanza y caridad

Unit Four

A Community of Faith, Hope, and Love

1 Jesucristo revela a Dios

Jesús, gracias por mostrarnos que "Dios es amor".

NUESTRA VIDA

Alguien dijo una vez: "Una fotografía vale más que mil palabras". Mira a ver como puedes "leer" las fotografías en esta página. ¿Qué te dicen de las formas en que Dios está con nosotros en nuestro mundo hoy?

¿Qué significa Dios para ti?

COMPARTIENDO LA VIDA

Ayúdense a recordar lo que saben acerca de Jesús que nos muestra que:

- él es divino—Hijo único de Dios;
- él es humano—como nosotros.

Imagina algunas de las cosas que Jesús puede enseñarte acerca de ti mismo.

1 Jesus Christ Reveals God

Jesus, thank you for showing us that "God is love."

Our Life

Someone once said that "a picture is worth a thousand words." See how well you can "read" the pictures on this page. What do they tell you about the ways God is with us in our world today?

What does God mean to you?

Sharing Life

Help one another remember what you know about Jesus that shows

- he is divine—God's own Son;
- he is human—as we are.

Imagine some things that Jesus can teach you about yourself.

NUESTRA FE CATOLICA

Jesús es humano

Aprendiste acerca de la infancia de Jesús cuando te contaron la historia de navidad. Sabemos que Jesús nació en un pesebre en Belén porque no había lugar para María y José en el mesón.

Al crecer aprendimos, por las historias bíblicas, lo mucho que Jesús se parece a nosotros. Jesús se cansó, sintió hambre y sed. Amó y obedeció a sus padres. Le gustaba jugar con sus amigos. Rezó y alabó en la sinagoga. Jesús fue como nosotros en todo menos en el pecado. El fue tentado, pero nunca pecó.

Esta historia nos ayuda a recordar lo humano que fue Jesús.

Entre los amigos íntimos de Jesús se encontraban Lázaro y sus hermanas Marta y María.

Un día Lázaro se enfermó y estaba muriendo. Marta y María mandaron a buscar a Jesús, pero cuando Jesús llegó ya Lázaro había muerto.

Cuando Jesús vio a María y a Marta llorando se sintió muy triste y empezó a llorar también. El sintió lo mismo que nosotros sentimos cuando se nos muere un ser querido.

Basado en Juan 11:1–44

Jesús también enfrentó la muerte como todo el mundo. En su muerte y sufrimiento Jesús fue como nosotros.

Jesús es divino

Jesús es humano como nosotros, pero es también el Hijo de Dios. Eso quiere decir que Jesús es divino.

En el Credo decimos que Jesús es "de la misma naturaleza del Padre".

OUR CATHOLIC FAITH

Jesus Is Human

We first learned about Jesus as small children when someone told us the Christmas story. We know that Jesus was born in a stable at Bethlehem because there was no room for Mary and Joseph in the inn.

As we got older we learned from other gospel stories how much Jesus was like us. Jesus got tired. He felt thirsty and hungry. Jesus loved and obeyed his parents. He enjoyed doing things with his friends. He prayed and worshiped in the synagogue. Jesus was like us in every way except one—he never sinned. He was tempted, but he always said no to sin.

This story helps us to remember how human Jesus was.

Among Jesus' closest friends were a man named Lazarus and his two sisters, Martha and Mary.

One day Lazarus became sick and was dying. Martha and Mary sent for Jesus, but by the time Jesus arrived, Lazarus had died.

When Jesus saw Mary and Martha crying, he felt very sad and began to cry, too. He felt as we do when someone we love dies.

Based on John 11:1–44

Jesus also faced death as all people do. In his suffering and death, Jesus was truly one of us.

Jesus Is Divine

Jesus is one of us, but he is also the Son of God. This is what we mean when we say that Jesus is divine.

In the Creed at Mass, we say that Jesus is "one in Being with the Father." This means

Esto quiere decir que "Jesús es verdadero Dios". He aquí una de las historias de los evangelios que nos dice como los discípulos empezaron a ver a Jesús como verdadero Hijo de Dios.

Un día Jesús estaba en un bote en el lago de Galilea con sus discípulos. Jesús estaba durmiendo cuando empezó una fuerte tormenta. Los discípulos tuvieron tanto miedo que despertaron a Jesús gritando "Señor, sálvanos que perecemos".

"Gente de poca fe, ¿por qué tienen miedo?" Contestó Jesús. Se puso de pie y mandó a los vientos y a las olas aquietarse, y luego vino una gran calma. Sus discípulos se sorprendieron. Jesús había hecho algo que sólo Dios puede hacer.

Basado en Mateo 8:23–27

Al igual que los discípulos en el bote, nos dirigimos a Jesús en oración para que nos ayude. Porque Jesús es realmente uno de nosotros, sabemos que él siempre entiende nuestros sentimientos. Porque él es el Hijo de Dios, él puede ayudarnos.

Encarnación

El Hijo de Dios se hizo hombre como nosotros. Ese hecho es llamado encarnación. La palabra encarnación significa "se hizo carne". *Encarnación* es el misterio de Dios hacerse uno de nosotros en Jesucristo. Jesús es una Persona divina con dos naturalezas: una humana y otra divina. La encarnación, entonces, es el misterio de la maravillosa unión de las dos naturalezas, humana y divina, en una persona.

Jesús nos mostró que Dios es amor. Jesús se preocupa por los ricos y los pobres, los sanos y los enfermos, los santos y los pecadores. El nos mostró cómo trabajar por la justicia y la paz. Jesús sigue trabajando por medio de nosotros para mostrar el amor de Dios al mundo.

VOCABULARIO

Un **discípulo** es alguien que aprende de Jesús y lo sigue.

FAITH WORD

A **disciple** is one who learns from and follows Jesus Christ.

"Jesus is true God." Here is one of the stories from the gospels that tells how the disciples began to learn that Jesus was God's own Son.

One day Jesus was in a boat on the lake of Galilee with his disciples. Jesus was sleeping when a fierce storm suddenly started. The disciples were so scared that they woke Jesus, yelling, "Lord, save us! We are perishing!"

"Why are you terrified, O you of little faith?" Jesus answered. Then he got up and commanded the winds and the waves to stop, and there was a great calm. The disciples were amazed. Jesus had done something only God can do.

Based on Matthew 8:23–25

Like the disciples in the boat, we turn in prayer to Jesus for help. Because Jesus is really one of us, we know that he always understands how we feel. Because he is the Son of God, he can always help us.

Incarnation

The Son of God became one of us. This is called the incarnation. The word incarnation means "became flesh." The *incarnation* is the mystery of God becoming one of us in Jesus Christ. Jesus is a divine Person with two natures: a human nature and a divine nature. The incarnation , then, is the mystery of the wonderful union of the divine and human natures in one person.

Jesus showed us that God is love. Jesus cared for the rich and the poor, the healthy and the sick, saints and sinners. He showed us how to work for justice and peace. Jesus still works through us and through others to show God's love in the world.

Acercándote a la fe

¿Cómo le explicarías a un amigo que Jesús es divino y humano?

Completa las siguientes oraciones:

Porque Jesús lloró cuando murió su amigo Lázaro, sé que Jesús es. . . .

Porque Jesús calmó la tormenta, sé que Jesús es. . . .

Porque el amor de Jesús por nosotros nunca termina, sé que Dios. . . .

Porque Jesús trabajó por la justicia y la paz, mostramos. . . .

Viviendo la fe

Reúnanse en un círculo. Imaginen que Jesús está con ustedes en el centro del círculo. Después de un minuto, lean en voz alta las siguientes situaciones. Túrnense para ir al centro del círculo y respondan a cada situación de la forma que creen que Jesús quiere:

- Me cuesta mucho llevarme bien con mis hermanos. Jesús dice. . . .
- Me preocupa que no me destaco en los deportes ni en la escuela. Jesús dice. . . .
- Algunas veces me siento solo y triste. Jesús dice. . . .
- Algunas personas piensan que la mejor manera de resolver los problemas es por medio de una pelea. Jesús dice . . . .
- Creo que un amigo me ha traicionado. Jesús dice . . . .

†Juntos recen: Jesús, ayúdanos a parecernos más a ti. Ayúdanos a mostrar el amor de Dios a otros para que todos sepan que somos tus discípulos.

Coming to Faith

How would you explain to a friend that Jesus is both human and divine?

Complete the following sentences.

Because Jesus wept when his friend Lazarus died, I know that. . . .

Because Jesus calmed the storm at sea, I know that. . . .

Because Jesus' love for us will never end, I know that God. . . .

Because Jesus worked for justice and peace, we should. . . .

Practicing Faith

Gather quietly in a circle. Imagine that Jesus is with you in the center of the circle. After a minute, read aloud each of the following situations. Take turns going to the center of the circle and responding to each situation the way you think Jesus would want.

- I have a lot of trouble getting along with my brother or sister. Jesus says. . . .
- It really bothers me that I am not good at sports (or schoolwork). Jesus says. . . .
- Sometimes I feel sad and alone. Jesus says. . . .
- Some people think the best way to solve problems is through fighting. Jesus says. . . .
- I feel a friend has really betrayed me. Jesus says. . . .

† Pray together: Jesus, help us to be more like you. Help us to show God's love to others so that all will know that we are your disciples.

REPASO

Completa las siguientes oraciones:

1. El que sigue a Jesús es llamado un ______________________.

2. Los milagros de Jesús revelan que él es ______________________.

3. Jesús fue como nosotros en todo menos en el ______________________.

4. La encarnación significa que Jesús es humano y ______________________.

5. ¿Qué harás para acercarte más a Jesús?

____

____

____

EN EL HOGAR Y EN LA PARROQUIA

En este capítulo los niños aprendieron que Jesús es divino y humano. Que la naturaleza divina y humana de Jesús existan juntas en la persona de Jesucristo es una doctrina central de la fe cristiana. Esto se llama encarnación.

El creer que Jesús es uno de nosotros nos ayuda a ir a él y tratar de vivir como él vivió. Creer que él es verdadero Dios nos da confianza en su habilidad de ayudarnos. Jesús, el Hijo de Dios y nuestro hermano, viene a traernos el amor de Dios. Usted puede dirigir a su hijo a apreciar el amor de Dios dándole ejemplo de una familia en la que tratan de vivir como discípulos de Jesús.

Resumen de la fe

- Jesucristo es divino y humano.
- Jesús nos mostró que "Dios es amor" con las cosas que hizo y dijo.
- Dios trabaja por medio de nosotros para mostrar su amor en el mundo.

REVIEW ▪ TEST

Complete the sentences.

1. One who follows Jesus' way of life is called a ______________________________.

2. Jesus' miracles reveal that he is ________________________.

3. Jesus was like us in every way except ____________________________.

4. The incarnation means that Jesus is both human and ____________________.

5. What will you do to grow closer to Jesus Christ?

____

____

____

FAITH ALIVE AT HOME AND IN THE PARISH

This chapter deepened your fifth grader's understanding that Jesus is both human and divine. That the divine nature and a human nature exist together in the one Person of Jesus Christ is a central doctrine of the Christian faith. It is called the incarnation.

Believing that Jesus is one of us helps us to turn to him more readily and to try to live as he did. Believing that he is truly God gives us confidence in his ability to help us. Jesus, the Son of God and our brother, came to bring us God's love. You can lead your son or daughter to an appreciation of God's love by providing an experience of a family trying to live as disciples of Jesus.

Faith Summary

- Jesus Christ is both human and divine.
- Jesus showed us that "God is love" by the things he said and did.
- God works through us and others to show his love in the world.

2 Jesucristo y el reino de Dios

Jesús,
ayúdanos a ser
mensajeros de
tu vida—vida
en su
totalidad.

NUESTRA VIDA

BOLETIN DE BUENAS NOTICIAS

Unete a nosotros después de la misa de las 8 a.m. Necesitamos ayuda para hacer los emparedados para nuestros "invitados especiales", los desamparados.

Guardianes del medio ambiente: Reunión el sábado a las 9 a.m. para limpiar la playa y las calles. Traigan fundas plásticas.

Gracias a los alumnos de quinto y sexto cursos que visitaron el asilo de ancianos la semana pasada. Todos quieren que vuelvan a visitarlos.

¿Puedes añadir un aviso en el boletín sobre algo que hiciste para llevar la buena nueva a otros?

Comparte tus ideas sobre lo que puede ser una "buena noticia" que nuestra familia humana deba escuchar.

Hagan una lista de las ideas y traten de ponerse de acuerdo en cual es la "mejor noticia" de todas. Hablen de lo que pueden hacer para que eso pase.

2 Jesus Christ and the Kingdom of God

Jesus, help us to be messengers of your life to others—life in all its fullness.

OUR LIFE

GOOD NEWS BULLETINS

Join us after 8 A.M. Mass. We need helpers to make sandwiches for our "special guests," the homeless.

Environment Guardians: Meet at 9 A.M. Saturday for beach and street cleanup. Bring plastic bags!

Thanks to all the fifth and sixth graders who visited the nursing home last week. Everyone wants you to come back!

Can you add a bulletin about something you have done or might do to bring good news to others?

Share your ideas about what might be the very best "good news" our human family could hear.

Make a list of your ideas and try to come to agreement about the best "good news" of all. Talk about what you can do to make it happen.

Nuestra Fe Católica

El reino de Dios

La mejor noticia que podemos escuchar es que Dios nos ama y nos cuida sin importar lo que pase. Dios envió a Jesús para que nos enseñara que él nos ama y que siempre nos amará. Esta es la mejor "buena nueva" que Jesús vino a compartir con nosotros.

Cuando Jesús cumplió treinta años, empezó su ministerio de predicar la buena nueva del amor de Dios. Lo hizo por medio de palabras y obras. Sanó enfermos. Ayudó a los pobres, dio de comer a los que tenían hambre y perdonó a los pecadores. El pueblo se dio cuenta de que Jesús era alguien muy especial.

Cuando Jesús empezó su trabajo, un profeta estaba diciendo a todo el mundo que el Mesías, nuestro Salvador, estaba por llegar. Este profeta era Juan el Bautista.

Un día algunos de los seguidores de Juan se acercaron a Jesús y le preguntaron si él era el Mesías prometido.

En respuesta Jesús señaló algo importante que él estaba haciendo: "Los ciegos ven, los cojos andan, los leprosos son purificados, los sordos oyen, los muertos resucitan y se anuncia la buena nueva a los pobres".
Basado en Lucas 7:18–22

Jesús estaba diciendo que sus palabras y acciones eran las cosas que el Mesías, el prometido de Dios, haría. Jesucristo fue el Mesías. El vivió toda su vida por el reino de Dios.

Viviendo la buena nueva

Jesús invita a todo el mundo a vivir para el reino de Dios. En el Padre Nuestro Jesús nos enseñó a orar: "Venga a nosotros tu reino; hágase tu voluntad en la tierra como en el cielo" (Mateo 6:10–14). Debemos compartir el trabajo de Jesús de llevar la buena nueva del reino a la tierra, viviendo como discípulos de Jesús.

The Kingdom of God

The best news we can hear is that God loves us and cares deeply about us—no matter what. God gave us Jesus to show us that God loves us and will always love us. This is the very best "good news" that Jesus came to share with us.

When Jesus was about thirty years old, he began his ministry of preaching the good news of God's love. He did this in word and action. He healed the sick. He helped the poor, fed the hungry, and forgave sinners. The people began to realize that Jesus was someone very special.

Just about the time Jesus began his work among the people, a prophet was telling everyone that the Messiah, or Savior, was coming soon. The prophet's name was John the Baptist.

One day some of John's followers came to see Jesus and asked whether he was the promised one, the Messiah.

In response, Jesus pointed out the special things he was doing: "The blind regain their sight, the lame walk, lepers are cleansed, the deaf hear, the dead are raised, the poor have the good news proclaimed to them."
Based on Luke 7:18–22

Jesus was saying that his words and actions were the very things the Messiah, the promised one of God, would say and do. Jesus Christ was the Messiah. He lived his whole life for the kingdom, or reign, of God.

Living the Good News

Jesus invites all people to live for the kingdom of God. In the Our Father Jesus taught us to pray:

> Your kingdom come,
> your will be done,
> on earth as in heaven

Matthew 6:10.

We are to share in Jesus' work of bringing about God's reign on earth by living as disciples of Jesus.

VOCABULARIO

El **reino de Dios** es el poder de la vida y el amor de Dios en el mundo.

Hay momentos en que no vivimos la buena nueva del amor de Dios. Fracasamos en amar a otros como debemos. Fallamos en hacer las cosas que llevan la justicia y la paz de Dios. Estas cosas nos impiden vivir el reino de Dios. Por nuestros pecados, el reino de Dios no se cumple aún.

Hay muchas formas en que podemos vivir el reino de Dios. Podemos incluir: cuidar de los que están recluidos, organizar la habitación sin que se nos recuerde o diciendo no al engaño. Todas estas son formas de hacer la voluntad de Dios.

Construimos el reino de Dios cada vez que tratamos de ser justos, o tratamos de ser honrados y trabajamos por la paz. Vivir el reino de Dios también significa ayudar a todo el mundo a compartir el amor y la vida de Dios.

FAITH WORD

The **kingdom**, or **reign**, **of God** is the saving power of God's life and love in the world.

There are times when we do not live the good news of God's love. We fail to love others as we should. We fail to do the things that bring God's justice and peace. These things keep us from living for God's reign. Because of our sins, the reign of God is not yet complete.

There are many ways that we can live for God's reign. These include carrying an elderly person's bundles, cleaning up a messy room without being asked, or saying no to cheating. All these are ways of doing God's loving will for us.

We build the reign of God every time we try to be just, or treat others fairly, and work to be peacemakers. Living in God's reign also means helping everyone to know and share in God's life and love.

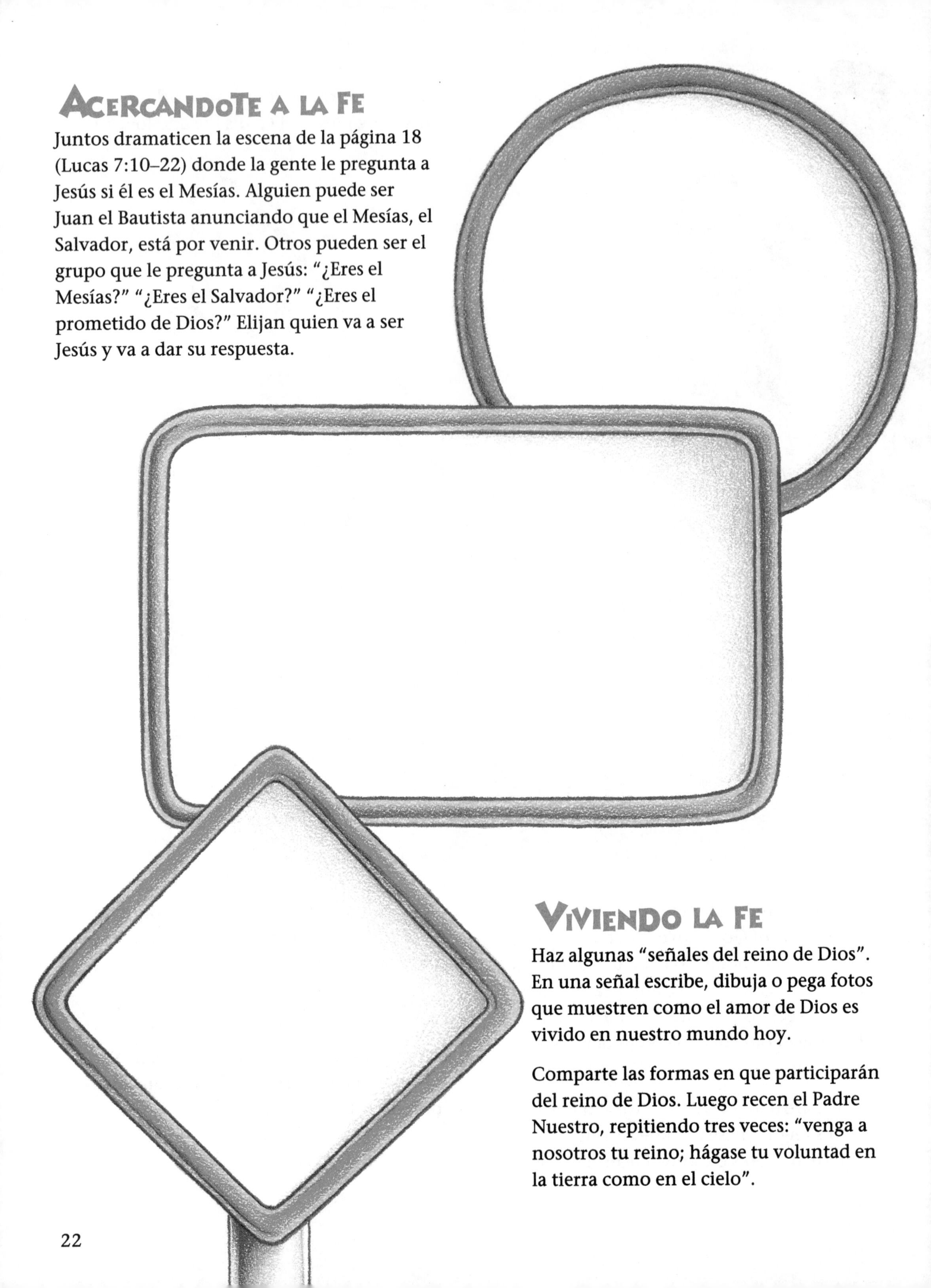

Acercandote a la Fe

Juntos dramaticen la escena de la página 18 (Lucas 7:10–22) donde la gente le pregunta a Jesús si él es el Mesías. Alguien puede ser Juan el Bautista anunciando que el Mesías, el Salvador, está por venir. Otros pueden ser el grupo que le pregunta a Jesús: "¿Eres el Mesías?" "¿Eres el Salvador?" "¿Eres el prometido de Dios?" Elijan quien va a ser Jesús y va a dar su respuesta.

Viviendo la Fe

Haz algunas "señales del reino de Dios". En una señal escribe, dibuja o pega fotos que muestren como el amor de Dios es vivido en nuestro mundo hoy.

Comparte las formas en que participarán del reino de Dios. Luego recen el Padre Nuestro, repitiendo tres veces: "venga a nosotros tu reino; hágase tu voluntad en la tierra como en el cielo".

Coming To Faith

Act out together the gospel scene on page 19 (Luke 7:18–22) where people ask Jesus whether he is the Messiah. Someone can be John the Baptist announcing that the Messiah, the Savior, is coming. Some can be the crowd asking Jesus, "Are you the Messiah?" "Are you the Savior?" "Are you the promised one of God?" Choose someone to be Jesus and give his response.

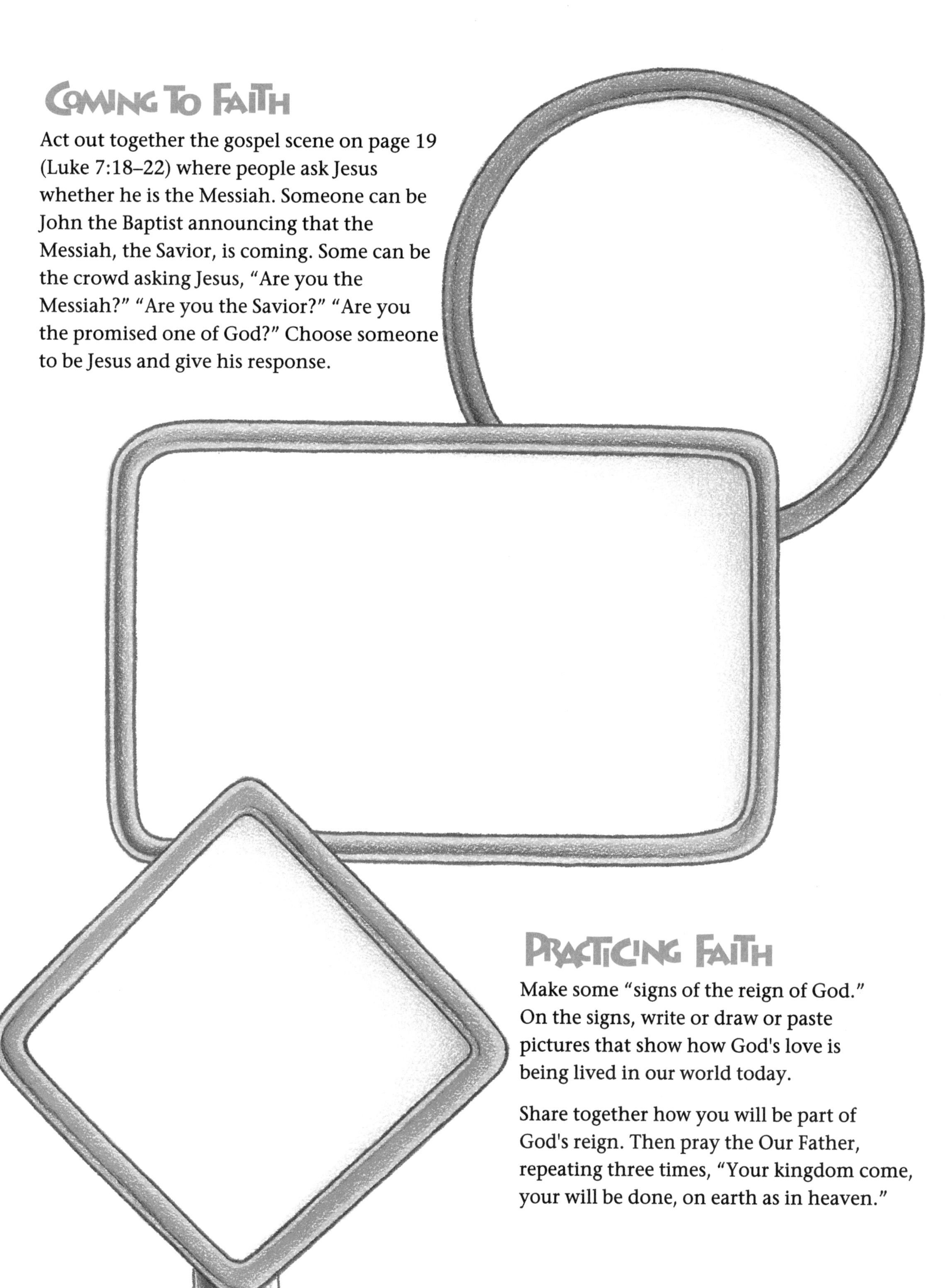

Practicing Faith

Make some "signs of the reign of God." On the signs, write or draw or paste pictures that show how God's love is being lived in our world today.

Share together how you will be part of God's reign. Then pray the Our Father, repeating three times, "Your kingdom come, your will be done, on earth as in heaven."

REPASO

Encierra en un círculo la respuesta correcta.

1. Jesús anunció la (buena nueva, el mandamiento) de que Dios nos ama siempre.

2. Pedimos a Dios que nos ayude a compartir el trabajo de Jesús cuando rezamos el (Credo, Padre Nuestro).

3. Jesús con sus palabras y acciones nos mostró que él era el (Mesías, creador).

4. Viviendo la (Ley del Amor, Monarquía) mostramos que vivimos para el reino de Dios.

5. Explica una forma en que puedes vivir para el reino de Dios. Sé específico.

____

____

EN EL HOGAR Y EN LA PARROQUIA

En este capítulo los niños aprendieron más sobre el reino de Dios. Aun cuando el reino llegó con Jesús, es también una realidad futura que se completará al final de los tiempos. Como enseña el Padre Nuestro, empieza en la tierra y se completa en el cielo. Jesús fundó la Iglesia para proclamar la buena nueva del reino de Dios. Desde el principio la Iglesia contiene la semilla del reino de Dios (Basado en Lucas 12:32).

La Iglesia es un instrumento del reino y nos ayuda a vivir para él. Su niño ha aprendido que vivir para el reino de Dios incluye tratar de amar a Dios y a nuestro prójimo todos los días. Esto incluye vivir con justicia y fomentar la paz. Para ayudar a su familia a entender esto, hablen sobre el gran mandamiento, la Ley del Amor.

Resumen de la fe

- Jesús anunció la buena nueva del reino de Dios. La buena nueva es que Dios nos ama y siempre nos amará.
- El reino de Dios es el poder salvador, la vida y el amor de Dios en el mundo.
- Jesús vivió toda su vida para el reino de Dios y nos llama a hacer lo mismo.

REVIEW ▪ TEST

Circle the correct answer.

1. Jesus announced the (good news, commandment) that God always loves us.

2. We ask God to help us to share in Jesus' work when we pray the (Creed, Our Father).

3. Jesus pointed to his words and deeds to show that he was the (Messiah, creator).

4. When we live the (Law of Love, monarchy) we show that we live for God's reign.

5. Explain one way you can live for the reign of God. Be specific.

____

____

FAITH ALIVE AT HOME AND IN THE PARISH

In this chapter, your fifth grader continued to learn more about the reign of God. Although the kingdom has already come in Jesus, it is also a future reality that will only be completed at the end of time. As the Lord's Prayer teaches, it begins on earth and is completed in heaven. Jesus founded the Church to proclaim the good news of the reign of God. From its beginning, the Church contained the seed of the kingdom of God (Based on Luke 12:32).

The Church is an instrument of the kingdom and helps us to live for it. Your fifth grader has learned that to live for the reign of God includes trying each day as hard as we can to love God, our neighbors, and ourselves. This includes living justly and being peacemakers. To help your family understand this, talk about the great commandment, the Law of Love.

Faith Summary

- Jesus announced the good news of the kingdom, or reign, of God. The good news is that God loves us and will always love us.
- The reign of God is the saving power of his life and love in the world.
- Jesus lived his whole life for the reign of God and calls us to do the same.

3 Jesucristo bendice nuestras vidas

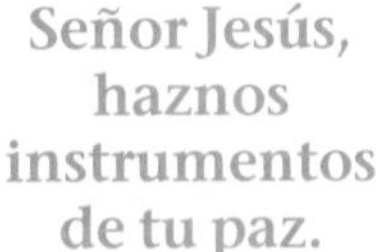

Señor Jesús, haznos instrumentos de tu paz.

Nuestra Vida

Diana y Miguel estaban ayudando a su madre a limpiar el ático. Encontraron un diario en un baúl. "Era mío", dijo la mamá riendo. "Escribí ese diario cuando tenía más o menos la edad de ustedes. Pueden leerlo si quieren".

Abrieron el diario en una página que decía: *14 de octubre: mal día. Lisa, Carla, Ana y yo habíamos planeado ir de compras a las tiendas. Cuando fui a encontrarme con ellas se habían ido sin mí. Me sentí. . .*

Completa como crees que termina la línea en el diario. ¿Te has sentido rechazado alguna vez? ¿Cómo resolviste la situación?

Otra línea del diario decía:
Hoy mamá y yo tuvimos una gran pelea por lo que yo quería ponerme para ir a la escuela. Ella es muy anticuada. Pero sé que la hice sentir mal. Le. . .

Completa la línea. ¿Qué haces para hacer las paces?

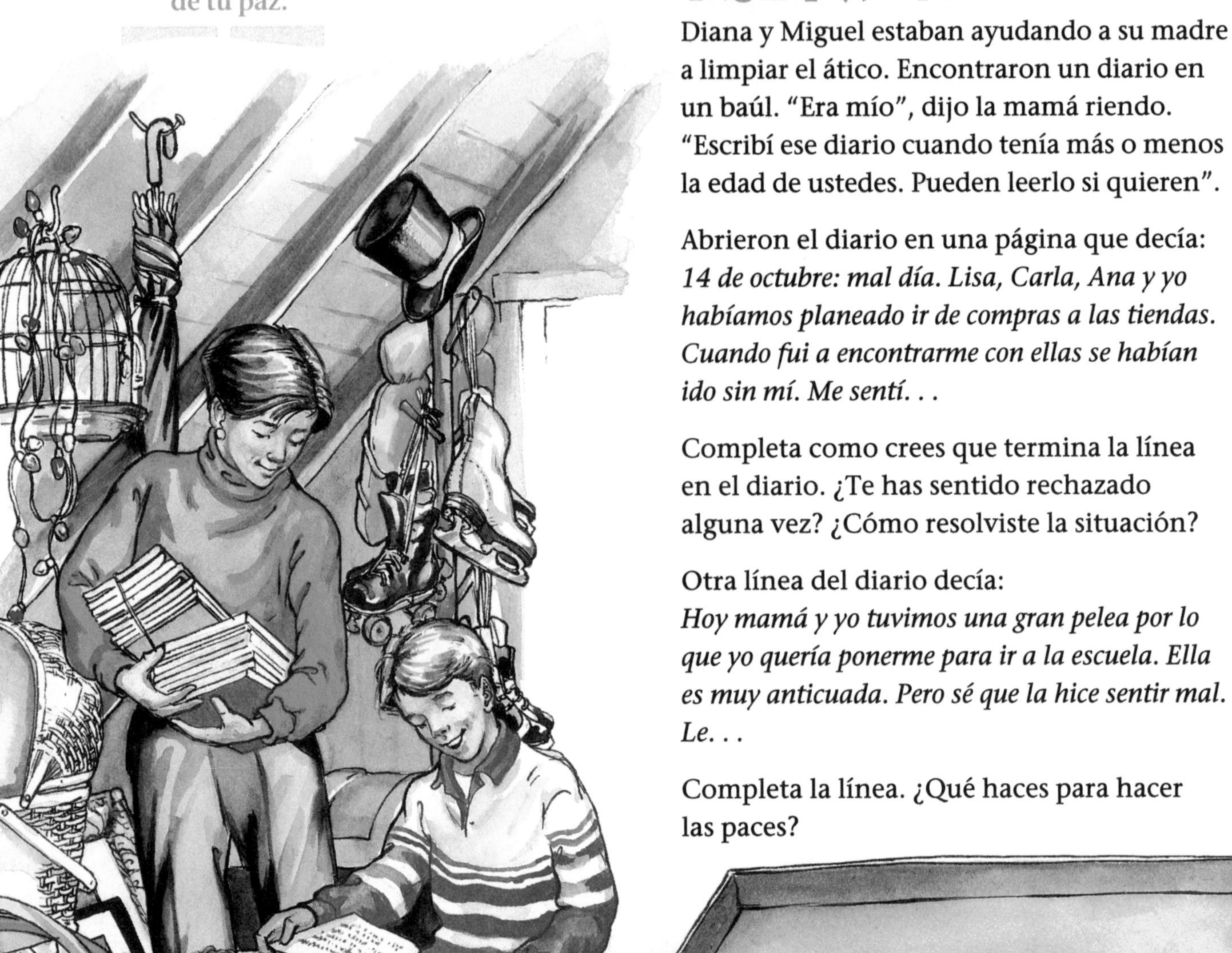

Compartiendo la Vida

Compartan:

- ¿Por qué debemos hacer que la gente se sienta acogida y parte de un grupo?
- ¿Cómo podemos resolver los problemas que nos separan sin herir a los demás?

3 Jesus Christ Blesses Our Lives

Lord Jesus, make us instruments of your peace.

Our Life

Dana and Michael were helping their mother clean the attic. In the chest of drawers they found a diary. "That was mine," their mother laughed. "I kept that diary when I was about your age. You twins can look at it if you want."

They opened the diary to a page that said:
October 14: A bad day. Lisa, Carla, Anne, and I had planned to go shopping at the mall today. When I went to meet them, they had left without me. I feel. . .

Fill in how you think the diary entry might end. Have you ever felt left out? How did you handle it?

Another entry in the diary said:
Mom and I had a real fight about what I wanted to wear to school. She's so out of it! But I know I upset her. I'll. . .

Complete the entry. What do you usually do to make up?

Sharing Life

Share together:

- why we should make people feel welcome and included in a group.
- how we can solve problems that separate us without hurting one another.

Nuestra Fe Católica

Una invitación a todos

Jesús escogió a sus discípulos entre la gente que era excluida de la sociedad. Sus amigos incluían mujeres, colectores de impuestos, pobres y pecadores. Puede que esto no nos parezca extraño pero en los tiempos de Jesús no era común.

Jesús estaba muy interesado en la gente ignorada por la sociedad. Trabajó para cambiar actitudes y prácticas injustas y deshonestas.

He aquí una historia bíblica donde Jesús llega a uno de los grandes enemigos de los judíos, el conquistador romano.

Un día un soldado romano dijo a Jesús: "Señor, mi muchacho está en cama, totalmente paralizado y sufre terriblemente".

Jesús le dijo inmediatamente: "Iré a sanarlo".

Sorprendido de que Jesús iba a ir a su casa, el soldado le dijo: "Señor, no soy digno de que entres bajo mi techo. Di una palabra solamente y mi sirviente sanará".

Maravillado por la fe del romano Jesús miró a la gente que le estaba mirando y dijo: "En verdad no he encontrado fe tan grande en el pueblo de Israel y les aseguro que vendrán muchos del oriente y occidente y se sentarán . . . en el reino de los cielos".

Basado en Mateo 8:5–11

Al sanar al sirviente del oficial romano, Jesús mostró que todo el mundo es bienvenido al reino de Dios.

An Invitation to All

Jesus chose disciples from among people left out by other people in society. His friends included women, tax collectors, poor people, and sinners. This may not seem strange to us, but in Jesus' time it was unusual.

Jesus was most interested in the people society ignored. He worked to change unjust or unfair attitudes and practices.

Here is a Bible story of Jesus reaching out to one of the Jewish people's greatest enemies, their Roman conquerors.

One day a Roman soldier said to Jesus, "Lord, my servant is lying at home paralyzed, suffering dreadfully."

Jesus immediately said, "I will come and cure him."

Surprised that Jesus would actually go to his house, the officer blurted out, "Lord, I am not worthy to have you enter under my roof; only say the word and my servant will be healed."

Amazed by this Roman's faith, Jesus turned to the people watching him and said, "I say to you, in no one in Israel have I found such faith. I say to you, many will come from the east and the west, and will recline . . . at the banquet in the kingdom of heaven."

Based on Matthew 8:5–11

By healing the Roman officer's servant, Jesus showed that all people are welcome in the reign of God.

VOCABULARIO

Reino de los cielos es otra forma en que el evangelio de Mateo nombra el reino de Dios.

Jesús sana y perdona

Además de la sanación física hay otro tipo de sanación, la espiritual. Esta es llamada perdón. El perdón sana la separación de Dios y de los demás causada por el pecado.

Para Jesús, el perdón de nuestros pecados era más importante que la sanación física. Jesús, nuestro Salvador, fue en busca de los que necesitaban ser sanados de la separación provocada por el pecado. El perdonó a los pecadores y los reconcilió con Dios.

Aun cuando él estaba muriendo en la cruz, Jesús perdonó a quienes lo crucificaron. El dijo: "Padre, perdónalos, porque no saben lo que hacen" (Lucas 23:34).

Al igual que Jesús, tratamos de perdonar a quienes nos han ofendido, sin importar cuan grande fue la ofensa. Cuando hemos sido los causantes de la pena de otra persona, debemos tratar de decir a esa persona que estamos arrepentidos y pedirle perdón.

Jesús siempre nos ayuda a ser amigos de nuevo. El quiere que vivamos en paz con todo el mundo. Así es como hacemos la voluntad de Dios y vivimos el reino de Dios.

FAITH WORD

Kingdom of heaven is another way of saying kingdom of God in Matthew's Gospel.

Jesus, Healer and Forgiver

Besides physical healing, there is another kind of healing, a spiritual healing. It is called forgiveness. Forgiveness heals the separation from God and from others that sin causes.

For Jesus, forgiveness of sins was even more important than physical healing. Jesus, our Savior, reached out to heal the separation brought about by sin. He forgave sinners and reconciled them with God.

Even as he was dying on the cross, Jesus forgave those who crucified him. He said, "Father, forgive them, they know not what they do" (Luke 23:34).

Like Jesus, we try to forgive those who hurt us, no matter how great the hurt. When we have been the ones who have hurt another person, we must try to tell the person that we are sorry and ask for forgiveness.

Jesus will help us to be friends again. He wants us to live in peace with all people. This is how we do God's loving will for us and live for the reign of God.

Acercándote a la fe

He aquí algunas situaciones que pueden ayudar a ti y a tus amigos a entender la sanación, el perdón, la bienvenida y la reconciliación. Divídanse en grupos y dramaticen lo que puede que se esté diciendo y haciendo.

- Marco regresa a la escuela después de una batalla con el cáncer. Está muy ansioso por la forma tan diferente como se ve ahora. El pelo aún no le ha crecido y está muy delgado. ¿Cómo reaccionará la gente al verlo?
- Margarita y Berta tuvieron una pelea. Dijeron que se odiaban. Los demás decidieron tratar de resolver el problema y que fueran amigas de nuevo.
- Un niño vino a la escuela por primera vez. Parece que quiere estar solo y no ser amistoso.

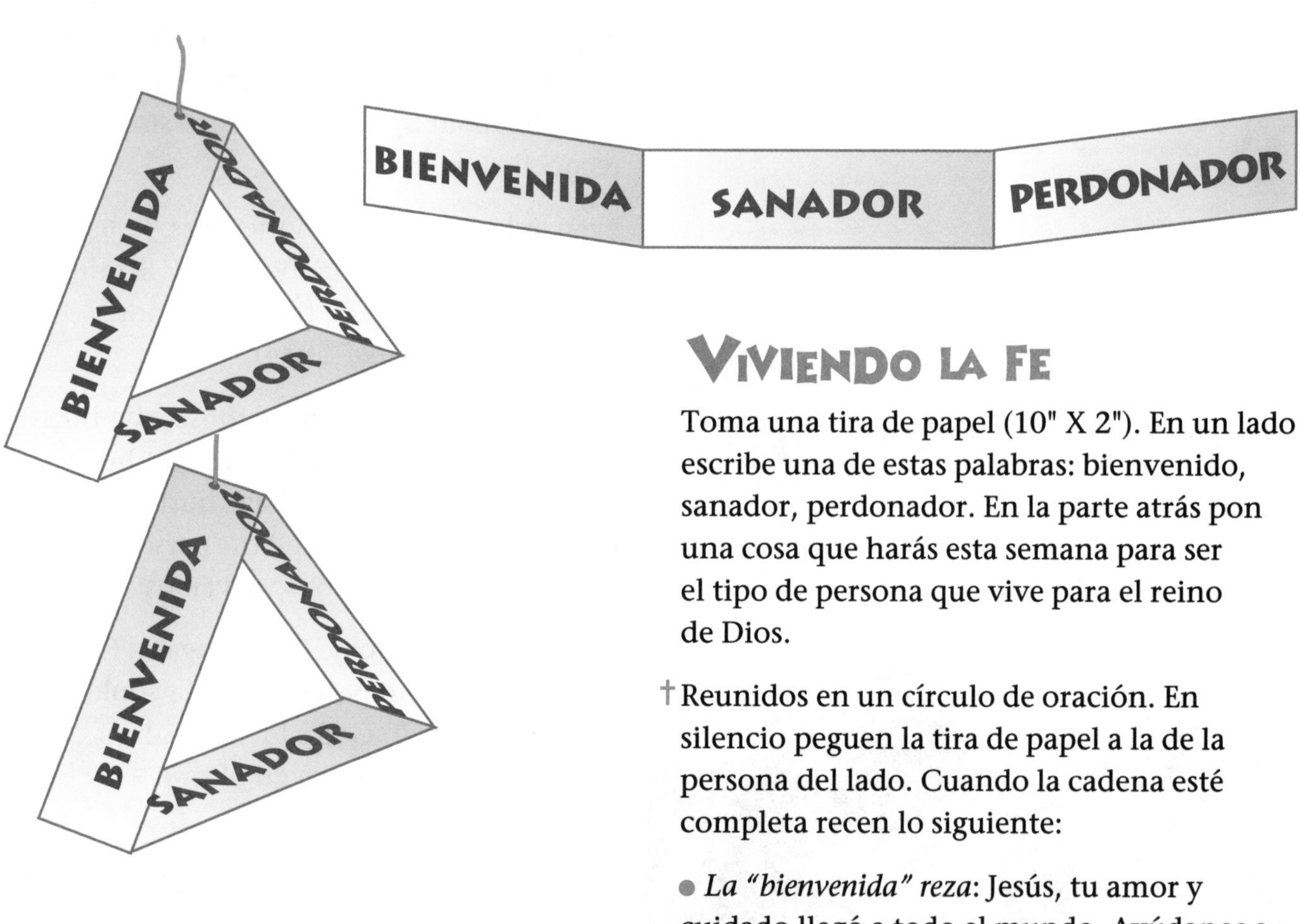

Viviendo la fe

Toma una tira de papel (10" X 2"). En un lado escribe una de estas palabras: bienvenido, sanador, perdonador. En la parte atrás pon una cosa que harás esta semana para ser el tipo de persona que vive para el reino de Dios.

† Reunidos en un círculo de oración. En silencio peguen la tira de papel a la de la persona del lado. Cuando la cadena esté completa recen lo siguiente:

- *La "bienvenida" reza*: Jesús, tu amor y cuidado llegó a todo el mundo. Ayúdanos a dar la bienvenida en tu nombre.
- *El "sanador" reza*: Jesús, ayúdanos a sanar hablando y actuando amablemente.
- *El "perdonador" reza*: Jesús, perdonaste aun a los que te crucificaron. Enséñanos como reparar las cosas que nos separan de ti.

Todos sostienen la cadena en alto y rezan la oración de San Francisco.

Coming to Faith

Here are some role-playing situations to do with your friends to help you understand welcoming, healing, forgiveness, and reconciliation. Divide into groups and act out what might be said and done.

- Mike is coming back to school after a battle with cancer. He is anxious about it because he looks so different. His hair has not grown back yet and he is very thin. How will people react to him?
- Meg and Brittany have been arguing and fighting together. They say they hate each other. Friends decide to bring them together and try to solve the problem.
- A new boy has just joined your class. He seems to want to be by himself and be unfriendly.

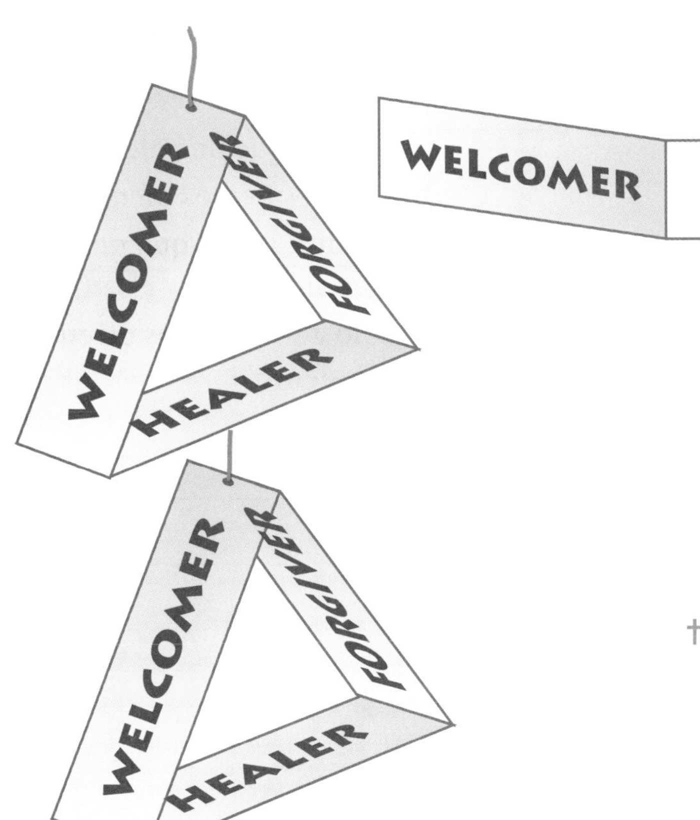

Practicing Faith

Take a strip of paper (10" x 2"). On one side write one of these words: welcomer, healer, or forgiver. On the back put one thing you will do this week to be the kind of person who lives for the reign of God.

† Now gather in a prayer circle. Quietly link your strip of paper with those of the people on either side. When the chain is complete, pray as follows:

- *The "welcomers" pray*: Jesus, your love and care went out to everyone. Help us to be welcomers in your name.
- *The "healers" pray*: Jesus, help us to be healers by speaking and acting kindly.
- *The "forgivers" pray*: Jesus, you forgave even those who put you to death. Teach us how to mend the things that separate us.

All hold the chain up high and pray the Prayer of Saint Francis.

REPASO

Encierra en un círculo la letra al lado de la respuesta correcta:

1. Jesús sanó al sirviente del soldado romano para mostrarnos que

a. tenía miedo a los romanos.

b. la fe no es importante.

c. todos son bienvenidos al reino de Dios.

d. obedecía las órdenes de los romanos.

2. El perdón sana la separación de Dios y de los demás causada por el

a. amigo.

b. pecado.

c. amor.

d. remordimiento.

3. Además de sanar el cuerpo a la gente Jesús también

a. les dijo que no iban a enfermar nunca más.

b. los reconcilió con Dios.

c. perdonó sus pecados.

d. b y c son correctas.

4. Al igual que Jesús tratamos de perdonar a

a. todo el que nos hiere.

b. quienes hemos ofendido.

c. algunos de los que nos han ofendido.

d. sólo a los que nos dicen "lo siento".

5. ¿Qué harás para ser justo esta semana?

____

____

____

EN EL HOGAR Y EN LA PARROQUIA

En este capítulo los niños aprendieron algo más sobre las formas en que Jesús nos mostró como vivir para el reino de Dios. Jesús acogió a todo el mundo, ayudó a los pobres, sanó a los enfermos y nos mostró como perdonar.

Conocer a Jesucristo es reconocer lo importante que para su ministerio son las obras de hospitalidad, sanación, perdón y reconciliación. Jesús constantemente lleva su amistad a los pecadores, a los pobres, a los despreciados. Como sus discípulos, somos llamados a continuar su misión de sanación y reconciliación.

Resumen de la fe

- Jesús invita a todo el mundo a vivir para el reino de Dios.
- El perdón sana la separación de Dios y de los demás causada por el pecado.
- Al igual que Jesús, tratamos de perdonar a aquellos que nos han ofendido, sin importar cuan grave fue la ofensa.

REVIEW ■ TEST

Circle the letter beside the correct answer.

1. Jesus' healing of the Roman's servant showed that
   a. he was afraid of the Romans.
   b. faith is not important.
   c. all are welcome in God's reign.
   d. he obeyed the orders of the Romans.

2. Forgiveness heals the separation from God and others caused by
   a. friendship.
   b. sin.
   c. love.
   d. reconciliation.

3. Besides healing people's bodies, Jesus
   a. said they would never be sick again.
   b. reconciled them to God.
   c. forgave their sins.
   d. both b and c

4. Like Jesus, we try to forgive
   a. all those who hurt us.
   b. no one who hurts us.
   c. some of those who hurt us.
   d. only those who say "I'm sorry."

5. What will you do to be fair to another person this week?

____

____

____

FAITH ALIVE AT HOME AND IN THE PARISH

In this chapter your fifth grader has learned more about the ways Jesus showed us to live for the reign of God. Jesus welcomed everyone, helped the poor, healed the sick, and showed us how to forgive.

To know Jesus Christ is to recognize how central to his ministry are the works of hospitality, healing, forgiveness, and reconciliation. Jesus constantly extended his friendship to sinners, to the poor, to the outcasts. As his disciples, we are called to continue his mission of healing and reconciliation.

Faith Summary

- Jesus invited everyone to live for the reign of God.
- Forgiveness heals the separation from God and from others that sin causes.
- Like Jesus, we try to forgive those who hurt us, no matter how great the hurt.

4 La Iglesia continúa la misión de Jesús

Jesús, ayúdanos a ayudarnos unos a otros para realizar el reino de Dios.

Nuestra Vida

Cuando Jesús estuvo en la tierra, tuvo muchos discípulos. Algunos de ellos se pueden describir de la siguiente manera:

Pedro—pescador, tosco con poca educación. Tenía buen corazón pero con frecuencia impulsivo. Jesús vio cualidades especiales en Pedro. Hizo de Pedro el líder.

Marta—se preocupaba mucho acerca de las cosas diarias. Fue uno de los primeros discípulos en reconocer que Jesús era el Mesías, el Hijo de Dios.

Tomás—llamado "el que duda", porque para él hay que "ver para creer". No creyó en la resurrección de Jesús hasta que lo tocó.

María Magdalena—descrita en los evangelios como ayudante de Jesús. Con otras mujeres discípulos, se quedó al pie de la cruz y fue uno de los primeros en escuchar la buena noticia de su resurrección.

Estos son sólo algunos de los discípulos de Jesús. ¿Por qué crees que siguieron a Jesús?

¿Cómo te describes como discípulo de Jesús?

Compartiendo la Vida

Juntos discutan: ¿Por qué algunas veces es difícil trabajar con otra persona? ¿Cuándo es fácil?

¿Hay cosas en nuestra Iglesia o sociedad que algunas veces hacen difícil que la gente trabaje junta?

4 The Church Carries on Jesus' Mission

Jesus, help us to help one another bring about the reign of God.

OUR LIFE

While Jesus was on earth, he had many disciples. Let's see how some of them might be described.

Peter—a rough, uneducated fisherman. He was good-hearted but often boastful. Jesus saw special qualities in Peter. He made Peter the leader.

Martha—sometimes worried too much about everyday cares. But she was one of the first disciples to recognize Jesus as the Messiah and Son of God.

Thomas—often called "Doubting" Thomas, because for him only "seeing was believing." He wouldn't accept Jesus' resurrection until he could actually touch him.

Mary Magdalene—described in the gospels as a helper of Jesus. With other women disciples, she stood at the foot of Jesus' cross and was one of the first to hear the good news of his resurrection.

These are just some of the disciples of Jesus. Why do you think they followed him?

How would you describe yourself as a disciple of Jesus?

SHARING LIFE

Discuss together: Why is it sometimes difficult to work with other people? When is it easy?

Are there things in our Church or society that sometimes make it difficult for people to work together?

Nuestra Fe Católica

La Iglesia acoge

Jesús sabía que sus discípulos necesitarían ayuda para construir su Iglesia. El prometió enviarles al Espíritu Santo. Dios, Espíritu Santo es la tercera Persona de la Santísima Trinidad. Después de la ascensión de Jesús al cielo, los discípulos estaban rezando junto con María. De repente escucharon un viento fuerte. Y vieron lo que parecía lenguas de fuego sobre la cabeza de cada uno. Ellos se llenaron del Espíritu Santo, como Jesús lo había prometido. Esto pasó en Pentecostés, el día en que la Iglesia celebra la venida del Espíritu Santo.

Los discípulos, quienes una vez tuvieron miedo, se llenaron de valor. El Espíritu Santo los ayudó a salir del escondite para predicar la buena nueva de Jesús a todo el mundo.
Basado en Hechos de los Apóstoles 2:1–13

Los discípulos invitaron y acogieron a todo el mundo en la comunidad de seguidores de Jesús, la Iglesia.

Hoy la misión de la Iglesia es enseñar la buena nueva de Jesús y su modo de vida a todos.

Como católicos enseñamos la buena nueva cuando acogemos a los que son rechazados o tratados injustamente por la sociedad. Dios el Espíritu Santo, nuestro consolador, nos da valor para aceptar esta responsabilidad de dar la bienvenida y cuidar de todos como lo hizo Jesús.

La Iglesia sana y perdona

El Espíritu Santo ayudó a los discípulos a llevar la misión de Jesús de sanar y perdonar. El Nuevo Testamento tiene muchas historias acerca de lo que hicieron los discípulos, sanando, cuidando de la gente, animando a la gente a dejar de pecar y a pedir perdón a Dios. Ellos llevaron el perdón y la paz de Dios a todos en nombre de Jesús.

La Iglesia sirve

Los primeros cristianos no olvidaron que Jesús "no vino a ser servido sino a servir" (Mateo 20:28). También recordaron su mandamiento: "Amense unos a otros como yo los he amado" (Juan 13:34).

Los discípulos de Jesús cuidaron en especial de los necesitados: las viudas, los huérfanos y los pobres. Ellos sabían que todo bautizado cristiano tenía que participar en el trabajo de justicia y misericordia.

Our Catholic Faith

The Church Welcomes

Jesus knew his disciples would need help to build up his Church. He promised to send them the Holy Spirit. God the Holy Spirit is the third Person of the Blessed Trinity. After Jesus' ascension into heaven, the disciples were praying together with Mary. Suddenly they heard a strong wind. Then they saw what looked like tongues of fire settling over the heads of each one. They were filled with the Holy Spirit, as Jesus had promised. This happened on Pentecost, the day the Church celebrates the coming of the Holy Spirit.

The disciples, who were once afraid, were now full of courage. The Holy Spirit helped them to come out from behind locked doors and to preach the good news of Jesus to everyone.

Based on Acts 2:1–13

The disciples invited and welcomed all people into the community of Jesus' followers, the Church.

Today the mission of the Church is to teach Jesus' good news and way of life to all.

As Catholics we teach the good news when we welcome those who are pushed aside or treated unfairly by society. God the Holy Spirit, our helper, gives us the courage to accept this responsibility to welcome and care for all, as Jesus did.

The Church Heals and Forgives

The Holy Spirit helped the disciples to carry on Jesus' mission of healing and forgiving. The New Testament has many stories about the disciples healing and caring for people's bodies, encouraging people to turn away from sin and be forgiven by God. They brought God's forgiveness and peace to all in Jesus' name.

The Church Serves

The first Christians never forgot that Jesus "did not come to be served but to serve" (Matthew 20:28). They also remembered his commandment, "As I have loved you, so you also should love one another" (John 13:34).

Jesus' disciples took special care of people in need, such as widows, orphans, and the poor. They knew that every baptized Christian was to take part in this work of justice and mercy.

VOCABULARIO

Ascensión es el evento en que Jesús fue llevado al cielo después de su resurrección.

El cuerpo de Cristo

Hoy la Iglesia lleva a cabo la misión que Jesús dio a sus primeros discípulos de sanar y perdonar. Cuando la Iglesia, por el poder del Espíritu Santo, lleva sanación y perdón a una persona en el nombre de Jesús, toda la Iglesia comparte ese gozo.

San Pablo dijo que todos estamos unidos como las partes de un cuerpo. "Cuando uno sufre, todos los demás sufren con él, y cuando recibe honor, todos se alegran con él" (1 de Corintios 12:26). Jesús es la cabeza de la Iglesia, su cuerpo, y nosotros los miembros.

La Iglesia continúa sirviendo a todo el mundo. Como Jesús, cada miembro de la Iglesia puede dar algo a otro. Por ejemplo, podemos dar un talento especial, una pieza de ropa, algo de comida. El mejor regalo que podemos dar es el regalo de nosotros mismos y nuestro tiempo.

Por el Bautismo somos bienvenidos como miembros del cuerpo de Cristo, la Iglesia. Al trabajar juntos, los dones de cada uno son importantes. Esto quiere decir que cada uno de nosotros es un miembro muy importante del cuerpo de Cristo. Cada uno tiene un papel que llevar a cabo en la misión de Jesús. Debemos trabajar juntos en esta gran misión.

FAITH WORD

The **ascension** is the event in which Jesus Christ was taken into heaven after the resurrection.

The Body of Christ

Today the Church carries on the mission that Jesus gave to his first disciples to heal and forgive. When the Church, by the power of the Holy Spirit, brings healing and forgiveness to one person in the name of Jesus, the whole Church shares in that joy.

Saint Paul said that we are all connected like the parts of a body. "If [one] part [of the body] suffers, all the parts suffer with it; if one part is honored, all the parts share its joy" (1 Corinthians 12:26). Jesus is the head of his body, the Church, and we are its members.

The Church continues to serve all people. Like Jesus, each member of the Church can give something to others. For example, we can give a special talent, a piece of clothing, or some food. The best gift we can give is the gift of ourselves and our time.

By Baptism we become members of Christ's body, the Church. As we work together, everyone's gifts are important. This means that each of us is a very important member of the body of Christ. Everyone has a part to play in carrying on the mission of Jesus. We must work together in this great mission.

Acercándote a la fe

Describe las formas en que los primeros discípulos llevaron a cabo la misión de Jesús.

Hablen de su parroquia. Cómo esta:

- acoge
- sana
- perdona
- sirve
- es justa
- lleva paz

Escoge una palabra de la lista. ¿Qué puede hacer un niño de quinto curso para ayudar?

Viviendo la fe

Hablen de las ideas que tienen de las diferentes formas de servir en la parroquia:

- dar la bienvenida a los nuevos bautizados.
- limpiar los pisos de la iglesia.
- distribuir ropa y comida a los pobres de la parroquia.
- escribir cartas en los periódicos locales acerca de los temas de justicia y paz.
- servir como acomodadores, colectores, cantores, miembros de la liturgia parroquial.
- otros: ________________.

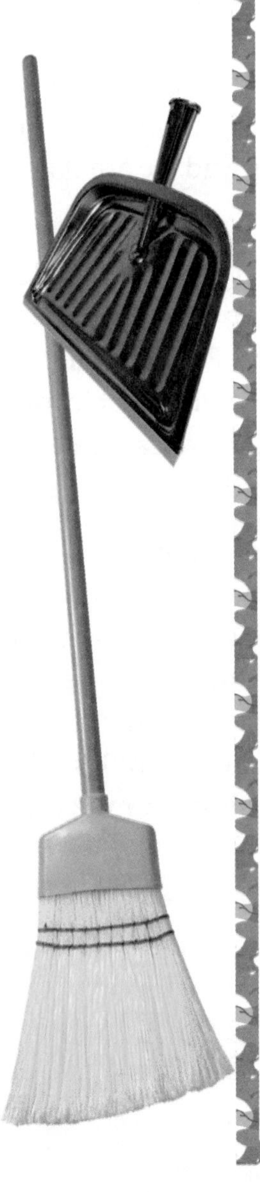

Después de decidir lo que el grupo va a hacer, pregúntense:

- ¿Con quién debemos hablar en nuestra parroquia?
- ¿Qué adultos nos pueden ayudar?
- ¿Cuándo haremos este servicio?

† Formen un círculo de oración. Después de un momento de silencio, recen:

Jesús, venimos a ti con todos nuestros dones y también nuestras faltas. Queremos seguirte como tus discípulos. Ayúdanos mientras nos ponemos al servicio de los demás en tu nombre. Amén.

Coming to Faith

Describe the ways in which the early Church carried on Jesus' mission.

Talk together about your parish. How does it:

- welcome?
- heal?
- forgive?
- serve?
- act justly?
- bring peace?

Choose one of the above. What can fifth graders do to help out?

Practicing Faith

Talk over these ideas about ways to serve your parish:

- welcome the newly baptized.
- form a "cleanup" group for the church and grounds.
- distribute or sort food and clothing for parish outreach.
- write a letter to a local newspaper about an issue of justice and peace.
- serve as ushers, gift bearers, or choir members at a parish liturgy.
- Other: ______________________________.

After you decide what your group will do, ask yourselves questions like these:

- Whom should we talk to in our parish?
- What adults do we need to help us?
- When will we do this service?

† Form a prayer circle. After a moment of quiet, pray together:

Jesus, we come to you with all our gifts and with our faults, too. We want to follow you as your disciples. Help us as we place ourselves at the service of others in your name. Amen.

REPASO

Completa las siguientes oraciones:

1. ______________________ es la cabeza de la Iglesia, su cuerpo.

2. El trabajo de la Iglesia es acoger, sanar, perdonar

   y ______________________.

3. ______________________ es el evento por medio del cual Jesús fue llevado

   al cielo después de la resurrección.

4. La Iglesia recibió al Espíritu Santo en ______________________.

5. ¿Cómo un niño de quinto curso puede construir el reino de Dios? ¿Qué harás?

   ____

   ____

   ____

EN EL HOGAR Y EN LA PARROQUIA

En este capítulo los niños aprendieron como la Iglesia empezó y como sigue llevando a cabo la misión de Jesús de acoger, sanar, perdonar y servir. Un tema central del Concilio Vaticano Segundo es que, por el Bautismo, todos somos llamados a compartir la misión y el ministerio de la Iglesia—cada uno de acuerdo a sus dones.

Si es posible, lea el primer capítulo de Hechos de los Apóstoles. Hablen de las formas en que los primeros cristianos siguieron el mandamiento de Jesús de amarnos unos a otros como él nos amó.

Resumen de la fe

- El Espíritu Santo ayuda a la Iglesia a llevar la misión de Jesús a todo el mundo.
- Jesús es la cabeza de la Iglesia, su cuerpo, y nosotros los miembros.
- Al igual que Jesús, la Iglesia sirve a la gente y le lleva la sanación y el perdón de Jesús.

REVIEW • TEST

Complete the sentences.

1. ______________________ is the head of the Church, his body.

2. The work of the Church is to welcome, heal, forgive and ______________________.

3. The event in which Jesus was taken into heaven after the resurrection is called the ______________________.

4. The Church received the Holy Spirit on ______________________.

5. How can a fifth grader help build the reign of God? What will *you* do?

____

____

____

FAITH ALIVE AT HOME AND IN THE PARISH

Your fifth grader has learned more about the way our Church began and how it continues Jesus' mission of welcoming, healing, forgiving, and serving today. A central theme of the Second Vatican Council is that, by Baptism, all of us are called to share in the mission and ministry of the Church—each according to his or her gifts.

If possible, read the first chapter of the Acts of the Apostles. Talk together about the way the early Christians followed Jesus' commandment to love one another as he has loved us.

Faith Summary

- The Holy Spirit helps the Church carry on the mission of Jesus to all people.
- Jesus is the head of the Church, his body, and we are its members.
- Like Jesus, the Church serves people and brings them Jesus' healing and forgiveness.

5 Los sacramentos y la Iglesia

Jesús, queremos ser señal de tu amor. Permite que nuestras acciones hablen de ti.

Nuestra Vida

Karen quiere mucho a su abuela. Se hablan por teléfono varias veces a la semana. Karen piensa que puede hablar cualquier cosa con su abuela y que ella la escucha. No la critica y le ofrece buenos consejos. A Karen le gusta la forma en que su abuela le habla: "Me trata como a una persona", dice Karen.

¿Cómo se muestran respeto y amor Karen y su abuela?

¿Cómo muestras respeto a otros?

Daniel estaba triste después de la práctica de fútbol. "El entrenador no me quiere", dijo a su amigo Samuel." "Estás loco", contestó Samuel. "¿Qué te hace pensar eso? ¿Te lo ha dicho él?"

"No es lo que dice, es cómo actúa", contestó Daniel. "Nunca me pone a jugar y me da la espalda cuando me acerco a él".

¿Qué señales hicieron a Daniel pensar que el entrenador no lo quería?

Explica como algunas veces las acciones "hablan más fuerte que las palabras".

¿Qué señales das a las personas para hacerles saber cómo te sientes acerca de ellos?

Compartiendo la Vida

La gente nos da muchas señales para demostrarnos si les importamos o no. Hablen sobre cuales pueden ser algunas de esas señales.

Imagina algunas de las señales que Jesús quiere que demos a otros.

5 The Sacraments and the Church

Jesus, we want to be signs of your love. May what we do tell others about you.

Our Life

Kate loves her grandmother. They talk to each other on the phone several times a week. Kate feels that she can tell her grandmother everything and her grandmother really listens! She doesn't criticize, but she gives Kate good advice. Kate loves the way her grandmother talks to her. "She treats me like a person," Kate says.

How do Kate and her grandmother show each other love and respect?

How do you show respect to others?

Darryl was upset after soccer practice. "Coach Tate just doesn't like me," he complained to his friend Sam. "You're crazy," Sam replied. "Whatever made you come up with that idea? Has he told you that?"

"It's not what he says; it's how he acts," said Darryl. "He never puts me in the game. And he turns away when I come near him."

What signs made Darryl think the coach didn't like him?

Explain how actions can sometimes "speak louder than words."

What signs do you give people to let them know how you feel about them?

Sharing Life

People give us many signs of caring or not caring about us. Discuss together what some of these signs might be.

Imagine some of the signs that Jesus wants us to give to other people.

NUESTRA FE CATOLICA

Señales del amor de Dios

Las señales del amor de Dios están en todas partes para que podamos ver si estamos dispuestos a notarlas. Una señal es algo visible que expresa algo invisible.

Salvador Dali, *The Last Supper,* 1955

Jesús usó muchas señales o signos para mostrar el amor de Dios. Por ejemplo, recordó a los granjeros que ellos miraban las señales o signos de la naturaleza para predecir el tiempo. El dijo: "Cuando ven la nube que se levanta al poniente, inmediatamente dicen que va a llover y así sucede. Cuando sopla el viento del sur, dicen que hará calor, y así sucede".

Jesús dijo que debemos estar atentos a las señales del amor de Dios al igual que estamos atentos a las señales del tiempo.
Basado en Lucas 12:54–56

Encontramos las señales del amor de Dios en las palabras y acciones de Jesús. Jesús es la perfecta señal de Dios para nosotros. San Pablo llamó a Jesús "La imagen del Dios que no se puede ver" (Colosenses 1:15). Pablo quería decir que en Jesús encontramos al Hijo de Dios hecho hombre.

El Hijo de Dios se hizo uno de nosotros para compartir nuestra vida diaria. Porque Jesús es Dios, él es la señal perfecta del amor de Dios para toda la humanidad. En Jesús encontramos a Dios mismo. Es por esto que decimos que Jesús es el Sacramento de Dios para nosotros.

Un sacramento es el tipo de signo más efectivo. Sucede lo que representa. Jesús es el mayor sacramento de Dios, porque él es Dios con nosotros.

Nuestra Iglesia es también una señal, o sacramento, de Jesús para nosotros. Encontramos a Jesús cada vez que nuestra Iglesia acoge, perdona, enseña, sirve y trabaja por la justicia y la paz.

Pero nuestra Iglesia no es siempre una señal perfecta de Jesucristo porque está compuesta de muchas personas imperfectas, incluyéndonos nosotros. A medida que cada uno de nosotros se convierte en una mejor señal, todo el cuerpo de Cristo, la Iglesia, se convierte en una señal más efectiva, o sacramento, de Jesús.

Siete señales especiales

Los siete sacramentos—Bautismo, Confirmación, Eucaristía, Reconciliación, Unción de los Enfermos, Matrimonio y Ordenes Sagradas—son señales efectivas de la presencia de Jesús con nosotros.

Signs of God's Love

Signs of God's love are everywhere for us to see if we are willing to notice them. A *sign* is something visible that tells us about something invisible.

Jesus used many signs to show God's love. For example, he reminded farmers that they looked at signs in nature to predict the weather. He said, "When you see [a] cloud rising in the west you say immediately that it is going to rain—and so it does; and when you notice that the wind is blowing from the south you say that it is going to be hot—and so it is."

Jesus said we should look for signs of God's love just as we look for signs of the weather.
Based on Luke 12:54–56

We find the greatest signs of God's love in Jesus' words and actions. Jesus is the perfect sign of God to us. Saint Paul called Jesus "the image of the invisible God" (Colossians 1:15). Paul meant that in Jesus we meet the Son of God made flesh.

The Son of God became one of us and shared our everyday lives. Because Jesus is God, he is the perfect sign of God's love for all humankind. In Jesus we meet God. This is why we say that Jesus is the Sacrament of God to us.

A sacrament is the most effective kind of sign. It causes to happen the very thing for which it stands. Jesus is the greatest Sacrament of God because he is God with us.

Our Church is also a sign, or sacrament, of Jesus for us. We meet Jesus each time our Church welcomes, forgives, teaches, serves, and works for justice and peace.

But our Church is not always a perfect sign of Jesus Christ because it is made up of many imperfect people, including ourselves. As each of us becomes a better sign, the whole body of Christ, the Church, becomes a more effective sign, or sacrament, of Jesus.

Seven Special Signs

The seven sacraments—Baptism, Confirmation, Eucharist, Reconciliation, Anointing of the Sick, Matrimony, and Holy Orders—are effective signs of Jesus' presence with us.

These seven sacraments are called effective signs because they do more than ordinary signs. Through the power of the Holy Spirit,

VOCABULARIO

Un **sacramento** es una señal efectiva por medio de la cual Jesucristo comparte la vida y el amor de Dios con nosotros.

LOS SIETE SACRAMENTOS

Bautismo, Confirmación y Eucaristía

La Iglesia lleva a cabo la misión de Jesús de acoger miembros para el cuerpo de Cristo cuando celebramos el Bautismo, la Confirmación y la Eucaristía. Estos sacramentos son llamados sacramentos de iniciación.

Reconciliación y Unción de los Enfermos

La Iglesia perdona y sana como lo hizo Jesús al celebrar la Reconciliación y la Unción de los Enfermos. Estos son llamados sacramentos de sanación.

Matrimonio y Orden Sacerdotal

La Iglesia sirve a otros y es una señal especial del amor de Dios cuando celebra y vive los sacramentos del Matrimonio y el Orden. Estos son los sacramentos de servicio.

Estos siete sacramentos son llamados señales efectivas porque son más que señales ordinarias. Por el poder del Espíritu Santo realmente ofrecen lo que prometen. Los sacramentos son las señales más efectivas de la presencia de Jesús con nosotros.

En los sacramentos, Jesús comparte la vida de Dios con la Iglesia por el poder del Espíritu Santo. El nos llama a responder viviendo como sus discípulos. En los siete sacramentos Jesucristo, el Hijo de Dios, real y verdaderamente viene a nosotros en nuestra vida hoy.

La vida y el amor de Dios en nosotros se llama Gracia. *Gracia* es compartir la vida divina, la vida y el amor de Dios. Recibimos la gracia en los sacramentos.

Al celebrar los sacramentos, la Iglesia alaba y adora a Dios. En la celebración de los sacramentos, la Iglesia se convierte en una poderosa señal de la presencia de Jesús y el reino de Dios en el mundo.

FAITH WORD

A **sacrament** is an effective sign through which Jesus Christ shares God's life and love with us.

THE SEVEN SACRAMENTS

Baptism, Confirmation, and Eucharist
The Church carries on Jesus' mission of welcoming members into the body of Christ when we celebrate Baptism, Confirmation, and Eucharist. We call these the sacraments of initiation.

Reconciliation and Anointing of the Sick
The Church forgives and heals as Jesus did by celebrating Reconciliation and Anointing of the Sick. We call these the sacraments of healing.

Matrimony and Holy Orders
The Church serves others and is a special sign of God's love by celebrating and living the sacraments of Matrimony and Holy Orders. We call these the sacraments of service.

they actually bring about what they promise. The sacraments are the most effective signs of Jesus' presence with us.

In the sacraments, Jesus shares God's life with the Church by the power of the Holy Spirit. He calls us to respond by living as his disciples. In the seven sacraments, Jesus Christ, the Son of God, really and truly comes to us in our lives today.

God's life and love in us is called grace. *Grace* is a sharing in the divine life, in God's very life and love. We receive God's grace in the sacraments.

By celebrating the sacraments, the Church worships and praises God. In celebrating the sacraments, the Church becomes a powerful sign of Jesus' presence and God's reign in our world.

Acercandote a la Fe

¿Cómo es Jesús un signo, o sacramento, del amor de Dios para nosotros?

¿Cómo puedes ser un signo del amor de Dios para otros hoy?

Viviendo la Fe

Formen siete pequeños grupos, uno por cada sacramento. Cuando el grupo sea nombrado den un paso atrás. Al final todos los grupos deben estar en círculo.

Guía: Bautismo (Grupo 1 paso atrás).

Grupo 1: Te damos gracias, oh Santísima Trinidad, por el regalo de la nueva vida con la que nos has bendecido.

Guía: Confirmación.

Grupo 2: Te bendecimos, oh Santísima Trinidad, por el Espíritu Santo, quien nos fortalece para servir en tu Iglesia y en el mundo.

Guía: Eucaristía.

Grupo 3: Nuestras vidas son alimentadas con el Cuerpo y la Sangre de Cristo.

Guía: Reconciliación.

Grupo 4: Somos bendecidos, oh Santísima Trinidad, con tu perdón, tu misericordia y tu paz.

Guía: Unción de los Enfermos.

Grupo 5: Nos has bendecido, oh Santísima Trinidad, con este sacramento de sanación. Tú nos confortas, consuelas y das paz.

Guía: Orden Sacerdotal.

Grupo 6: Tú sigues bendiciendo a tu Iglesia, oh Santísima Trinidad, con los dones de este sacramento de ministerio y servicio.

Guía: Matrimonio.

Grupo 7: Gracias, Señor, por este sacramento que bendice nuestras vidas con el amor del matrimonio y las familias.

Todos: (Alargando las manos, con las palmas hacia abajo, hacia el centro del círculo)

Por todos estos signos de tu amor y gracia que bendicen nuestras vidas, gracias, Dios.

Coming To Faith

How is Jesus a sign, or sacrament, of God's love for you?

How can you be a sign of God's love to others today?

Practicing Faith

Form seven small groups, one for each sacrament. As your group is named, step forward. At the end the groups should be in a single circle.

Leader: Baptism! (Group 1 steps forward.)

Group 1: We thank you, O Blessed Trinity, for the gift of new life with which you have blessed us.

Leader: Confirmation!

Group 2: We bless you, O Blessed Trinity, for the Holy Spirit, who strengthens us for service in your Church and in the world.

Leader: Eucharist!

Group 3: Our lives are nourished with the Body and Blood of Christ.

Leader: Reconciliation!

Group 4: Blessed are we, O Blessed Trinity, with your forgiveness and mercy and peace.

Leader: Anointing of the Sick!

Group 5: You bless us, O Blessed Trinity, with this healing sacrament. You comfort, console, and give us peace.

Leader: Holy Orders!

Group 6: Continue to bless your Church, O Blessed Trinity, with the gift of this sacrament of ministry and service.

Leader: Matrimony!

Group 7: Thank you, O Blessed Trinity, for this sacrament that blesses our lives with married love and families.

All: (stretching hands out to center of circle, palms down) For all these signs of your love and grace that bless our lives, thank you, God! Amen.

REPASO

Aparea.

1. sacramentos ______ sacramentos de servicio

2. Bautismo, Confirmación, Eucaristía ______ sacramentos de sanación

3. Reconciliación Unción de los Enfermos ______ signos efectivos con que Jesús comparte la vida y el amor de Dios con nosotros

4. Matrimonio, Ordene Sacerdotal ______ sacramentos de vida

______ sacramentos de iniciación

5. ¿Qué puedes hacer esta semana para ser un signo del amor de Dios?

____

____

FE VIVA EN EL HOGAR Y EN LA PARROQUIA

En esta lección los siete sacramentos fueron explicados detalladamente a los niños. Se les enseñó que Jesús es el signo perfecto, o sacramento, de Dios y que la Iglesia es el sacramento de Jesús. Cada uno de nosotros, como miembro de la Iglesia, está llamado a llevar la misión de Jesús de acoger, sanar, perdonar y servir. Hablen sobre algunas cosas que su familia puede hacer para ser signos del amor compasivo de Dios.

Resumen de la fe

- Sacramento es un signo efectivo por medio del cual Jesucristo comparte la vida y el amor de Dios con nosotros.
- Los sacramentos son siete: Bautismo, Confirmación, Eucaristía, Reconciliación, Unción de los Enfermos, Matrimonio y Orden Sacerdotal.
- Recibimos la gracia de Dios en los sacramentos.

REVIEW ■ TEST

Match.

1. sacraments	______	sacraments of service
2. Baptism, Confirmation, Eucharist	______	sacraments of healing
3. Reconciliation, Anointing of the Sick	______	effective signs through which Jesus Christ shares God's life and love with us
4. Matrimony, Holy Orders	______	sacraments of life
	______	sacraments of initiation

5. What can you do this week to be a sign of God's love?

____

____

FAITH ALIVE AT HOME AND IN THE PARISH

Your fifth grader has been introduced in a deeper way to the seven sacraments. She or he has been taught that Jesus is the perfect sign, or sacrament, of God and that the Church is the sacrament of Jesus. Each of us, as a member of the Church, is called to carry on Jesus' mission of welcoming, healing, forgiving, and serving. Talk about some things your family can do to be signs of God's compassionate love.

Faith Summary

- A sacrament is an effective sign through which Jesus Christ shares God's life and love with us.
- There are seven sacraments: Baptism, Confirmation, Eucharist, Reconciliation, Anointing of the Sick, Matrimony, and Holy Orders.
- We receive God's grace in the sacraments.

6 Celebrando la Reconciliación

Jesús,
ayúdanos a
perdonarnos
unos a otros
como tú nos
perdonas.

NUESTRA VIDA

En el este de Africa habita una tribu fascinante llamada Masai. Son gente muy alta y hermosa que vive gentil y pacíficamente en armonía con ellos mismos y la naturaleza a su alrededor. Esta armonía es tan importante para los masai que si una familia ofende a otra toda la tribu se entristece. Toda la tribu trabaja para que las familias enemistadas se contenten y haya nuevamente paz y reconciliación.

Los miembros de la tribu animan a las dos familias a preparar una comida especial, que llevarán al centro de la villa. Todos los animan a levantar el ánimo. Las dos familias intercambian su comida, se sientan y comen. Esa es la señal del perdón. Toda la tribu celebra el retorno a la paz y a la armonía.

¿Qué piensas acerca de la señal de perdón de los masai?

¿Cómo muestras señales de perdón?

COMPARTIENDO LA VIDA

¿Qué podemos aprender de los masai para nuestras vidas?

Hablen de las formas en que mejor se muestra el perdón en nuestra cultura.

6 Celebrating Reconciliation

Jesus, help us to forgive others as you forgive us.

Our Life

In East Africa there is a fascinating tribe called the Masai. They are very tall, beautiful people who live gently and calmly in harmony with themselves and the natural world around them. This harmony is so important to the Masai that if one family offends another the whole tribe is upset. The whole tribe works to bring the separated families together so there can be peace and reconciliation.

The tribe members encourage the two families to prepare special foods, which they then bring to the center of the village. Everyone encourages them and cheers them on. The two families then exchange their food with each other and sit down to eat. This is the sign of forgiveness. The whole tribe then celebrates the return of peace and harmony.

What do you think about the Masai sign of forgiveness?

How do you show signs of forgiveness?

Sharing Life

What can we learn from the Masai for our lives?

Talk together about the best ways to show forgiveness in our culture.

NUESTRA FE CATOLICA

La buena nueva del perdón

Dios envió a Jesús para mostrarmos que él está siempre esperando para perdonar nuestros pecados, no importa lo graves que sean. Jesús nos enseñó que Dios siempre nos perdona cuando estamos arrepentidos de nuestros pecados y le pedimos perdón.

Jesús entendió que vivir como sus discípulos y hacer la voluntad de Dios no es siempre fácil. El sabía que sus seguidores pecarían y que necesitarían el perdón de Dios.

He aquí una historia bíblica en la que Jesús pide a sus discípulos perdonar los pecados en su nombre.

En la tarde del primer Domingo de Resurrección los discípulos de Jesús estaban escondidos en una habitación. Tenían miedo de que las personas que crucificaron a Jesús los mataran a ellos también.

Jesús se les apareció y les dijo: "La paz sea con ustedes".

Después de mirar las heridas de Jesús en sus manos y su costado, ellos se sorprendieron y se llenaron de gozo. Sabían que era Jesús.

Jesús les dijo de nuevo: "La paz sea con ustedes. Así como mi Padre me envió a mí, así los envío a ustedes. . . . a quienes ustedes perdonen queden perdonados, y a quienes no libren de sus pecados, queden atados".
Basado en Juan 20:19–23

Nuestra Iglesia perdona

Hoy nuestra Iglesia continúa la misión de Jesús de perdonar en el sacramento de la Reconciliación. Nos preparamos para celebrar la Reconciliación examinando nuestras conciencias y reconociendo nuestros pecados.

Pensamos en nuestros pecados y las cosas que hicimos sin seguir las enseñanzas de Jesús. Nos arrepentimos de las cosas malas que hemos hecho. Recordamos que Dios siempre está dispuesto a perdonarnos si estamos arrepentidos. Pensamos acerca del arrepentimiento del hijo pródigo y el perdón de su padre (Lucas 15:11–24).

Cuando examinamos nuestra conciencia podemos hacernos las siguientes preguntas:

- ¿Muestro que amo a Dios?
- ¿Pongo a Dios primero en mi vida, o hay otras cosas más importantes para mí?
- ¿He usado el nombre de Dios con respeto, o he usado el nombre de Dios con enojo?

Good News of Forgiveness

God sent Jesus to show us that he is always waiting to forgive our sins, no matter how bad they are. Jesus taught us that God always forgives us when we are sorry for our sins and ask his forgiveness.

Jesus understood that living as his disciples and doing God's loving will are not always easy. He knew that his followers might sin and need God's forgiveness.

Here is a gospel story in which Jesus tells the disciples to forgive sins in his name.

Late the first Easter Sunday evening, Jesus' disciples were hiding in a locked room. They were afraid that the people who crucified Jesus would kill them, too.

Jesus came and said, "Peace be with you."

After looking at the wounds in Jesus' hands and side, they were amazed and filled with joy. They knew it was Jesus.

Jesus said to them again, "Peace be with you. As the Father has sent me, so I send you. Whose sins you forgive are forgiven them."

Based on John 20:19–23

Our Church Forgives

Today our Church continues Jesus' mission of forgiveness in the sacrament of Reconciliation. We prepare ourselves to celebrate Reconciliation by examining our conscience and by becoming aware of our sins.

We think about our sins or the things that showed we did not follow the way of Jesus. We are sorry for what we have done that is wrong. We remember that God is always ready to forgive us if we are sorry. We can think about the story of the prodigal son and his forgiving father (Luke 15:11–24). When we examine our conscience, we may ask ourselves questions like these:

- Do I show that I love God?
- Does God come first in my life, or are other things more important to me?
- Have I used God's name with respect, or have I sometimes said God's name in anger?

- ¿He participado en la misa los domingos y los días de obligación, o he faltado a la misa por una razón seria?
- ¿He obedecido, o no, a mis padres y mayores?
- ¿Muestro que amo a los demás como a mí mismo?
- ¿He tratado de amar a los demás o he ofendido a alguien de palabras u obras?
- ¿He compartido mis cosas con otros, o he sido egoísta o he tomado sin permiso algo que no es mío?
- ¿He sido justo y veraz, o he mentido o engañado?
- ¿Me he preocupado por los pobres, los que tienen hambre, o los oprimidos?
- ¿He tratado de fomentar la paz y de ser justo?
- ¿Trato de vivir como Jesús?

Después de examinar nuestras conciencias y arrepentidos de nuestros pecados, estamos listos para continuar con la celebración del sacramento de la Reconciliación.

Acercandote a la fe

Toma unos minutos para revisar el examen de conciencia. Luego trabaja con un compañero para cambiar cada pregunta en varias afirmaciones "podemos. . ."
Por ejemplo:

¿He mostrado que amo a Dios? Podemos mostrar que amamos a Dios siendo pacientes con los que nos enojan.

Comparte todas tu afirmaciones "podemos. . ." con el grupo.

- Do I take part in Mass on Sundays and on holy days of obligation, or have I missed Mass for no serious reason?
- Do I obey my parents or guardians or have I disobeyed them?
- Do I show that I love other people as I love myself?
- Have I tried to act lovingly to others, or have I hurt anyone by my words or deeds?
- Have I shared my things with others, or have I been selfish or taken others' things without permission?
- Have I been truthful and fair, or have I lied and cheated?
- Have I cared about the poor, the hungry, and those who are oppressed?
- Do I try to be a peacemaker and treat everyone with justice?
- Do I try to live like Jesus?

After we have examined our conscience and are sorry for our sins, we are ready to continue with the celebration of the sacrament of Reconciliation.

COMING TO FAITH

Take a minute to look again at the examination of conscience. Then work in groups or with a partner to change each question into several "we can. . ." statements. For example:

Do I show that I love God? We can show we love God by being more patient with those who annoy us.

Share all your "we can. . ." statements with your group.

VIVIENDO LA FE

Servicio de oración para el perdón

Canción de apertura

Tema

Alabamos y damos gracias a Dios por su amor y perdón.

Saludo

Guía: Jesús, nos traes el perdón de Dios. Qué la paz y la misericordia de Jesús sea con nosotros.

Todos: Y con tu espíritu.

Guía: Jesús, venimos a celebrar el perdón de Dios. Escucha nuestras peticiones de paz y perdón.

Todos: Amén.

Primera lectura

Dios siempre está dispuesto a perdonarnos. Lectura del libro de Joel. (Leer Joel 2:13.)

Salmo responsorial

Guía: Enséñame Señor, lo que quieres que haga, y te obedeceré fielmente.

Todos: Grande es tu amor por nosotros, Señor.

Guía: Tú, Señor, eres un Dios misericordioso y amoroso, siempre paciente, amable y fiel. Mírame y ten misericordia de mí.

Todos: Grande es tu amor por nosotros, Señor.

Evangelio

Se puede dramatizar la historia del evangelio acerca del hijo pródigo (Lucas 15:11–24) o varios lectores pueden leer diferentes partes.

Examen de conciencia

Un miembro del grupo lee las preguntas del examen de conciencia en las páginas 58 y 60. Después de cada pregunta se hace una pequeña reflexión. Luego recen:

Guía: Jesús, perdona nuestros pecados.

Todos: Señor, escucha nuestra oración.

Guía: Jesús, ayúdanos a amarnos unos a otros.

Todos: Señor, ten misericordia de nosotros.

Guía: Jesús, danos el valor de alejarnos del pecado y cambiar nuestras vidas.

Todos: Señor, perdona nuestros pecados.

Guía: Jesús, líbranos de nuestros pecados y dirígenos a la libertad gozada por tus fieles discípulos.

Todos: (Recen el Padre Nuestro)

Oración de alabanza

Seleccione un salmo como oración de alabanza, por ejemplo el Salmo 136:1–9 ó el Salmo 145:1–13.

Saludo de la paz

Compartan el saludo de la paz.

Canción de despedida

PRACTICING FAITH

A Prayer Service of Forgiveness

Opening Hymn

Theme

We praise and give thanks for God's love and forgiveness.

Greeting

Leader: Jesus brings us God's forgiveness. May the peace and mercy of Jesus be with you.

All: And also with you.

Leader: Jesus, we have come to celebrate God's forgiveness. Hear us as we ask for your forgiveness and peace.

All: Amen.

First Reading

God is always ready to forgive us. A reading from the Book of Joel. (Read Joel 2:13.)

Responsorial Psalm

Leader: Teach me, O God, what you want me to do, and I will obey you faithfully.

All: Great is your love for us, O God.

Leader: You, O God, are a merciful and loving God, always patient, always kind, and always faithful. Turn to me and have mercy on me.

All: Great is your love for us, O God.

Gospel

The group may act out the gospel story about the prodigal son (Luke 15:11–24) or several readers may take different parts and read it together.

Examination of Conscience

A member of the group reads the examination of conscience questions on pages 59 and 61. After each question is read, pause for quiet reflection. Then pray:

Leader: Jesus, forgive us our sins.

All: Lord, hear our prayer.

Leader: Jesus, help us to love one another.

All: Lord, have mercy on us.

Leader: Jesus, give us the courage to turn away from sin and to change our lives.

All: Lord, forgive us our sins.

Leader: Jesus, free us from our sins and lead us to the freedom enjoyed by your faithful disciples.

All: (Pray the Our Father together.)

A Prayer of Praise

Select a psalm as a prayer of praise, for example, Psalm 136:1–9 or Psalm 145:1–13.

Sign of Peace

Share with one another a greeting of peace.

Closing Hymn

REPASO

Encierra en un círculo (**V**) cuando sea verdad y (**F**) cuando sea falso. Si la respuesta es falsa corrígela.

1. Dios siempre está dispuesto a perdonar nuestros pecados si estamos arrepentidos. **V** **F**

____

2. La Iglesia continúa la misión de Jesús de perdonar en el sacramento de la Confirmación. **V** **F**

____

3. Después de celebrar la Reconciliación podemos hacer un examen de conciencia. **V** **F**

____

4. Jesús dio a sus discípulos el poder de perdonar los pecados en el nombre de Dios la tarde del Domingo de Resurrección. **V** **F**

____

5. ¿Cómo te sientes al saber que eres perdonado?

____

____

EN EL HOGAR Y EN LA PARROQUIA

Esta lección litúrgica desarrolla el significado de la gracia del sacramento de la Reconciliación y profundiza la conciencia en el significado del perdón. La habilidad de desear perdonar a otros y pedir perdón es una de las grandes virtudes que podemos desarrollar en nuestros niños.

El perdón es una virtud natural, pero puede moldearse y fomentarse en los primeros años del niño. Cuando los niños ven y experimentan el perdón en los hogares, están mejor preparados para practicarlo.

El sacramento de la Reconciliación pone énfasis en el papel de la comunidad de la Iglesia en nuestra celebración de este sacramento. Como nuestro pecado resta santidad a la comunidad, nuestra reconciliación sacramental con Dios debe ser a través de un ministro de la Iglesia.

Resumen de la fe

- Dios siempre está dispuesto a perdonar nuestros pecados.
- Jesús dio a sus discípulos el poder de perdonar los pecados.
- Reconciliación es el sacramento por medio del cual Dios perdona nuestros pecados por medio de un ministro de la Iglesia.

REVIEW ▪ TEST

Answer true (**T**) or False (**F**).
If the answer is false, correct it.

1. God is always ready to forgive our sins if we are sorry. **T** **F**

____

2. The Church continues Jesus' mission of forgiveness in the sacrament of Confirmation. **T** **F**

____

3. After celebrating Reconciliation we should make an examination of conscience. **T** **F**

____

4. Jesus gave his disciples the power to forgive sins in God's name on Easter evening. **T** **F**

____

5. How does it make you feel to know you are forgiven?

____

____

AT HOME AND IN THE PARISH

This liturgical lesson provided your fifth grader with a further development of the meaning and grace of the sacrament of Reconciliation and a deepened awareness of the meaning of forgiveness. The ability and desire to forgive others and to ask forgiveness of others is one of the greatest virtues we can develop in our children. Forgiveness is a mature virtue, but it can be modeled and encouraged from your child's earliest years. When children witness and experience forgiveness in their homes, they more readily practice it themselves.

The sacrament of Reconciliation emphasizes the role of the Church community in our celebration of this sacrament. Since our sins take from the holiness of the community, it is most fitting that our sacramental reconciliation with God should be through the ministry of the Church.

Faith Summary

- God is always ready to forgive our sins.
- Jesus gave his disciples the power to forgive sins.
- Reconciliation is the sacrament in which we are forgiven by God through the ministry of the Church.

7 Celebrando la Eucaristía

Jesús,
ayúdanos a
compartir el
pan de vida
para ser uno
en mente y
corazón.

NUESTRA VIDA

En el Antiguo Testamento leemos acerca de un hombre llamado Eliseo, quien vivió hace muchos años. Eliseo ayudó a los pobres y a los enfermos.

Un vez una mujer le contó que su esposo acababa de morir y que un hombre a quién él le debía dinero había venido a cobrarle. La mujer era muy pobre y su familia ya no tenía ni para comer. Todo lo que le quedaba era una jarra de aceite.

Eliseo dijo a la mujer que regresara a su casa y pidiera prestada todas las jarras vacías que pudiera. Le dijo que empezara a poner el poco de aceite que tenía en su jarra en las que le prestaran.

Eliseo sonrió cuando la mujer volvió y le dijo que tenía la casa llena de jarras llenas de aceite de oliva. El le dijo: "Anda a vender el aceite para pagar tus deudas y, con el dinero que sobre, podrán vivir tú y tus hijos".
Basado en 2 Reyes 4:1–7

¿Qué aprendiste de esta historia?

¿Quién te da lo que necesitas para vivir?

COMPARTIENDO LA VIDA

Si pudieras pedir a Eliseo una comida o una bebida que nunca se acabe. ¿Qué le pedirías? ¿Por qué?

¿Nos dio Jesús alguna comida especial? ¿Cuál? ¿Cómo nos ayuda esa comida?

7 Celebrating Eucharist

Jesus, help us who share the bread of life to become one in mind and heart.

Our Life

In the Old Testament we read about a man named Elisha, who lived long ago. Elisha helped those who were sick or poor.

One time a woman explained to him that her husband had just died and that a man to whom her husband owed money had come to her demanding to be paid. The woman was very poor, and her family no longer even had food to eat. All that was left in her home was a small jar of olive oil.

Elisha instructed her to go home and borrow as many empty jars as she could. He told her to start pouring the olive oil from the small jar that she had into all the other jars her sons could bring to her.

Elisha smiled when the woman returned and told him that she had a house filled with jars of olive oil. He said to her, "Go and sell the oil to pay off your creditor; with what remains, you and your children can live."
Based on 2 Kings 4:1–7

What did you learn from this story?

Who gives you what you need for life?

Sharing Life

Imagine you could ask Elisha for a certain food or drink that would never run out. What would you ask for? Why?

Did Jesus give us any special food?

What is it? How does it help us?

NUESTRA FE CATOLICA

Alimento que dura para siempre

Los primeros cristianos con frecuencia compartían la comida especial que Jesús nos dio. Ellos siguieron las instrucciones que Jesús dio a sus discípulos en la última Cena: "Hagan esto en memoria mía" (1 Corintio 11:24).

Ellos se reunían para celebrar la Eucaristía. Cantaban himnos; recordaban las enseñanzas de Jesús y recordaban su vida, muerte y resurrección. Tomaban el pan y el vino y hacían lo que Jesús hizo en la última Cena. Luego juntos compartían el Cuerpo y la Sangre de Cristo.

Jesús mismo es el Pan de Vida, el alimento que recibimos en la Eucaristía. Jesús está realmente presente con nosotros en la Eucaristía para alimentarnos y fortalecernos para vivir para el reino de Dios.

Un día Jesús dijo a la gente: "Yo soy el Pan de Vida. El que viene a mí nunca tendrá hambre, el que cree en mí nunca tendrá sed" (Juan 6:35).

Uno con Jesús y los demás

Celebrar la Eucaristía juntos como Iglesia es el signo más poderoso de nuestra unidad con Jesucristo y unos con otros.

Para enseñar la Eucaristía, como una señal de nuestra unidad con Jesús y unos con otros, San Pablo escribió:

"La copa de bendición que bendecimos, ¿no es una comunión con la sangre de Cristo? Y el pan, que todos partimos, ¿no es una comunión con el cuerpo de Cristo? Como uno es el pan, todos pasamos a ser un solo cuerpo, participando todos del único pan".
1 de Corintios 10:16–17

Nos reunimos como comunidad de seguidores de Jesús para compartir su vida y amor. En nuestra asamblea eucarística, nos unimos con Jesús y la Iglesia en todo el mundo. Somos signos de la vida y el amor de Jesús en el mundo.

Nuestra oración de acción de gracias

La Eucaristía es una comida y un sacrificio. En la misa celebramos la Eucaristía. Esta es la mayor oración de acción de gracias y alabanza a Dios de la comunidad cristiana.

En los *Ritos Iniciales* nos preparamos para nuestra celebración. Recordamos que somos la comunidad de discípulos de Jesús.

Las lecturas de la Escritura en la *Liturgia de la Palabra* nos recuerdan como debemos vivir como pueblo de Dios, el cuerpo de Cristo. Escuchamos con atención, porque Dios nos habla por medio de las lecturas de la Escritura. Aprendemos a vivir para el reino de Dios, como Jesús nos enseñó.

Food That Lasts Forever

The early Christians frequently shared the special meal Jesus gave us. They followed the instruction that Jesus gave to his disciples at the Last Supper, "Do this in remembrance of me" (1 Corinthians 11:24).

They came together to celebrate the Eucharist. They sang songs; remembered Jesus' teachings; and recalled his life, death, and resurrection. They took bread and wine and did what Jesus did at the Last Supper. Then they shared in the Body and Blood of Christ together.

Jesus himself is the Bread of Life, the food that we receive in the Eucharist. Jesus is really present with us in the Eucharist to nourish and strengthen us to live for the reign of God.

One time Jesus told the people, "I am the bread of life; whoever comes to me will never hunger, and whoever believes in me will never thirst" (John 6:35).

One time Jesus told the people, "I am the bread of life; whoever comes to me will never hunger, and whoever believes in me will never thirst" (John 6:35).

One with Jesus and Others

Celebrating the Eucharist together as the Church is the most powerful sign of our unity with Jesus Christ and with one another.

Teaching about the Eucharist as a sign of our unity with Jesus and one another, Saint Paul wrote:

"The cup of blessing that we bless, is it not a participation in the blood of Christ? The bread that we break, is it not a participation in the body of Christ? . . .we, though many, are one body, for we all partake of the one loaf."

1 Corinthians 10:16–17

We come together as the community of Jesus' followers to share in his life and love. In our eucharistic assembly, we unite ourselves with Jesus and the Church all over the world. We are the sign of Jesus' life and love in the world.

Our Thanksgiving Prayer

The Eucharist is both a meal and a sacrifice. At Mass we celebrate the Eucharist. It is the Christian community's greatest prayer of praise and thanksgiving to God.

In the *Introductory Rites* we prepare for our celebration. We remember that we are the community of Jesus' disciples.

The Scripture readings in the *Liturgy of the Word* recall how we are to live as the people of God, the body of Christ. We listen carefully, because God speaks to us through the Scripture readings. We learn how to live for the reign of God, as Jesus taught.

En la *Liturgia de la Eucarísta* alabamos y damos gracias a Dios por Jesús, el Hijo de Dios. Jesús se da a sí mismo a nosotros. Recordamos y celebramos su vida, muerte y resurrección. De nuevo el sacerdote ofrece el gran sacrificio en su nombre. Damos gracias que por medio de Jesús somos nuevamente uno con Dios y con los demás.

El sacerdote parte el pan porque nosotros, que somos muchos, somos uno compartiendo el mismo pan. Recibimos el regalo de Jesús, nuestro Pan de Vida, en la sagrada comunión. Damos gracias a Jesús por venir a nosotros.

Rezamos y recibimos la bendición de Dios en el *Rito de Conclusión*. Vamos a tratar de mostrar a nuestra familia, nuestros vecinos y también a los extraños, que somos el cuerpo de Cristo en el mundo hoy. Tratamos de vivir como discípulos de Jesús.

ACERCANDOTE A LA FE

¿Qué alimento recibimos en el sacramento de la Eucaristía?

____

____

¿Por qué la misa es el signo más importante de nuestra unidad con Jesús y la Iglesia?

____

____

¿Cómo mostrarás tu agradecimiento por el regalo de Jesús en la sagrada comunión?

____

____

In the *Liturgy of the Eucharist* we praise and thank God for Jesus, God's own Son. Jesus gave himself for us. We remember and celebrate his life, death, and resurrection. The priest offers this great sacrifice again in Christ's name.We give thanks that through Jesus we are made one again with God and one another.

The priest breaks the bread because we who are many are one in the sharing of the one bread. We receive the gift of Jesus, our Bread of Life, in Holy Communion. We give thanks to Jesus for coming to us.

We pray and receive God's blessing in the *Concluding Rite*. We go forth and try to show our family, our neighbors, and even strangers that we are the body of Christ in the world today. We try to live as disciples of Jesus.

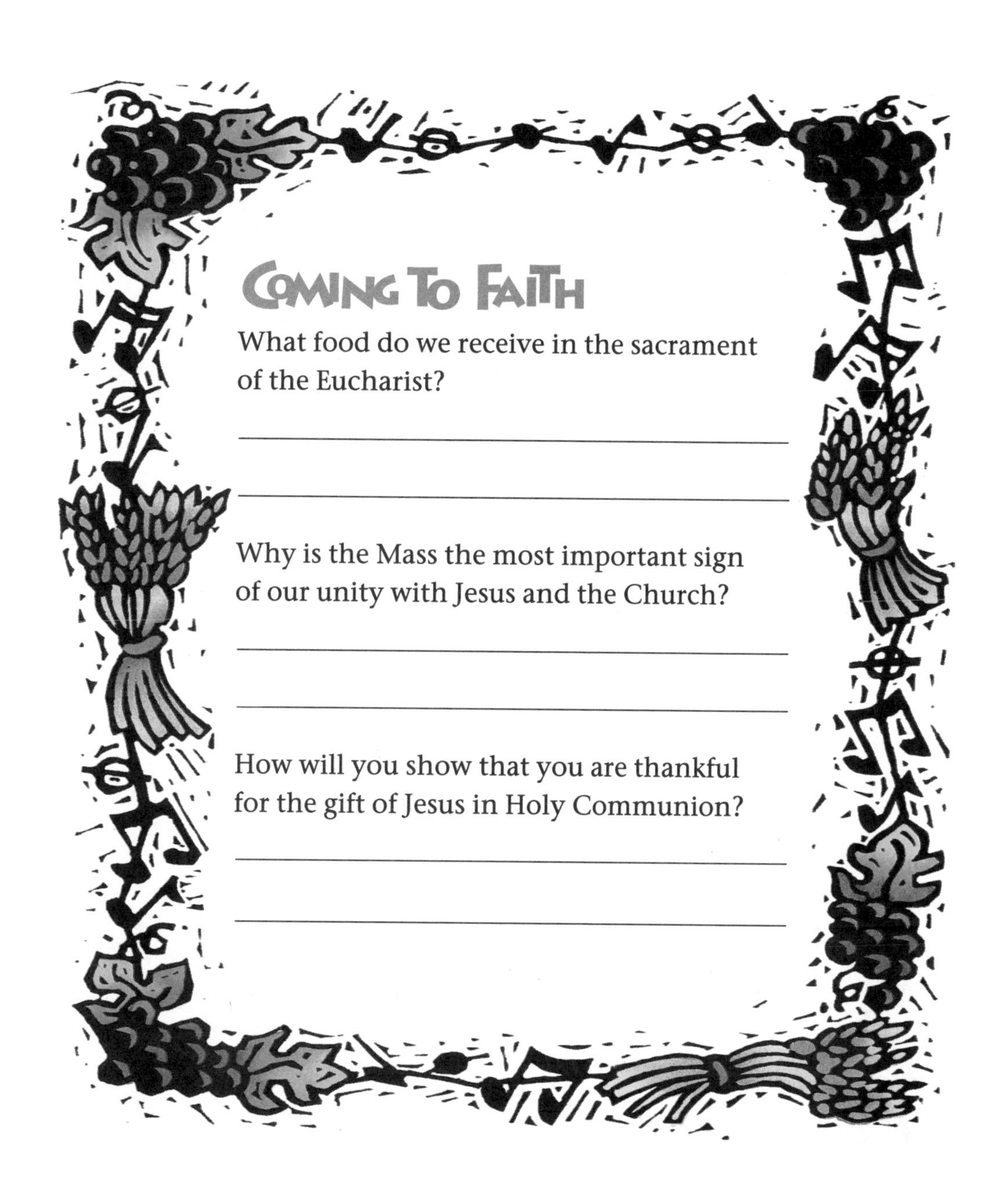

Coming to Faith

What food do we receive in the sacrament of the Eucharist?

____

____

Why is the Mass the most important sign of our unity with Jesus and the Church?

____

____

How will you show that you are thankful for the gift of Jesus in Holy Communion?

____

____

Viviendo la Fe

Planifica una celebración de la Eucaristía

Formen pequeños grupos para la planificación

Tema: Buscar las lecturas de la misa del día. Leer la oración de entrada, ¿a qué se refiere la oración? Escribirlo aquí.

____

____

____

____

Canción: Elegir una canción de entrada para la misa. Escribir el título aquí.

____

Lecturas: Nombrar las lecturas de la misa del día. Las lecturas se encuentran en el Leccionario. Hacer una lista de las lecturas y quienes van a leerlas.

____

____

____

____

Oración de los fieles: Escribir varias peticiones para expresar agradecimiento a Dios. Escribirlas aquí.

____

____

____

____

Presentación de las ofrendas: Decidir quien llevará las ofrendas de pan y vino y escribir los nombres aquí.

Ofrenda	Presentador

Canción: Elegir una canción de despedida. Escribir el título aquí.

____

____

Compartir las ideas con todo el grupo y crear un solo plan.

Practicing Faith

Planning a Celebration of the Eucharist

Plan your Mass celebration together in small groups.

Theme: Look at the readings for the Mass of the day. Read the opening prayer. What is the prayer about? Write it here.

____

____

____

____

Hymn: Choose an opening hymn for your Mass. Write the title here.

____

Readings: Name the readings for the Mass of the day. You can find these readings in a book called the Lectionary. List the readings and who will read them.

____

____

____

____

Prayer of the Faithful: Write several petitions that express your thanks and the thanksgiving of your group to God. Write them here.

____

____

____

____

Presentation of the Gifts: Decide who will present the gifts of bread and wine and write their names here.

Gift	Presenter
__________	__________
__________	__________

Hymn: Choose a closing hymn. Write the title here.

____

____

Share your ideas with the whole group and create a single plan.

REPASO

Encierra en un círculo la letra al lado de la respuesta correcta.

1. En la última Cena Jesús dijo: "Hagan esto

a. a menudo".

b. en memoria mía".

c. en pascua".

2. Jesús se llamó a sí mismo: "el

a. vino de vida".

b. alimento para el pueblo".

c. Pan de Vida".

3. Pablo dijo que aquellos que comparten el cuerpo de Cristo están

a. unidos.

b. libre de sufrimiento.

c. evangelizados.

4. ¿Cuál de estas es la parte más importante de la misa?

a. la Liturgia de la Palabra.

b. la Liturgia de la Eucaristía.

c. la Liturgia de las Horas.

5. ¿Cómo puedes demostrar tu amor por Jesús en la Eucaristía?

____

____

____

FE VIVA EN EL HOGAR Y EN LA PARROQUIA

En esta lección litúrgica se explicó a los niños con más detalle la Eucaristía.

Para los católicos la Eucaristía es una comida y un sacrificio. Es la fuente y corazón de la vida cristiana. En la Eucaristía, somos alimentados por el Señor con su Cuerpo y Sangre; la muerte y resurrección de Jesús se hacen presentes para nosotros. Durante la celebración escuchamos la palabra de Dios proclamada en las lecturas. Respondemos con palabras de acción de gracias y alabanzas. Recibimos a Cristo en la sagrada comunión y somos fortalecidos para nuestra vida de fe.

Resumen de la fe

- En la misa celebramos la Eucaristía, nuestra mayor oración de alabanza y acción de gracias.
- En la Liturgia de la Palabra escuchamos a Dios hablarnos en las lecturas.
- En la Liturgia de la Eucaristía alabamos y damos gracias a Dios por Jesús, a quien recibimos en la sagrada comunión.

REVIEW ■ TEST

Circle the letter beside the correct answer.

1. At the Last Supper Jesus said, "Do this
a. often."
b. in memory of me."
c. at every Passover."

2. Jesus called himself "the
a. wine of life."
b. food for all peoples."
c. Bread of Life."

3. Paul said that those who share the body of Christ are
a. united as one.
b. free from suffering.
c. his apostles.

4. Which of the following is NOT part of the Mass?
a. Liturgy of the Word.
b. Liturgy of the Eucharist.
c. Liturgy of the Hours.

5. How can you show your love for Jesus in the Eucharist?

___

___

___

FAITH ALIVE AT HOME AND IN THE PARISH

In this liturgical lesson the fifth graders are drawn into a deeper understanding of the Eucharist.

For Catholics, the Eucharist is both a meal and a sacrifice. It is the source and summit of our Christian life. In the Eucharist, we are fed by the Lord with his Body and Blood; Jesus' death and resurrection are made present to us. During the celebration, we hear the word of God proclaimed in the readings. We respond with words of thanksgiving and praise. We receive Christ in Holy Communion and are strengthened for our life of faith.

Faith Summary

- At Mass we celebrate the Eucharist, our greatest prayer of thanksgiving and praise.
- In the Liturgy of the Word we listen as God speaks to us in the readings.
- In the Liturgy of the Eucharist we praise and thank God through Jesus, whom we receive in Holy Communion.

8 Jesucristo nos da vida
(El Bautismo)

Ven, Espíritu Santo, ayúdanos a ser signos de tu vida para otros.

Nuestra Vida

Termina la historia.

Angela salió al campo con su padre en el tractor para arar el terreno. Ella respiró el maravilloso olor de la tierra cuando era removida para recibir la nueva semilla. En los siguientes días de primavera, la lluvia y el tibio sol hacían que la estación fuera perfecta para que las plantas crecieran. Una mañana, Angela vio las primeras ramitas verdes cubriendo el terreno. Corrió hacia el campo. Se detuvo, tocó las nuevas ramitas de trigo y les susurró.

"____________________________________"

¿Qué significa la vida para ti?

Todos soñamos. ¿Cuáles son algunos de tus sueños acerca de la vida? ¿Para otros? ¿Para nuestro mundo?

Compartiendo la Vida

Discute con tu grupo.

Da algunas razones de por qué crees que la vida es el mayor regalo de Dios para nosotros.

¿Qué crees que Dios quiere que hagamos con el regalo de la vida?

Busca algunas buenas razones por lo que crees que el agua es usada como signo de nueva vida en el sacramento del Bautismo.

8 Jesus Christ Brings Us Life
(Baptism)

Come, Holy Spirit, help us be signs of your life to others.

Our Life

Finish the story.

Angie went out on the tractor with her father as he plowed the field. She breathed in the wonderful smell of the earth as it was turned over to receive the new seed. In the spring days that followed, the gentle rains and warm sunshine made it a perfect growing season. Then one morning Angie saw the first green shoots of wheat covering the field. She ran out into the fields. Stooping down, she touched the new wheat shoots and whispered,

"____"

What does life mean to you?

Each of us has dreams about our life. What are some of your dreams about life for yourself? for others? for our world?

Sharing Life

Discuss together.

Give some reasons why you believe that life is God's greatest gift to us.

What do you imagine God wants us to do with the gift of life?

Come up with some good reasons why you think water is used as a sign of new life in the sacrament of Baptism.

NUESTRA FE CATOLICA

Bautismo, un sacramento de iniciación

Cuando nacemos, somos miembros de una familia. Hay otra familia importante a la que somos invitados a pertenecer—la Iglesia. Por el Bautismo nos unimos, o empezamos nuestra iniciación al cuerpo de Cristo, la Iglesia. Nos libramos del poder del pecado original y nos hacemos hijos de Dios.

El Bautismo nos une a Jesús en su muerte y resurrección. Damos muerte al pecado y nacemos a una nueva vida al igual que Jesús. Por el Bautismo podemos vivir como hijos de Dios. El Bautismo nos sella con una señal espiritual indeleble de que pertenecemos a Cristo. Es la señal de nuestra salvación. Es por esto que somos bautizados una sola vez.

Muchas parroquias celebran el Bautismo durante la misa del domingo. Esto recuerda a todos los presentes su propio bautismo y su responsabilidad de ayudar a los nuevos miembros a vivir su fe.

Durante la celebración del Bautismo un sacerdote o un diácono bendice el agua que será usada como signo de nacimiento. El celebrante reza: "Te pedimos, Señor, por tu Hijo, que descienda sobre el agua de esta fuente el poder del Espíritu Santo. Para que los sepultados con Cristo en su muerte, por el bautismo, resuciten con él a la vida".

El sacerdote o el diácono derrama agua sobre las cabezas de las personas que son bautizadas diciendo: "*(nombre)*, yo te bautizo en el nombre del Padre, y del Hijo y del Espíritu Santo". El agua y las palabras son los signos del sacramento del Bautismo.

En ese momento nacen del agua y del Espíritu Santo. Reciben nueva vida. Ellos nacen de nuevo a la vida divina de la gracia de Dios, se hacen miembros de la Iglesia, el Cuerpo de Cristo, y reciben la responsabilidad de vivir para el reino de Dios.

Entonces los nuevos bautizados son ungidos con el santo óleo, al igual que Cristo fue ungido sacerdote, profeta y rey. Esto muestra que ellos comparten el trabajo de Jesús de proclamar el reino de Dios de justicia y paz.

A los nuevos bautizados se les da también una vestidura blanca y una vela. La vestidura blanca muestra que han recibido la nueva vida del Cristo resucitado. Se sostiene una vela, encendida del cirio pascual. Este es un signo de que los bautizados deben mantener la luz de Cristo brillando al seguir las huellas de Jesucristo.

Baptism, A Sacrament of Initiation

When we are born, we become members of families. Then there is another important family that we are invited to join—the Church. By Baptism we join, or begin our initiation into the Church, the body of Christ. We are freed from the power of original sin and become children of God.

By Baptism we are united with Jesus in his death and resurrection. We die to sin and rise to new life as Jesus did. Baptism enables us to live as God's own people. Baptism seals us with an indelible spiritual mark of our belonging to Christ. It is the mark of our salvation. That is why Baptism can never be repeated.

Many parishes celebrate Baptism during a Sunday Mass. This reminds all present of their own Baptism and of their responsibility to help new members to live their faith.

During the celebration of Baptism a priest or deacon blesses the water that will be used as a sign of rebirth. The celebrant prays, "We ask you, Father, with your Son to send the Holy Spirit upon the water of this font. May all who are buried with Christ in the death of baptism rise also with him to newness of life."

The priest or deacon pours the water on the heads of the people being baptized, or immerses them, saying, "(*Name*), I baptize you in the name of the Father, and of the Son, and of the Holy Spirit." The water and these words are the signs of the sacrament of Baptism.

At this moment they are reborn of water and the Holy Spirit. They receive new life. They are reborn into the divine life of God's grace, become members of the Church, the body of Christ, and receive the responsibility to live for God's reign.

The newly baptized are next anointed with holy oil, as Christ was anointed priest, prophet, and king. This shows that they share in Jesus' work of bringing about God's justice and peace.

The newly baptized are also given a white garment and a candle. The white garment shows that they have put on the new life of the risen Christ. A candle, lit from the Easter candle, is held. This is a sign that the baptized are to keep the light of Christ burning brightly by following Jesus Christ always.

Viviendo nuestro bautismo

La mayoría de nosotros éramos muy pequeños cuando fuimos bautizados. Ese día nuestros padres y padrinos prometieron ayudarnos a vivir nuestra vida como cristianos. Más tarde, cuando somos más adultos, se nos pide renovar nuestras promesas bautismales por nosotros mismos.

Nadie puede vivir nuestro Bautismo por nosotros. Recibimos la gracia de Dios y el apoyo de los otros. Tenemos el Espíritu Santo que nos ayuda a vivir nuestra vida como discípulos de Jesús. Nuestros padres, amigos y toda la comunidad cristiana nos apoya. Pero debemos elegir vivir como Jesús quiere.

He aquí algunos signos que muestran que estás tratando de mantener tus promesas de bautismo:

- Al despertar, das gracias a Dios por un nuevo día y le pides que te ayude a vivir la nueva vida del Bautismo.
- Piensas en quien en tu familia necesita una sonrisa, un abrazo o una pequeña ayuda y se la das.
- Tratas de ayudar a los necesitados y de fomentar la paz entre tus amigos disgustados.
- Cooperas con tu catequista aprendiendo creciendo y viviendo tu fe católica.
- Camino a la escuela o en los fines de semana ves a alguien a quien puedes ayudar en tu vecindario.
- En tu familia o parroquia, ayudas a enseñar a los pequeños a rezar.
- Celebras el sacramento de la Reconciliación con frecuencia. Escuchas con atención los consejos del sacerdote de como vivir bien.
- Junto a tu familia, participas de la misa los domingos o el sábado en la tarde. Si la familia no va, tratas de ir a misa con otros y pides a Dios que ayude y bendiga a tu familia.
- Todas las noches das gracias a Dios por ese día. Pides a Dios que te ayude a trabajar por la paz y a ser justo y amable con todos.

VOCABULARIO

Bautismo es el sacramento de nuestra nueva vida con Dios y el inicio de nuestra iniciación en la Iglesia.

Sacerdote, profeta y rey

Jesús fue sacerdote, profeta y rey. El fue sacerdote al ofrecer su vida a Dios, un profeta al llamarnos a hacer la voluntad de Dios y rey al mostrarnos como vivir el reino de Dios.

Living Our Baptism

Most of us were probably very young when we were baptized. At that time our parents and godparents promised to help us live our new life as Christians. When we are old enough, we must also make this choice and renew our baptismal promises for ourselves.

No one can live our Baptism for us. We receive God's grace and the support of others. We have the Holy Spirit to help us live our new life as disciples of Jesus. Our parents, friends, and the whole Christian community give us support. But we must choose now to live the way of Jesus.

FAITH WORD

Baptism is the sacrament of our new life with God and the beginning of our initiation into the Church.

Here are some signs that show you are trying to keep your baptismal promises:

- On waking, you thank God for another day and ask God to help you live the new life of Baptism.
- You decide who in your family needs a laugh, a hug, or a little help. You give it.
- You try to help those in need and to be a peacemaker between angry friends.
- You cooperate with your catechist so that you learn and grow in living your Catholic faith.
- On your way to and from school and on weekends, you see whether there are people in your neighborhood you can help.
- In your family or parish, you help teach younger children their prayers.
- You celebrate the sacrament of Reconciliation regularly. You listen carefully as the priest advises you how to live each day well.
- With your family, you take part in Mass on Sunday or Saturday evening. If they do not go, you try to go to Mass with others and ask God to help and bless your family.
- Each night you thank God for the day. You ask God to help you to become a peacemaker and to be fair and loving to all.

Priest, Prophet, King

Jesus was a priest, a prophet, and a king. He was a priest by offering his life to God, a prophet by calling us to do God's loving will, and a king by showing us how to let God reign in our lives.

Acercandote a la Fe

Juntos hagan un colage o un mural de los signos del Bautismo. Llámenlo "signos de nueva vida". Ilústrenlo con dibujos y fotografías de agua, velas, vestiduras blancas y santo óleo. Den una explicación breve de cada signo.

Viviendo la Fe

Hablen acerca de las formas en que el grupo puede servir a la gente que se está preparando para el Bautismo en la parroquia. Si es posible, invite al párroco a discutir con el grupo las formas en que pueden ayudar.

† Luego reúnanse para celebrar su Bautismo.

Guía: Por el Bautismo nos hemos convertido en tus hijos amados.

Todos: Bendito sea Dios.

Guía: Hemos nacido de nuevo del agua y del Espíritu.

Todos: Bendito sea Dios.

Guía: Ayúdanos a ser fieles discípulos de Jesucristo y sus testigos.

Todos: Bendito sea Dios.

Finalicen la oración haciendo la señal de la cruz.

COMING TO FAITH

Work together to create a collage or a mural of the signs of Baptism. Call it "Signs of New Life." Illustrate with drawings or pictures of water, a candle, a white garment, and holy oil. Then explain briefly what each signifies.

PRACTICING FAITH

Talk together about ways your group might be of service to people in your parish preparing for Baptism. If possible, invite your pastor to discuss with you ways you might contribute.

† Then gather together to celebrate your Baptism.

Leader: Through Baptism we have become your beloved sons and daughters.

All: Blessed be God.

Leader: We have been born again of water and the Holy Spirit.

All: Blessed be God.

Leader: Help us to be faithful disciples of Jesus Christ and his witnesses.

All: Blessed be God.

End your prayer by making the sign of the cross together.

REPASO

Encierra en un círculo la letra al lado de la respuesta correcta.

1. El Bautismo es un sacramento de ____

a. iniciación.

b. sanación.

c. servicio.

2. ______ es compartir en la vida y el amor de Dios.

a. Compañerismo

b. Iglesia

c. Gracia

3. Los signos del Bautismo incluyen vestidura blanca, una vela y ______

a. incienso.

b. agua.

c. pan.

4. Jesucristo es ______, profeta y rey.

a. sacerdote

b. hermano

c. sanador

5. ¿Cómo vivirás tu Bautismo hoy?

____

____

____

EN EL HOGAR Y EN LA PARROQUIA

Para ayudar a su niño a apreciar mejor el sacramento del Bautismo, explicado en esta lección, háblele acerca de su propio bautismo. Explíquele lo que significa vivir las promesas bautismales. Por nuestro bautismo somos llamados a la santidad y a una activa participación en la misión de la Iglesia. Comparta cómo nuestra celebración sacramental puede ser un tiempo de gozo para toda la familia parroquial.

Puede hacer uso de las muchas oportunidades que se ofrecen para profundizar en cómo la vida cristiana se inicia con el Bautismo. Cada celebración de la Eucaristía y la Reconciliación nos pone en contacto con el misterio de la muerte y resurrección de Cristo. Todos los sacramentos desarrollan la vida iniciada en el Bautismo.

Resumen de la fe

- Recibimos nueva vida con el Bautismo y nacemos del agua y del Espíritu.
- En el Bautismo somos iniciados, nos hacemos miembros de la Iglesia, el cuerpo de Cristo.
- Nuestro Bautismo nos llama a decidir vivir para el reino de Dios.

REVIEW ▪ TEST

Circle the letter beside the correct answer.

1. Baptism is a sacrament of ______
   a. initiation.
   b. healing.
   c. service.

2. ______ is a sharing in God's life and love.
   a. Membership
   b. Church
   c. Grace

3. Signs used in Baptism include a white garment, a candle, and ______
   a. incense.
   b. water.
   c. bread.

4. Jesus Christ is ______, prophet, and king.
   a. priest
   b. brother
   c. healer

5. How can you live your Baptism each day?

____

____

____

FAITH ALIVE AT HOME AND IN THE PARISH

To help your fifth grader to appreciate better the sacrament of Baptism talked about in this lesson, tell the story of her or his own Baptism. Talk about what it means to live one's baptismal promises. By our Baptism we are called to holiness of life and active participation in the mission of the Church. Share how a sacramental celebration should be a time of joy for the whole parish family.

You can make use of the many opportunities that arise to deepen the Christian life begun at Baptism. Each celebration of the Eucharist and of Reconciliation brings us into contact with the mystery of Christ's death and resurrection. All the sacraments are means to develop the life begun at Baptism.

Faith Summary

- We receive new life at Baptism when we are reborn of water and the Holy Spirit.
- At Baptism we are initiated into, or begin to become members of, the Church, the body of Christ.
- Our Baptism calls us to decide to live for the reign of God.

9 Jesucristo nos fortalece
(Confirmación)

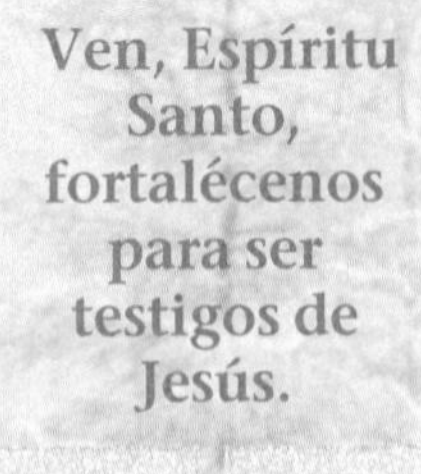

Ven, Espíritu Santo, fortalécenos para ser testigos de Jesús.

Nuestra vida

Los primeros misioneros en América del Norte enfrentaron muchos peligros. Un día, en 1642, el padre Isaac Jogues fue emboscado por los iroqués, enemigos de los hurones, lo torturaron y lo tuvieron como rehén por un año.

En vez de regresar a su casa cuando lo soltaron, el padre Jogues asumió el papel de pacificador entre los hurones y los iroqués. Una vez más fue tomado como rehén. Esta vez fue asesinado junto con otros siete misioneros franceses.

En 1930 la Iglesia canonizó a esos mártires. Se les llama los Mártires de América del Norte. La palabra *mártir* significa testigo.

¿Por qué crees que el padre Jogues se quedó en América del Norte?

Habla de algunas de las formas en que eres testigo de tu fe cristiana.

¿Quién te ayuda?

Compartiendo la vida

En grupo hablen de las siguientes preguntas:

¿Cuáles son algunas de las cosas que hacen difícil la vida del cristiano?

¿Qué dificulta ser buen cristiano en nuestra sociedad?

¿Para quién crees que puedes ser un buen testigo de tu fe cristiana?

9 Jesus Christ Strengthens Us
(Confirmation)

Come, Holy Spirit, strengthen us to be Christ's witnesses.

OUR LIFE

The early missionaries to North America faced many dangers. One day in 1642 Father Isaac Jogues was ambushed by the Iroquois, the enemies of the Hurons, and tortured as a hostage for one year.

Instead of returning home after being ransomed, Father Jogues assumed the role of a peacemaker between the Hurons and the Iroquois. Once again, he was taken hostage. This time he and seven other French missionaries were killed.

In 1930 the Church canonized these martyrs as saints. They are called the North American Martyrs. The word *martyr* means witness.

Why do you think Father Jogues stayed in North America?

Tell some of the ways that you give witness to your Christian faith today.
Who helps you?

SHARING LIFE

Talk together about the following questions.

What are some of the things that make it difficult for you to be a Christian?

What in our society makes it difficult for anyone to be a good Christian?

How do you imagine you could be a better witness to your Christian faith?

NUESTRA FE CATOLICA

Envío del Espíritu Santo

No es siempre fácil ser testigo de nuestra fe. Necesitamos la ayuda especial de Dios.

En la última Cena, la noche antes de morir, Jesús se dio cuenta que sus discípulos tendrían miedo y se sentirían perdidos sin él. Jesús trató de darles valor prometiéndoles: "Y yo rogaré al Padre y les dará otro Intercesor que permanecerá siempre con ustedes".
Juan 14:16

Después que Jesús ascendió al cielo, sus discípulos tuvieron tanto miedo que se encerraron en un cuarto. Tenían miedo de ser arrestados.

Diez días después, mientras se encontraban en el cuarto, Dios, el Espíritu Santo, vino a ellos. Cada discípulo fue bendecido con el Espíritu Santo y recibió los dones que recibimos en la Confirmación. Jesús mantuvo su promesa de enviar al Espíritu Santo.

Nuestra Iglesia llama a ese día Pentecostés. Ese día Dios, el Espíritu Santo, vino a los primeros discípulos cristianos. Ahora tenían el valor de invitar a otros a creer en Cristo y a seguirlo.
Basado en Hechos de los Apóstoles 1:7–14; 2:1–13

Confirmación, un sacramento de iniciación

En la Confirmación recibimos el signo, o sello del Espíritu Santo. Este no es un signo visible, sino que nos marca como seguidores y testigos de Cristo.

Cuando somos bautizados, empezamos nuestra iniciación en la Iglesia. La Confirmación es otro paso en esta iniciación en el cuerpo de Cristo. Ahora somos llamados a ser testigos públicos de la buena nueva ante nuestra familia, vecinos y extraños. Somos sellados con el don del Espíritu Santo y fortalecidos para vivir nuestras promesas bautismales. Al igual que el Bautismo, la Confirmación imprime en nuestra alma una señal espiritual indeleble y tampoco podemos ser confirmados dos veces.

Cuando somos confirmados, podemos elegir otro nombre diferente al que se nos dio durante el Bautismo. Podemos elegir el nombre de un santo cuya vida admiramos.

Sending of the Holy Spirit

It is not always easy to be a witness to our faith. We need God's special help.

At the Last Supper on the night before he died, Jesus knew that his disciples would be afraid and feel lost without him. Jesus tried to give them courage by promising, "I will ask the Father, and he will give you another Advocate to be with you always."
John 14:16

After Jesus ascended into heaven, his disciples became frightened and locked themselves in an upper room. They were afraid of being found and arrested.

Ten days later, while they were still huddled there, God the Holy Spirit came. Each disciple was blessed with the fullness of the Holy Spirit and received the gifts that we receive in the sacrament of Confirmation. Jesus had kept his promise to send the Holy Spirit.

Our Church calls this day Pentecost. On that day God the Holy Spirit came upon the first Christian disciples. They now had the courage to invite others to believe in and to follow Jesus.
Based on Acts 1:7–14; 2:1–13

Confirmation, A Sacrament of Initiation

In Confirmation we receive the sign, or seal, of the Holy Spirit. This seal is not visible, but it marks us as followers and witnesses of Christ.

When we were baptized, we began our initiation into the Church. Confirmation is one more step in this initiation into the body of Christ. Now we are called to give public witness to the good news to our family, our neighbors, and even strangers. We are sealed with the gift of the Holy Spirit and strengthened to live out our baptismal promises. Like Baptism, Confirmation imprints on the soul an indelible spiritual mark and so, like Baptism it can never be repeated.

When we are confirmed, we may choose another name in addition to the one we were given at Baptism. We may select the name of a saint whose life we have read about and whom we admire.

La Confirmación tiene lugar durante una misa celebrada por un obispo o su representante. Un momento importante de la celebración de la Confirmación es la "imposición de las manos". El obispo extiende sus manos sobre los confirmados y reza:

"Dios todopoderoso, Padre de nuestro Señor Jesucristo, que, por el agua y el Espíritu Santo, has librado del pecado a estos hijos tuyos y les has dado nueva vida, envía ahora sobre ellos el Espíritu Santo paráclito; concédeles espíritu de sabiduría y de entendimiento, espíritu de consejo y de fortaleza, espíritu de ciencia y de piedad, y cólmalos del espíritu de tu temor. Por Jesucristo nuestro Señor".

Luego el obispo unta su pulgar en el santo óleo, llamado santo crisma. Hace la señal de la cruz en la frente de los confirmandos y los unge diciendo:

"(*nombre*), recibe por esta señal el don del Espíritu Santo".

Esta unción es el signo más importante del sacramento de la Confirmación.

VOCABULARIO

Confirmación es el sacramento por medio del cual somos sellados con el don del Espíritu Santo y fortalecidos para dar testimonio de la buena nueva de Jesús.

La Confirmación nos ayuda a practicar nuestra fe abiertamente y con valor, sin importar quien se burle de nosotros ni lo difícil que pueda ser.

El Espíritu Santo nos ayuda para que otros puedan ver que la buena nueva de Jesús vive en nosotros. Por nuestras acciones sabrán que Dios ama a todo el mundo.

Cuando vivimos nuestra Confirmación, somos testigos del reino de Dios en el mundo hoy.

Confirmation is celebrated during Mass with a bishop or his representative presiding. A high point of the celebration of Confirmation is the "laying on of hands." The bishop extends his hands over those to be confirmed, praying to God the Father,

"Send your Holy Spirit upon them
to be their Helper and Guide.
Give them the spirit of wisdom and
understanding,
the spirit of right judgment and courage,
the spirit of knowledge and reverence.
Fill them with the spirit of wonder and awe
in your presence."

Then the bishop dips his thumb into blessed oil, called holy chrism. He makes the sign of the cross on their foreheads and anoints them, saying,

"(*Name*), be sealed with the Gift of the Holy Spirit."

FAITH WORD

Confirmation is the sacrament in which we are sealed with the gift of the Holy Spirit and are strengthened to give witness to the good news of Jesus.

This anointing is the most important sign of the sacrament of Confirmation.

Confirmation helps us to practice our faith openly and bravely, no matter who makes fun of us or how difficult it may be.

The Holy Spirit helps us so that other people will see the good news of Jesus alive in us. They will know by our actions that God loves every human being.

When we live our Confirmation, we become witnesses to the reign of God in the world today.

Acercandote a la Fe

Después de tu Confirmación, qué dices a otros acerca de:

- las promesas que Jesús dio a sus discípulos
- la venida del Espíritu Santo
- los signos importantes usados en la Confirmación
- como puedes ser un mejor testigo cristiano

Viviendo la Fe

† Reúnanse en un círculo para rezar.

Todos: Ven Espíritu Santo, sé nuestra ayuda y guía. (Repitan después de cada petición con los brazos extendidos hacia el centro del círculo, con las palmas hacia abajo mientras siete personas leen.)

1. Danos tu don de sabiduría para que podamos hacer lo correcto. (Todos)

2. Danos tu don de inteligencia para que nuestra fe sea profunda y real. (Todos)

3. Danos tu don de consejo para que podamos ayudar a otros en su fe. (Todos)

4. Danos tu don de fortaleza para que podamos practicar nuestra creencia con valor. (Todos)

5. Danos tu don de ciencia para que deseemos aprender todo lo que podamos acerca de nuestra fe. (Todos)

6. Danos tu don de piedad para que podamos orar y alabar. (Todos)

7. Danos tu don de temor de Dios para que tratemos a todo el mundo y a toda criatura con respeto. (Todos)

Terminen cantando una canción al Espíritu Santo.

Coming to Faith

After your Confirmation, what would you tell others about:

- the promises Jesus gave his disciples
- the coming of the Holy Spirit
- the important signs used at Confirmation
- how you can be a better Christian witness to others

Practicing Faith

† Gather in a circle and pray together.

All: Come, Holy Spirit, be our Helper and Guide. (Repeat after each petition.) (All hold out arms to center of circle, palms down as seven people read.)

1. Give us your gift of wisdom so we may know the right thing to do. (All)

2. Give us your gift of understanding so our faith will be real and deep. (All)

3. Give us your gift of right judgment so that we may help others in their faith. (All)

4. Give us your gift of courage so we may practice what we believe with courage. (All)

5. Give us your gift of knowledge so that we may desire to learn all we can about our faith. (All)

6. Give us your gift of reverence so that we may be people of prayer and worship. (All)

7. Give us your gift of wonder and awe so that we may treat all people and all creation with respect and wonder. (All)

Close by singing "Come, Holy Spirit."

REPASO

Encierra en un círculo la letra al lado de la respuesta correcta.

1. En la Confirmación recibimos
a. el regalo de una nueva vida.
b. perdón del pecado original.
c. el poder de perdonar los pecados.
d. el Espíritu Santo.

2. La persona que dirige la celebración de la Confirmación es
a. el obispo o su representante.
b. el sacerdote.
c. nuestros padres.
d. los discípulos.

3. El signo, o sello, del Espíritu Santo
a. es visible.
b. dura sólo lo que dura la ceremonia.
c. nos marca como seguidores de Cristo para siempre.
d. es el obispo.

4. En la Confirmación aceptamos la responsabilidad de
a. vivir nuestras promesas bautismales.
b. practicar abiertamente nuestra fe.
c. ser testigos del reino de Dios.
d. todas las anteriores.

5. ¿Cómo darás testimonio de cristiano esta semana?

____

____

____

EN EL HOGAR Y EN LA PARROQUIA

En este capítulo los niños aprendieron sobre el sacramento de la Confirmación. En este sacramento de iniciación, los bautizados son sellados con el don del Espíritu Santo. El Espíritu Santo nos ayuda a vivir nuestra fe cristiana dándonos dones especiales. Estos dones son: sabiduría, inteligencia, consejo, fortaleza, ciencia, piedad y temor de Dios.

Frutos del Espíritu Santo

Los frutos del Espíritu Santo son los buenos resultados que la gente puede ver en nosotros cuando usamos los dones del Espíritu Santo. Estos frutos son: caridad, gozo, paz, paciencia, longanimidad, bondad, benignidad, fidelidad, modestia, continencia y castidad.

Resumen de la fe

- La Confirmación es el sacramento por medio del cual somos sellados con el don del Espíritu Santo y fortalecidos para vivir como testigos de la buena nueva de Jesucristo.
- En la Confirmación, el Espíritu Santo nos llena con los dones que necesitamos para vivir nuestra fe cristiana.
- Vivimos nuestra Confirmación cuando nos hacemos testigos del reino de Dios en el mundo.

REVIEW ▪ TEST

Circle the letter beside the correct answer.

1. At Confirmation we receive
   a. the gift of new life.
   b. freedom from original sin.
   c. the power to forgive sins.
   d. the fullness of the Holy Spirit.

2. The person who leads the Confirmation celebration is
   a. the bishop or his representative.
   b. the priest.
   c. our parents.
   d. the disciples.

3. The sign, or seal, of the Holy Spirit
   a. is visible.
   b. lasts only for the Confirmation ceremony.
   c. marks us forever as followers of Christ.
   d. is the bishop.

4. At Confirmation we accept the responsibility to
   a. live our baptismal promises.
   b. practice our faith openly.
   c. become witnesses to the reign of God.
   d. all of these

5. How will you give witness as a Christian this week?

____

____

____

FAITH ALIVE AT HOME AND IN THE PARISH

In this chapter your fifth grader has learned more about the sacrament of Confirmation. In this sacrament of initiation, the baptized are sealed with the gift of the Holy Spirit. The Holy Spirit helps us live our Christian faith by giving us special gifts. These gifts are wisdom, understanding, right judgment, courage, knowledge, reverence, wonder and awe.

Fruits of the Spirit

The fruits of the Holy Spirit are the good results people can see in us when we use the gifts of the Holy Spirit. These fruits are charity, joy, peace, patience, kindness, goodness, generosity, gentleness, faithfulness, modesty, self-control, and chastity.

Faith Summary

- Confirmation is the sacrament in which we are sealed with the gift of the Holy Spirit and strengthened to give witness to the good news of Jesus Christ.
- In Confirmation the Holy Spirit fills us with the gifts that we need to live our Christian faith.
- We live our Confirmation when we become witnesses to the reign of God in the world.

10 Jesucristo nos alimenta
(Eucaristía)

Jesús, Pan de Vida, llénanos de tu vida.

Nuestra Vida

Una vez alguien le preguntó a Jesús qué milagros haría para hacer que la gente creyera en él. Jesús contestó: "Yo soy el Pan de Vida. El que viene a mí nunca tendrá hambre; el que cree en mí nunca tendrá sed".

La gente empezó a murmurar diciendo: "Este Jesús, ¿no es ese el hijo de José?"

Jesús les contestó: "Yo soy el pan de vida bajado del cielo; el que coma de este pan vivirá para siempre. El pan que yo daré es mi carne y la daré para vida del mundo".

Cuando oyeron todo esto, muchos de los que habían seguido a Jesús dijeron: "¡Este lenguaje es muy duro! ¿Quién puede sufrirlo?"

Juan 6: 35, 41, 51, 60

Como resultado de esta discusión muchos de los que seguían a Jesús se alejaron de él.

¿Qué te dice Jesús en esta historia?

Compartiendo la Vida

¿Por qué se comparó Jesús con el pan?

Discute con tu grupo: ¿Por qué hay tanta gente pasando hambre en el mundo?

¿Qué crees que Jesús quiere que hagamos por los que están pasando hambre en el mundo?

10 Jesus Christ Feeds Us

(Eucharist)

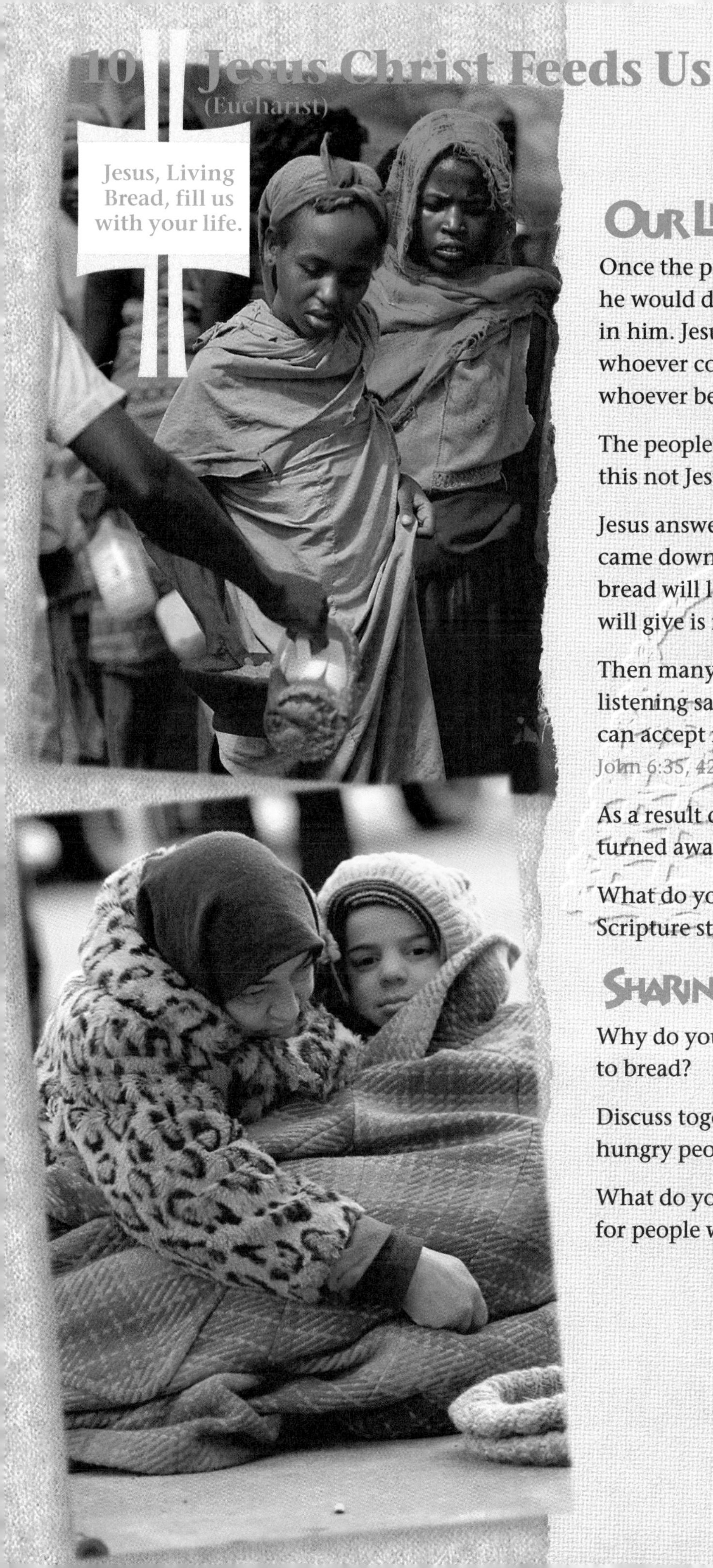

Jesus, Living Bread, fill us with your life.

Our Life

Once the people asked Jesus what miracle he would do so that they might believe in him. Jesus said, "I am the bread of life; whoever comes to me will never hunger, and whoever believes in me will never thirst."

The people started grumbling. They said, "Is this not Jesus, the son of Joseph?"

Jesus answered, "I am the living bread that came down from heaven; whoever eats this bread will live forever; and the bread that I will give is my flesh for the life of the world."

Then many of his disciples who were listening said, "This saying is hard; who can accept it?"

John 6:35, 42, 51, 60

As a result of this many of his followers turned away and walked with him no more.

What do you hear Jesus saying in this Scripture story?

Sharing Life

Why do you think Jesus compared himself to bread?

Discuss together: Why are there so many hungry people in our world?

What do you think Jesus wants us to do for people who are hungry?

Nuestra Fe Católica

Eucaristía, un sacramento de iniciación

Algunas veces compartimos una comida no porque tenemos hambre sino porque queremos celebrar un evento especial, por ejemplo, el día de Acción de Gracias o un cumpleaños.

En la pascua, el pueblo judío celebra una comida importante para recordar que Dios lo liberó de la esclavitud de Egipto y lo llevó a la tierra prometida. Durante la pascua, la noche antes de morir, Jesús celebró una comida especial con sus amigos. Esta comida es llamada la última Cena.

En esta última Cena Jesús nos dio el regalo de sí mismo, su cuerpo y sangre. Los discípulos de Jesús nunca olvidaron esta comida. Esto fue lo que pasó:

"El Señor Jesús, la noche en que fue entregado, tomó el pan, y después de dar gracias lo partió, diciendo: "Este es mi cuerpo, roto por ustedes; hagan esto en memoria mía". De la misma manera, tomando la copa después de haber cenado, dijo: "Esta es la Nueva Alianza, en mi sangre. Siempre que beban de ella, háganlo en memoria mía".

1 de Corintios 11:23–25

En la última Cena Jesús dio gracias a Dios. Pan y vino corrientes se convirtieron en su Cuerpo y Sangre. Luego Jesús pidió a sus discípulos hacer lo mismo en su memoria. A esto le llamamos la *Eucaristía*, palabra que significa "dar gracias".

La Eucaristía es un sacrificio y una comida. En la Eucaristía participamos del sacrificio de Cristo. Damos gracias y celebramos la muerte y resurrección de Jesús. En este sacrificio de alabanza a Dios, recordamos todo lo que Jesús hizo por nosotros. En la Eucaristía nos ofrecemos con Jesús a Dios.

El sacramento de la Eucaristía es también una comida comunitaria. En este sacramento recibimos el don de Jesús, quien se ofreció a

The Eucharist, A Sacrament of Initiation

Sometimes we share a meal not only because we are hungry, but also because we are celebrating a special event like Thanksgiving or a birthday.

At Passover the Jewish people celebrate an important meal to remember that God brought them from slavery in Egypt to freedom in the Promised Land. During Passover, on the night before he died, Jesus ate a very special meal with his friends. This meal is called the Last Supper.

At this Last Supper Jesus gave us the gift of himself, his own Body and Blood. Jesus' disciples never forgot this meal. This is what happened.

"The Lord Jesus, on the night he was handed over, took bread, and, after he had given thanks, broke it and said, "This is my body that is for you. Do this in remembrance of me." In the same way also the cup, after supper, saying "This cup is the new covenant in my blood. Do this, as often as you drink it, in remembrance of me."
1 Corinthians 11:23–25

At the Last Supper Jesus gave thanks to God. Ordinary bread and wine became his own Body and Blood. Then Jesus asked his disciples to do the same in memory of him. We call this the *Eucharist*, a word that means "to give thanks."

The Eucharist is both a sacrifice and a meal. In the Eucharist we share in the one sacrifice of Christ. We give thanks and celebrate Jesus' death and resurrection. In this sacrifice of praise to God, we remember all that Jesus did for us. In the Eucharist we offer ourselves with Jesus to God.

The sacrament of the Eucharist is also a community meal. In this sacrament we receive the gift of Jesus, who gave himself to

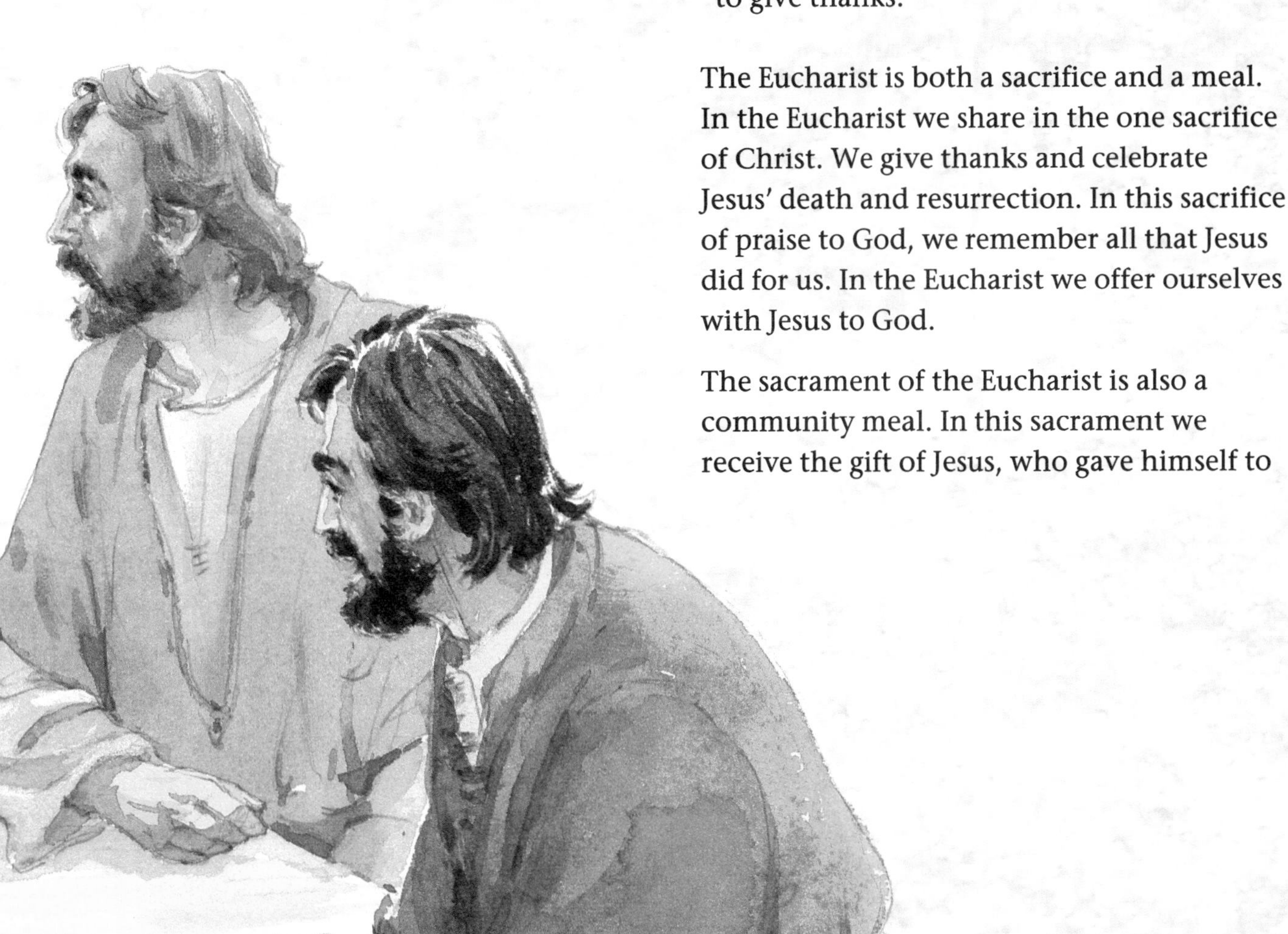

ser nuestro alimento. Jesús está realmente presente en la Eucaristía. Compartir la Eucaristía nos hace uno con Dios y con los demás en la Iglesia, el cuerpo de Cristo.

Nos reunimos como comunidad de discípulos de Jesús para celebrar la Eucaristía en la misa. Recordamos que Jesús nos ama tanto que se ofreció a sí mismo por nosotros y murió en la cruz para salvarnos del pecado. Por la Eucaristía nos convertimos en sacrificio vivo de alabanza.

Recordamos que Jesús resucitó de la muerte y está con nosotros en la Eucaristía. Damos gracias a Jesús por regalarse a nosotros viviendo como sus discípulos.

Dando gracias a Dios por Jesús

En la misa nuestras ofrendas de pan y vino se convierten en el Cuerpo y la Sangre de Cristo. Esto sucede por el poder del Espíritu. Jesús está realmente presente bajo las especies de pan y vino.

Nuestra participación en la misa es señal de nuestra completa iniciación en la Iglesia, el cuerpo de Cristo. La Eucaristía nos alimenta para dar gracias a Dios viviendo como pueblo de Dios. En la sagrada comunión recibimos a Jesús mismo. El es nuestro Pan de Vida. Podemos también visitar y hablar con Jesús, presente en el Santísimo Sacramento en nuestra iglesia parroquial.

San Agustín dijo: "Porque recibimos el Cuerpo y la Sangre de Cristo en la sagrada comunión, debemos vivir como el cuerpo de Cristo en el mundo". Podemos compartir a Jesús, nuestro pan de vida de la siguiente manera:

VOCABULARIO

Eucaristía es el sacramento del Cuerpo y la Sangre de Jesús. Jesús está realmente presente en la Eucaristía.

- preocupándonos por los que pasan hambre, organizando colectas de comida en nuestra parroquia.
- compartiendo el gozo de Jesús visitando a los que están solos o a los ancianos.
- dando la bienvenida a nuestro grupo o nuestro vecindario a los recién llegados.
- siendo amables con alguien que es tratado mal por los demás.
- no desperdiciando comida sabiendo que hay muchos otros que pasan hambre.
- siendo pacientes y amables con nuestros familiares y amigos.

us as our food. Jesus is really present in the Eucharist. Sharing in the Eucharist makes us one with God and with one another in the Church, the body of Christ.

We assemble as Jesus' community of disciples to celebrate the Eucharist at Mass. We remember that Jesus loved us so much that he sacrificed himself for us and died on the cross to save us from our sins. Through the Eucharist we become a living sacrifice of praise.

We remember that Jesus rose from the dead and now remains with us in the Eucharist. We give thanks to Jesus for the gift of himself by living as his disciples.

The **Eucharist** is the sacrament of Jesus' Body and Blood. Jesus is really present in the Eucharist.

Thanking God for Jesus

At Mass our gifts of bread and wine become the Body and Blood of Christ. This happens through the power of the Holy Spirit. Jesus is really present under the appearances of bread and wine.

Our participation in Mass is a sign of our full initiation into the Church, the body of Christ. The Eucharist nourishes us to give thanks to God by living as God's own people. In Holy Communion we receive Jesus himself. He is our Bread of Life. We can also visit our parish church and pray to Jesus, who is present in the Blessed Sacrament.

Saint Augustine once said, "Because we receive the Body of Christ in Holy Communion, we must live as the body of Christ in the world." We can share Jesus, our Bread of Life, by:

- caring for the hungry by organizing food collections in our parish.
- sharing Jesus' joy by visiting a lonely or elderly person.
- welcoming a newcomer into our group or neighborhood.
- being kind to someone whom others treat badly.
- being careful not to waste food or drink when many other people are so hungry.
- being kind and patient with our family and friends.

Acercandote a la Fe

Decora el mensaje de Jesús acerca de la Eucaristía. Empieza con la primera letra en las líneas de letras, encierra en un círculo alternando las letras para encontrar el mensaje. Después escribe el mensaje.

Juntos discutan la mejor forma de explicar el sacramento de la Eucaristía a un joven que no es católico.

Viviendo la Fe

¿Cómo puedes mostrar que crees *verdaderamente* que Jesús está presente en la Eucaristía? Recuerda, la fe se expresa con las acciones. Algunas ideas se ofrecen en la lista en la página 100. Tu grupo puede tener sus propias ideas. Hagan un plan en el grupo acerca de cómo y cuándo compartirán a Jesús, nuestro Pan de Vida, esta semana. Escriban su plan.

Coming to Faith

Decode the message from Jesus about the Eucharist. Beginning with the first letter in the line of letters below, circle every other letter to find the message. Then write the message.

TIHSEIBNRME
EAMDOORFYL
OIFFMEE

I AM

Discuss together the best way to explain the sacrament of the Eucharist to a young person who is not a Catholic.

Practicing Faith

How can you show that you *really* believe that Jesus is present in the Eucharist? Remember, belief is expressed in action. Some ideas are listed on page 101. Your group might come up with your own. Make a group plan about how and when you will share Jesus, our Bread of Life, this week. Write your plan here.

REPASO

Contesta las siguientes preguntas.

1. Define la Eucaristía

____

____

2. ¿Por qué decimos que la Eucaristía es una comida?

____

____

3. ¿Por qué decimos que la Eucaristía es un sacrificio?

____

____

4. ¿Qué pasa con nuestras ofrendas de pan y vino en la misa?

____

____

5. ¿Por qué Jesús es el Pan de Vida para ti?

____

____

EN EL HOGAR Y EN LA PARROQUIA

Este capítulo acerca de la Eucaristía es una oportunidad para los niños profundizar en su entendimiento de por qué este sacramento es central para nuestra fe católica. Santo Tomás de Aquino llamó a la Eucaristía: "El Sacramento de sacramentos"—el mayor de los sacramentos. Lea con su familia las palabras donde Jesús se describe a sí mismo como el Pan de Vida (Juan 6:35–61). Hablen acerca de lo que estas palabras de Jesús significan para su familia.

El Santísimo Sacramento es otro nombre para la Eucaristía. Después de la misa, el Santísimo Sacramento es puesto en el tabernáculo, un lugar especial en la iglesia. Esto se hace para que la sagrada comunión pueda llevarse a los enfermos de la parroquia, y para que podamos adorar la presencia de Jesús en el Santísimo Sacramento.

Resumen de la fe

- La Eucaristía es el sacramento del Cuerpo y la Sangre de Cristo.
- Jesús es el Pan de Vida. La comida que Jesús nos da es su propio Cuerpo y Sangre.
- Respondemos al regalo de la Eucaristía viviendo para el reino de Dios.

REVIEW ▪ TEST

Answer each question.

1. Define the Eucharist.

____

____

2. Why do we say that the Eucharist is a meal?

____

____

3. Why do we say that the Eucharist is a sacrifice?

____

____

4. What happens to our gifts of bread and wine at Mass?

____

____

5. How is Jesus the Bread of Life to you?

____

____

FAITH ALIVE AT HOME AND IN THE PARISH

This chapter on the Eucharist is an opportunity to deepen your understanding of why this sacrament is central to our Catholic faith. Saint Thomas Aquinas called the Eucharist "the sacrament of sacraments"—the greatest sacrament of all! Read with your family the words of Jesus in which he describes himself as the Bread of Life (John 6:35–61). Discuss what the words of Jesus might mean for your family today.

The Blessed Sacrament is another name for the Eucharist. After Mass, the Blessed Sacrament is usually kept, or reserved, in the tabernacle in a special place in the church. This is done so that Holy Communion may be brought to the sick of our parish, and so that we may worship Jesus truly present in the Blessed Sacrament.

Faith Summary

- The Eucharist is the sacrament of the Body and Blood of Christ.
- Jesus is the Bread of Life. The food that Jesus gives us is his own Body and Blood.
- We respond to the gift of the Eucharist by living for the reign of God.

11 Nuestra Iglesia celebra la Eucaristía

(La misa)

Cordero de Dios que quitas el pecado del mundo, danos la paz.

Nuestra Vida

La parroquia está celebrando una fiesta de despedida para el señor Sandro. Después de haber trabajado como catequista durante cinco años, se va a Centro América a trabajar como misionero laico.

Los niños de quinto curso están tristes porque el señor Sandro fue su catequista durante dos años. También ha sido un amigo. Dos años es mucho tiempo. Les preocupa si él se olvidará de ellos.

Al decirles adiós, el señor Sandro les dice que para él ha sido maravilloso compartir su fe con ellos. "A cada uno de ustedes los recordaré siempre", dijo.

¿Ha habido alguna persona especial en tu vida? ¿Quién? ¿Cómo?

¿Cómo puedes decir adiós a esa persona? ¿Cómo recordarás a esa persona?

Compartiendo la vida

Discutan en grupo.

¿Recuerdas a alguien importante a quien tuviste que decir adiós?

Explica cómo el recuerdo de esa persona hace una diferencia en tu vida.

¿Cómo recuerdas que Jesús hace una diferencia en tu vida?

¿Cuál crees es la mejor forma de recordar a Jesús?

11 Our Church Celebrates the Eucharist
(The Mass)

Lamb of God, you take away the sins of the world, grant us peace.

OUR LIFE

The parish is having a big farewell party for Mr. Sandro. He has been a catechist in the parish for five years, and now he is leaving to work as a lay missionary in Central America.

The fifth graders are sad. Mr. Sandro has been their catechist for two years. He has also been their friend. Two years is a long time. They wonder whether he will forget them.

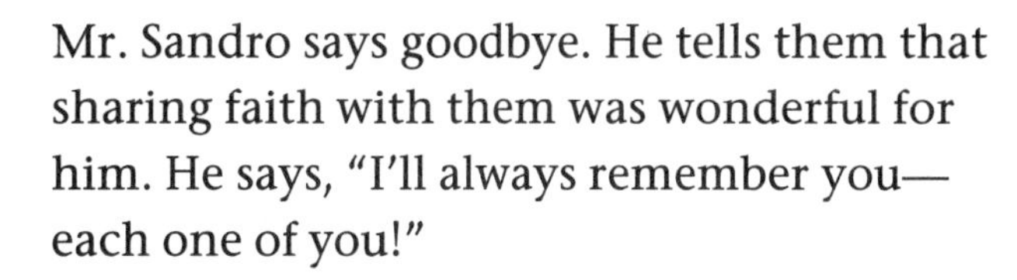

Mr. Sandro says goodbye. He tells them that sharing faith with them was wonderful for him. He says, "I'll always remember you—each one of you!"

Is there someone who has been a special person in your life? Who? How?

How would you say goodbye to that person? How would you remember that person?

SHARING LIFE

Discuss together.

Do you have memories of someone important to you to whom you had to say goodbye?

Tell how the memory of that person makes a difference in your life.

How does remembering Jesus make a difference in your life now?

What do you think is the best way to remember Jesus?

NUESTRA FE CATÓLICA

Celebrando la misa

La misa es nuestra celebración de la Eucaristía. Todos los domingos o sábados en la tarde, la comunidad católica se reúne para alabar. Hacemos eso para recordar la vida, muerte y resurrección de Jesús. En la misa adoramos y honramos a Dios.

Las dos partes principales de la misa son la Liturgia de la Palabra y la Liturgia de la Eucaristía.

Con los Ritos Iniciales empezamos la misa con una canción y un saludo. Pedimos perdón a Dios por nuestros pecados en el rito penitencial. Adoramos a Dios y rezamos por el valor de vivir para el reino de Dios.

Liturgia de la Palabra

Dios nos habla en la Liturgia de la Palabra. Selecciones del Antiguo Testamento son leídas por el lector, el diácono o el sacerdote.

El salmo responsorial sigue a la primera lectura. El rezar este salmo nos ayuda a relacionar nuestra vida con las lecturas del Antiguo Testamento.

La primera lectura del Nuevo Testamento es tomada de los Hechos de los Apóstoles, de las cartas de los apóstoles, también llamadas epístolas, o del Apocalipsis.

Nos preparamos para la proclamación del evangelio poniéndonos de pie y cantando el Aleluya. *Aleluya* es una palabra hebrea que significa "alabar a Dios".

El diácono, o el sacerdote, proclama la buena nueva de Jesús de uno de los cuatro evangelios: Mateo, Marcos, Lucas o Juan.

Después del evangelio el sacerdote o el diácono nos da una homilía, sermón, acerca de lo leído. Esto nos ayuda a vivir la palabra de Dios en nuestro mundo. Después de la homilía profesamos nuestra fe común recitando juntos el Credo.

La Liturgia de la Palabra termina con la oración de los fieles. Rezamos por nuestras necesidades, las necesidades de los demás, las necesidades de la Iglesia y las necesidades de todo el mundo.

Liturgia de la Eucaristía

La Liturgia de la Eucaristía empieza con la preparación de las ofrendas. Miembros de la asamblea llevan nuestros regalos de pan y vino al altar. Estos regalos son signos de que devolvemos a Dios el regalo de nuestra vida. También son signos de nuestros esfuerzos de preocuparnos unos por otros y de toda la creación de Dios. El sacerdote prepara y ofrece el pan y el vino a Dios.

El sacerdote nos invita a hacer la oración eucarística, la más importante de nuestra Iglesia, y nos ponemos de pie. Esta es la oración de alabanza y acción de gracias a Dios, por toda la creación y por nuestra salvación. Respondemos con el Santo.

Celebrating Mass

The Mass is our celebration of the Eucharist. Every Sunday or Saturday evening, the Catholic community gathers together as a worshiping assembly. We do this to remember the life, death, and resurrection of Jesus. At Mass we praise and honor God.

The two major parts of the Mass are the Liturgy of the Word and the Liturgy of the Eucharist.

In the Introductory Rites we begin our Mass with an opening song and greeting. We ask God and one another for forgiveness in the penitential rite. Then we praise God and pray for the strength to live for God's reign.

Liturgy of the Word

God speaks to us in the Liturgy of the Word. Selections from the Old and New Testaments are read aloud from the Bible by the reader, deacon, or priest.

The responsorial psalm follows the first reading. Praying this psalm response helps us to make a connection between our lives and the Old Testament reading.

The first New Testament reading is from one of the letters, also called epistles, or from the Acts of the Apostles or the Book of Revelation.

We prepare for the gospel proclamation by standing and singing the Alleluia. *Alleluia* is a Hebrew word meaning "praise to God."

The deacon or priest then proclaims the good news of Jesus from one of the four gospels: Matthew, Mark, Luke, or John.

After the gospel the priest or deacon gives a homily, or sermon, about the readings. This helps us to live God's word in our world today. After the homily we profess our common faith by saying the Creed together.

The Liturgy of the Word concludes with the Prayer of the Faithful. We pray for our own needs, the needs of others, the needs of the Church, and the needs of the whole world.

Liturgy of the Eucharist

The Liturgy of the Eucharist begins with the preparation of the gifts. Members of the assembly bring our gifts of bread and wine to the altar. These gifts are signs that we are returning to God the gift of our lives. They are also signs of our efforts to care for one another and all of God's creation. The priest prepares and offers the bread and wine to God.

Luego el sacerdote dice y hace lo que Jesús hizo y dijo en la última Cena. Tomando el pan, el sacerdote dice: "Tomad y comed todos de él, porque esto es mi Cuerpo, que será entregado por vosotros".

Tomando el cáliz, dice: "Tomad y bebed todos de él, porque este es el cáliz de mi Sangre, Sangre de la alianza nueva y eterna, que será derramada por vosotros y por todos los hombres para el perdón de los pecados. Haced esto en conmemoración mía".

Por el poder del Espíritu Santo y las palabras y acciones del sacerdote, el pan y el vino se convierten en el Cuerpo y la Sangre de Jesús. Esto es lo que llamamos consagración.

Después de la proclamación del misterio de la fe y el gran amén, nos preparamos para la sagrada comunión rezando o cantando el Padre Nuestro. Pedimos perdón a Dios y compartimos la señal de la paz con los que están a nuestro alrededor.

El sacerdote parte la Hostia consagrada al tiempo que reza el Cordero de Dios. Esta es una señal de que compartimos el Pan de Vida.

VOCABULARIO

Liturgia. Es el culto oficial y público de la Iglesia. La liturgia incluye las formas en que celebramos la misa y otros sacramentos.

El sacerdote recibe la sagrada comunión. Los miembros de la comunidad comparten el Cuerpo y la Sangre de Jesús. Podemos recibir la Hostia en nuestras manos o en la boca. También podemos ser invitados a recibir la comunión del cáliz.

El sacerdote o el ministro eucarístico nos dice: "El Cuerpo de Cristo", si recibimos del cáliz: "la Sangre de Cristo". Respondemos: "Amén". Nuestro Amén significa que creemos que Jesús está realmente presente con nosotros en la Eucaristía y en nuestras vidas.

En el Rito de Conclusión el sacerdote nos bendice. El, o el diácono, nos despide diciendo: "Podéis ir en paz".

En la misa recibimos la gracia de vivir como verdaderos miembros de la Iglesia, el cuerpo de Cristo. Somos alimentados para ser el sacramento del reino de Dios en el mundo.

Para recibir la comunión dignamente, debemos estar en estado de gracia. Una persona que ha cometido pecado mortal debe recibir la absolución en el sacramento de la Reconciliación antes de comulgar.

FAITH WORD

Liturgy is the official public worship of the Church. The liturgy includes the ways we celebrate the Mass and other sacraments.

We stand as the priest invites us to join in the eucharistic prayer. This is our Church's great prayer of praise and thanks to God for all creation and for our salvation. We respond with the "Holy, holy, holy, Lord" prayer.

Then the priest says and does what Jesus did at the Last Supper. Taking the bread, the priest prays, "Take this, all of you, and eat it: this is my body which will be given up for you."

Taking the chalice, he continues, "Take this, all of you, and drink from it: this is the cup of my blood, the blood of the new and everlasting covenant. It will be shed for you and for all so that sins may be forgiven. Do this in memory of me."

Through the power of the Holy Spirit and the words and actions of the priest, the bread and wine become Jesus' own Body and Blood. We call this the consecration.

After proclaiming the mystery of faith and the Great Amen, we prepare for Holy Communion by saying or singing the Our Father. We pray for God's forgiveness and then share a sign of peace with those around us.

While praying the Lamb of God prayer, the priest breaks the consecrated Host. This is a sign that we share in the one Bread of Life.

The priest receives Holy Communion. The members of the community next share Jesus' Body and Blood. We may receive the Host in our hand or on our tongue. We may also be invited to receive Communion from the chalice.

The priest or eucharistic minister says to us, "The body of Christ," and if we receive from the chalice, "The blood of Christ." We respond "Amen." Our amen means that we believe Jesus is really present with us in the Eucharist and in our lives.

In the Concluding Rite the priest blesses us. He or the deacon sends us forth, and says, "Go in peace to love and serve the Lord."

Through the Mass, we receive the grace to live as true members of the Church, the body of Christ. We are nourished to be the sacrament of God's reign in the world.

To receive communion worthily, we must be in the state of grace. A person who has committed a mortal sin must receive absolution in the sacrament of Reconciliation before going to Communion.

ACERCANDOTE A LA FE

Explica por qué la misa es la mayor celebración del pueblo de Dios.

Escribe una "P" en la raya al lado de las partes que pertenezcan a la Liturgia de la Palabra de la misa y "E" en las que pertenezcan a la Liturgia de la Eucaristía. Luego enumera cada parte en el orden en que ocurren.

Letra	Número	
________	________	Saludo de la paz
________	________	Evangelio
________	________	"Este es mi cuerpo".
________	________	"Este es el cáliz de mi sangre".
________	________	Homilía/sermón
________	________	Epístola/carta
________	________	Consagración
________	________	Padre Nuestro

VIVIENDO LA FE

Juntos piensen en formas en que pueden vivir como cuerpo de Cristo en el mundo. Por ejemplo:

- servir, ayudar, en la parroquia
- buscar maneras de ayudar a los pobres y a los desamparados
- estar conscientes y responder a las injusticias
- fomentar la paz en el hogar, la parroquia y el vecindario

En grupo planifiquen lo que tratarán de hacer esta semana. Luego recen la oración de San Francisco (página 282).

Coming to Faith

Explain why the Mass is the greatest celebration for God's people.

Put a "W" for the parts of the Mass in the Liturgy of the Word. Put an "E" for the parts of the Mass in the Liturgy of the Eucharist. Then number each part in the order in which it occurs.

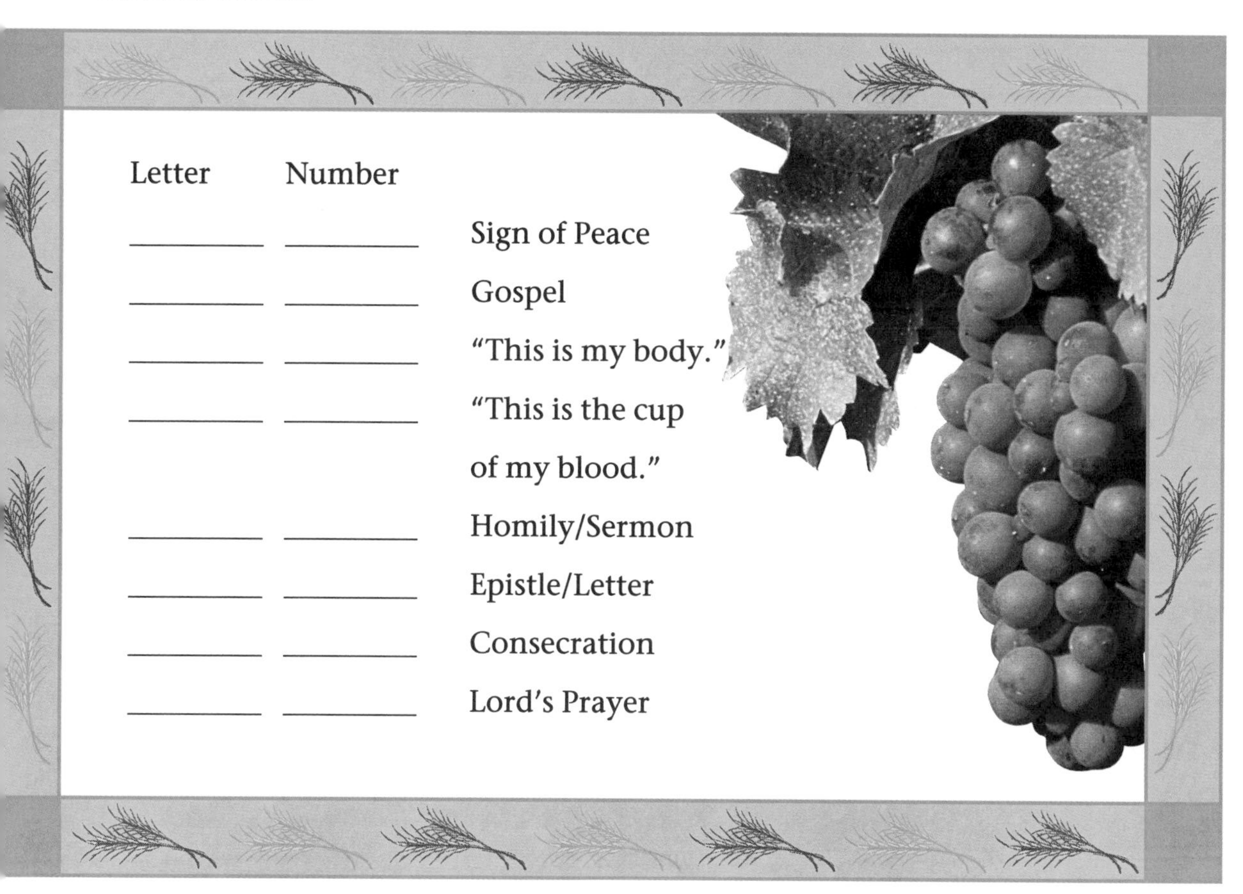

Letter	Number	
________	________	Sign of Peace
________	________	Gospel
________	________	"This is my body."
________	________	"This is the cup of my blood."
________	________	Homily/Sermon
________	________	Epistle/Letter
________	________	Consecration
________	________	Lord's Prayer

Practicing Faith

Talk together about ways you can live as the body of Christ in the world. For example:

- serve, be a helper, in your parish
- find ways to help the poor, the homeless
- be aware of and respond to injustices
- be peacemakers at home, in your parish, in your neighborhood

Plan what your group will try to do this week. Then pray the prayer of Saint Francis together (page 283).

REPASO

Encierra en un círculo la respuesta correcta.

1. En la misa el pan y el vino se convierten en el Cuerpo y la Sangre de Jesús. A esto lo llamamos

   homilía. consagración.

2. ¿Cuándo el sacerdote o el ministro eucarístico nos dice: "el cuerpo de Cristo", respondemos?

   "Aleluya". "Amén".

3. La Liturgia de la Eucaristía empieza con la preparación de las

   homilía. ofrendas

4. La mayor oración de acción de gracias y alabanza de nuestra Iglesia es

   La oración eucarística. El Credo.

5. ¿Cómo tratarás de vivir la Eucaristía esta semana siendo pan para los demás?

   ____

   ____

FE VIVA

EN EL HOGAR Y EN LA PARROQUIA

En este capítulo los niños aprendieron que la misa es nuestra mayor celebración y signo de que somos el cuerpo de Cristo en el mundo. San Pablo escribió: "Y el pan que partimos, ¿no es una comunión con el cuerpo de Cristo? Como uno es el pan, todos pasamos a ser un solo cuerpo, participando todos del único pan" (1 de Corintios 10:16–17).

Las leyes de la Iglesia nos piden participar en la misa los domingos o los sábados en la tarde y otros días de fiesta de guardar. Este es un deber serio, así como un gran privilegio. Hable con la familia sobre lo que hará para compartir más profunda y responsablemente en la misa.

Resumen de la fe

- Las dos partes principales de la misa son la Liturgia de la Palabra y la Liturgia de la Eucaristía.
- Durante la Liturgia de la Palabra, escuchamos la palabra de Dios leída de la Biblia.
- Durante la Liturgia de la Eucaristía, nuestras ofrendas de pan y vino se convierten en el Cuerpo y la Sangre de Cristo.

REVIEW ▪ TEST

Circle the correct answer.

1. At Mass the bread and wine become the Body and Blood of Jesus. We call this the

   homily. consecration.

2. When the priest or eucharistic minister says to us, "The body of Christ," we respond

   "Alleluia." "Amen."

3. The Liturgy of the Eucharist begins with the

   homily. preparation of the gifts.

4. Our Church's great prayer of thanks and praise is the

   eucharistic prayer. Creed.

5. How will you try to live the Eucharist this week by being "bread" for others?

   ____

   ____

FAITH ALIVE AT HOME AND IN THE PARISH

In this chapter your fifth grader has explored how the Mass is our greatest celebration and sign that we are the body of Christ in the world. Saint Paul wrote that we are sharing in the Body and Blood of Christ. "Because the loaf of bread is one, we, though many, are one body, for we all partake in one loaf" (1 Corinthians 10:17).

The Laws of the Church require Catholics to participate in the Mass on Sunday or Saturday evening and on certain other holy days of obligation. This is a serious responsibility, as well as a great privilege. Talk together as a family about what you will do to share more fully and responsively in the Mass.

Faith Summary

- The two major parts of the Mass are the Liturgy of the Word and the Liturgy of the Eucharist.
- During the Liturgy of the Word, we listen to God's word from the Bible.
- During the Liturgy of the Eucharist, our gifts of bread and wine become the Body and Blood of Christ.

12 La Iglesia recuerda
(El año litúrgico)

Gracias Señor,
por el regalo
del tiempo.
Ayúdanos a
usarlo a tu
servicio.

Nuestra Vida

Un sabio maestro escribió en
el Antiguo Testamento:
Hay tiempo para cada cosa, y
un momento para hacerla
bajo el cielo:
tiempo para nacer,
tiempo para morir,
tiempo para plantar,
tiempo para recoger,
tiempo para llorar,
tiempo para reír,
tiempo para lamentos,
tiempo para bailar.
Basado en Eclesiastés 3:1,4

Estas palabras nos dicen que hay una estación, un tiempo para cada cosa. Habla acerca de tu estación del año favorita.

¿Por qué este tiempo es diferente y especial?

¿Cómo nos prepara cada estación, para la próxima estación?

Compartiendo la Vida

¿Son estas "estaciones", tiempo de cambio en nuestras vidas?

Discute por qué tenemos tiempo para plantar y para cosechar, para llorar y para reír, para lamentarnos y para regocijarnos.

¿En qué tiempo está Dios con nosotros? ¿Cómo?

12 The Church Remembers
(Liturgical Year)

Thank you, God, for the gift of time. Help us to use it in your service.

OUR LIFE

A wise teacher in the Old Testament once wrote:

There is a season for
everything, a time for
everything under heaven:
a time for being born,
a time for dying,
a time for planting,
a time for harvesting,
a time for tears,
a time for laughter,
a time for grieving,
a time for dancing.

Based on Ecclesiastes 3:1,4

These words tell us that there is a season, a time, for everything. Talk about your favorite time of the year.

How is each time different and special?

How does each season prepare us, and the world, for the next season?

SHARING LIFE

Are there "seasons," times of change, in our human lives?

Discuss why we have times for planting and harvesting, for tears and for laughter, for grieving and for rejoicing.

At what time is God with us? How?

NUESTRA FE CATOLICA

El año litúrgico

Nuestra Iglesia tiene tiempos que componen nuestro año litúrgico, que nos recuerdan la vida, muerte y resurrección de Jesús. Estos tiempos nos ayudan a recordar que todo momento es santo para vivir en la presencia de Dios.

Tiempo de Adviento

El año litúrgico empieza con el Adviento, cuatro semanas inmediatamente antes de la Navidad. Durante este tiempo, recordamos que el pueblo judío esperó el Mesías. Nosotros esperamos la venida de Jesús en Navidad y al final de los tiempos.

Tiempo de Navidad

En el tiempo de Navidad celebramos el nacimiento de Jesús y el anuncio al mundo de que él es el Mesías prometido por Dios.

Tiempo de Cuaresma

El tiempo de Cuaresma es tiempo de preparación para la Pascua y para la renovación de nuestro Bautismo. La Cuaresma empieza el Miércoles de Ceniza y dura cuarenta días. Es un tiempo para recordar las palabras de Jesús: "El reino de Dios se ha acercado. Tomen otro camino y crean en la buena nueva" (Marco 1:15).

Los católicos, por siglos, se han preparado para la Pascua en forma especial durante la Cuaresma. Los adultos *ayunan*, que quiere decir que comen menos y no comen entre comidas, el Miércoles de Ceniza y el Viernes Santo.

Los mayores de catorce años se *abstienen* de comer carne el Miércoles de Ceniza y los viernes de Cuaresma. Nos sacrificamos para compartir con los más pobres.

El Domingo de la Pasión o Domingo de Ramos, es el último domingo de Cuaresma y el primer día de la Semana Santa.

Triduo Pascual

El Triduo Pascual es el tiempo más importante del año de la Iglesia. Empieza con la misa de la Cena del Señor, el Jueves Santo en la tarde, continúa el Viernes Santo y durante la Vigilia Pascual, el Sábado Santo. Termina con las oraciones de la tarde del Domingo de Resurrección. Durante estos tres días recordamos la última Cena y el regalo de Jesús mismo en la Eucaristía. Recordamos su pasión y muerte en la cruz. Celebramos su resurrección.

The Liturgical Year

Our Church has seasons that make up our liturgical year to remind us of Jesus' life, death, and resurrection. These seasons help us to remember that all time is a holy time to be lived in the presence of God.

Advent Season

The liturgical year begins with the four weeks of the Advent season, immediately before Christmas. During this time, we remember that the Jewish people waited and hoped for a Messiah. We wait and hope for the coming of Jesus at Christmas and at the end of time.

Christmas Season

The Christmas season celebrates the birth of Jesus and the announcement to the world that he is the Messiah promised by God.

Lenten Season

The season of Lent is a time of preparation for Easter and for the renewal of our Baptism. Lent begins on Ash Wednesday and lasts for forty days. It is a time to remember the words of Jesus, "The kingdom of God is at hand. Repent, and believe in the gospel" (Mark 1:15).

Catholics for centuries have prepared for Easter in special ways during Lent. Adults *fast*, or eat less and do without snacks between meals, on Ash Wednesday and Good Friday.

Those fourteen or older *abstain*, or do not eat meat, on Ash Wednesday and the Fridays of Lent. We do without things so that we can have more to share with the poor.

Passion, or Palm, Sunday is the last Sunday of Lent and the first day of Holy Week.

Easter Triduum

The Easter Triduum, or "three days," is the most important time of the entire Church year. It begins with the Mass of the Lord's Supper on Holy Thursday evening and continues through Good Friday and the Easter Vigil on Holy Saturday. It concludes with Evening Prayer on Easter Sunday. During these three days we remember the Last Supper and Jesus' gift of himself in the Eucharist. We recall his passion and death on the cross. We celebrate his resurrection.

Tiempo de Pascua

El Domingo de Pascua, la fiesta litúrgica más importante del año, celebramos la resurrección de Jesús y nuestra nueva vida con Dios. El tiempo de Pascua dura cincuenta días, hasta el Domingo de Pentecostés.

En Pentecostés recordamos el día en que el Espíritu Santo vino por primera vez a los discípulos de Jesús. Recordamos que sin el Espíritu Santo no podemos vivir como pueblo de Dios.

Tiempo Ordinario

Las semanas del año que no forman parte del tiempo del Adviento, la Navidad, la Cuaresma, el Triduo Pascual o la Pascua se conocen como Tiempo Ordinario. La Iglesia nos recuerda que Dios está siempre con nosotros y presente en nuestras vidas, no importa cual sea el tiempo.

Días de fiesta

Durante el año litúrgico se celebran muchos días de fiesta. El cuadro siguiente muestra algunos de los días de fiesta en que recordamos la vida de Jesús, María y los santos.

Adviento
Inmaculada Concepción, 8 de diciembre
Nuestra Señora de Guadalupe, 12 de diciembre

Navidad
Navidad, 25 de diciembre
María, Madre de Dios, 1 de enero
Epifanía

Tiempo Ordinario
Presentación del Señor, 2 de febrero

Cuaresma
Miércoles de Ceniza
José, esposo de María, 19 de marzo
Anunciación, 25 de marzo
Domingo de Ramos o de la Pasión

Triduo Pascual
Pasión, muerte y resurrección del Señor

Tiempo de Pascua
Pascua
Ascensión
Pentecostés

Tiempo Ordinario
Asunción, 15 de agosto
Nacimiento de María, 8 de septiembre
Todos los Santos, 1 de noviembre
Todos los difuntos, 2 de noviembre
Cristo Rey

Easter Season

On Easter Sunday, the greatest feast of the liturgical year, we celebrate Jesus' resurrection and our new life with God. The Easter season continues for fifty days until Pentecost Sunday.

On Pentecost we remember the day the Holy Spirit came to Jesus' first disciples. We recall that without the Holy Spirit we could not live as God's people.

Ordinary Time

The weeks of the year that are not part of the seasons of Advent, Christmas, Lent, the Triduum, or Easter are known as Ordinary Time. The Church reminds us that God is always with us and present in our lives, no matter what the time.

Feast Days

Many feast days are celebrated during the liturgical year. The chart shows some of the feast days on which we remember the lives of Jesus, Mary, and the saints.

Advent Season
Immaculate Conception, December 8
Our Lady of Guadalupe, December 12

Christmas Season
Christmas, December 25
Mary, Mother of God, January 1
Epiphany

Ordinary Time
Presentation of the Lord, February 2

Lenten Season
Ash Wednesday
Joseph, Husband of Mary, March 19
Annunciation, March 25
Passion, or Palm, Sunday

Easter Triduum
Passion, death, and resurrection of the Lord

Easter Season
Easter
Ascension
Pentecost

Ordinary Time
Assumption, August 15
Birth of Mary, September 8
All Saints, November 1
All Souls, November 2
Christ the King

Acercandote a la Fe

¿Cómo le explicaría el año litúrgico a un niño de cuarto curso?

En grupo busquen una palabra clave para cada tiempo. Compártanla con todo el grupo.

Viviendo la Fe

Hagan un círculo para rezar.

Lector 1: Dios de amor, te damos gracias por tu regalo del tiempo.

†**Todos:** (Respuesta) Gracias por tu presencia siempre con nosotros.

Lector 2: Por el Adviento, cuando tomamos tiempo para prepararnos para la próxima venida de tu divino Hijo. (Respuesta)

Lector 3: Por la Navidad, cuando celebramos el nacimiento de nuestro Salvador (Respuesta)

Lector 4: Por la Cuaresma, cuando hacemos penitencia y crecemos como discípulos de Jesús. (Respuesta)

Lector 5: Por el Triduo Pascual, cuando celebramos la muerte y resurrección de Jesús. (Respuesta)

Lector 6: Por el tiempo de Pascua, cuando nos regocijamos en la nueva vida del Cristo resucitado. (Respuesta)

Lector 7: Por el Tiempo Ordinario, que nos recuerda que estás con nosotros en todos los eventos de nuestras vidas. (Respuesta)

Ahora recen un Gloria al Padre. Luego por turno recen:

Dios de amor, en este tiempo de ________, ayúdanos a vivir como discípulos de Jesús ______________________________.

Coming to Faith

How would you explain the liturgical year to a fourth grader?

With a team, make up a key word for each season. Share your key words with the whole group.

Practicing Faith

†Gather in a prayer circle.

Reader 1: Loving God, we thank you for the gift of time.

All: (Response) Thank you for your presence with us always.

Reader 2: For Advent, when we take time to prepare for the coming again of your divine Son. (Response)

Reader 3: For Christmas, when we celebrate the birth of our Savior. (Response)

Reader 4: For Lent, when we do penance and grow as disciples of Jesus. (Response)

Reader 5: For the Easter Triduum, when we celebrate the death and resurrection of Jesus. (Response)

Reader 6: For the Easter season, when we rejoice in the new life of the risen Christ. (Response)

Reader 7: For Ordinary Time, which reminds us that you are with us in the everyday events of our lives. (Response)

Now pray the Glory to the Father prayer.
Then take turns and pray:
Loving God, in this season of ___________,
help us to live as disciples of Jesus by

______________________________________.

______________________________________.

REPASO

Aparea el tiempo de la Iglesia con la descripción.

Tiempos	**Descripciones**
1. Tiempo Ordinario	_____ Preparación para la Pascua
2. Pascua	_____ Jueves, Viernes y Sábado Santos
3. Cuaresma	_____ Semanas del año que no pertenecen a otro tiempo
4. Triduo Pascual	_____ Nacimiento de Jesús
5. Navidad	_____ Jesús asciende a su Padre
	_____ Resurrección de Cristo

6. Elige un tiempo litúrgico y explica como lo celebrarás para crecer en tu fe.

____

____

EN EL HOGAR Y EN LA PARROQUIA

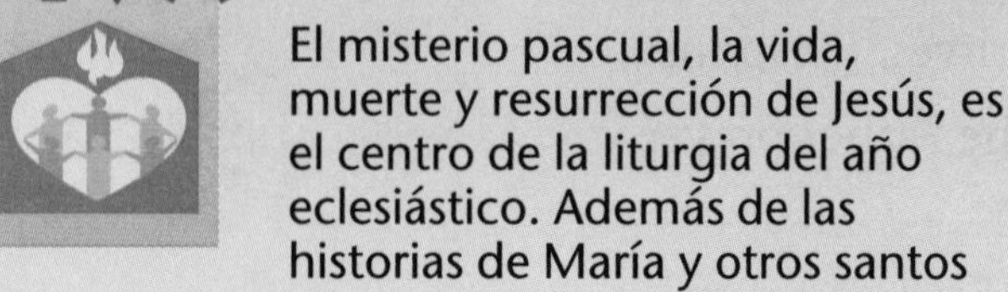

El misterio pascual, la vida, muerte y resurrección de Jesús, es el centro de la liturgia del año eclesiástico. Además de las historias de María y otros santos nos ofrece muchos ejemplos de cómo vivir cada día como discípulos de Jesucristo. El año litúrgico nos recuerda que todo tiempo es sagrado porque está lleno de la presencia de Dios y la dirección del Espíritu Santo.

Nuestra identidad como católicos está fuertemente influenciada por los ritos que celebramos en nuestra parroquia y hogar durante el Adviento, la Navidad, la Cuaresma, el Triduo Pascual, la Pascua y el tiempo Ordinario.

Tenemos una riqueza de días de fiestas en los cuales celebramos la vida de Cristo y la vida de María y otros santos.

Resumen de la fe

- Los tiempos litúrgicos del año eclesiástico son Adviento, Navidad, Cuaresma, Triduo Pascual, Pascua y Tiempo Ordinario.
- Durante el año litúrgico también honramos y rezamos a María y a otros santos.
- El año litúrgico nos recuerda que siempre vivimos en la presencia de Dios.

REVIEW ▪ TEST

Match the seasons of the Church year with the descriptions.

Seasons		Descriptions
1. Ordinary Time	______	preparation for Easter
2. Easter Season	______	Holy Thursday, Good Friday, Holy Saturday
3. Lenten Season	______	the weeks of the year not in the other seasons
4. Easter Triduum	______	the birth of Jesus Christ
5. Christmas Season	______	Jesus ascends to his Father
	______	the resurrection of Jesus Christ

6. Choose one liturgical season and tell how you will celebrate it so as to grow in your faith.

____

____

FAITH ALIVE AT HOME AND IN THE PARISH

The paschal mystery, Jesus' life, death, and resurrection, is the heart of the liturgical year of the Church. In addition, the stories of Mary and the other saints give us many examples of the way to live each day as disciples of Jesus Christ. The liturgical year reminds us that all time is sacred because it is permeated with the presence of God and the guidance of the Holy Spirit.

Our identity as Catholics is strongly influenced by the rituals we celebrate in our parish and home during Advent, Christmas, Lent, the Easter Triduum, Easter, and Ordinary Time.

We have a wealth of feast days in which we celebrate the life of Christ and the lives of Mary and the other saints.

Faith Summary

- The liturgical seasons of the Church year are Advent, Christmas, Lent, the Easter Triduum, Easter, and Ordinary Time.
- During the liturgical year we also honor and pray to Mary and the other saints.
- The liturgical year reminds us that we always live in the presence of God.

13 Celebrando el Adviento

Dios te salve María, llena eres de gracia, el Señor es contigo.

Nuestra Vida

Esta es una vieja leyenda que puede tener alguna verdad que decirnos.

Había una vez tres niños que estaban jugando en su jardín. Un mensajero se les acercó y les dijo: "El rey pasará por aquí hoy". Los niños se pusieron contentos. "Quizás el rey se detenga en nuestro jardín, vamos a ordenarlo". Los niños trabajaron para embellecer el jardín y prepararon frutas, refrescos y pan. Esperaron, esperaron y esperaron.

Al atardecer un anciano se detuvo en la verja del jardín. "Qué hermoso jardín, está frío y está anocheciendo. ¿Puedo entrar y descansar un rato?" Dijo.

Los niños no sabían que hacer. Ellos esperaban al rey, pero el pobre hombre parecía tan cansado y con hambre. "Entre", dijeron al anciano, lo sentaron en la sombra y le trajeron comida y refresco. Le dijeron que habían trabajado para preparar todo para el rey, pero no había llegado, estaban tristes.

De repente una hermosa luz brilló alrededor del anciano. Ya no se veía viejo ni andrajoso. Era hermoso. El sonrió a los niños. "Su rey pasó hoy y ustedes le dieron la bienvenida", les dijo.

Comparte lo que aprendiste de esta historia para tu propia vida.

Compartiendo la Vida

Discutan ¿En qué formas Cristo viene a nuestras vidas hoy?

¿Cómo podemos reconocerlo?

Habla de algunas formas en que podemos prepararnos para su venida.

13 Celebrating Advent

Hail Mary, full of grace, the Lord is with you.

Our Life

Here is an old legend that might have something true to say to us today.

Once long ago three children were playing in their garden. A messenger came along the road. "The king will pass this way today," he announced. The children were so excited. "Perhaps the king will stop by our garden! Let's make it beautiful!" So the children worked to make their garden beautiful, and they made sure they had fruit and bread and cool drinks. Then they waited. . . and waited. . . and waited.

It was almost sunset when an old man stopped at their garden wall. "What a beautiful garden," he said. "It looks so shady and cool. May I come in and rest awhile?"

The children did not know what to do. They were waiting for the king! But then—the poor man looked so tired and hungry. "Come in," they said and they had him sit in the shade and they brought him food and drink. Then they told him that they had worked to make everything ready for the king. But the king hadn't come. They were so disappointed.

Suddenly a lovely light shone around the man. He wasn't old or shabby anymore. He was handsome. He smiled at the children. "Your king *did* pass today," he said, "and you welcomed him."

Share what you learned from this story for your own life.

Sharing Life

Discuss together: what are the ways that Jesus comes into our lives today?

How can we recognize him?

Talk about ways we might get ready for his coming.

NUESTRA FE CATOLICA

Esperando un Salvador

Cientos de años antes del nacimiento de Jesús, un profeta llamado Isaías dijo muchas cosas a los israelitas acerca del Salvador prometido, o el Mesías, a quien ellos esperaban. Isaías dijo al pueblo que el Salvador nacería de una joven y que se llamaría Emanuel. *Emanuel* significa "Dios con nosotros".

Isaías dijo que el Salvador gobernaría al pueblo de Israel con sabiduría. Isaías escribió: "Sobre él reposará el Espíritu de Yavé, espíritu de sabiduría e inteligencia, espíritu de prudencia y valentía"
(Isaías 11:2)

Isaías también describió al Salvador como descendiente de David, quien fue el rey más querido de Israel. El Mesías sería el campeón de la justicia. Isaías dijo a los israelitas: El gobernará como sucesor de David, basando su poder en justicia y verdad desde ahora hasta el fin de los tiempos.

Isaías también dijo que el niño que nacería para ser el Salvador sería llamado "Consejero admirable . . . Príncipe de paz".

Al igual que Isaías otros escritores de la Biblia con frecuencia comparaban el pecado con las tinieblas. Durante el tiempo de Isaías, muchos israelitas se habían olvidado de Dios y estaban viviendo en las tinieblas del pecado. Isaías comparó la venida del Salvador con el paso de la luz en la oscuridad. El profeta dijo: "Los que caminaban en las tinieblas han visto una gran luz. Ellos vivían en la tierra de las sombras pero ahora la luz ha brillado para ellos".
(Basado en Isaías 9:2)

Isaías también dijo a los israelitas que ellos debían reconocer al Salvador por sus

Waiting for a Savior

OUR CATHOLIC FAITH

Hundreds of years before Jesus was born, a prophet named Isaiah told the Israelites many things about the promised Savior, or Messiah, for whom they were waiting. Isaiah said that the Savior would be born of a young woman who would name him Immanuel. *Immanuel* means "God with us."

Isaiah said that the Savior would rule the people of Israel wisely. Isaiah wrote:

> The spirit of the LORD shall rest upon him:
> a spirit of wisdom and of
> understanding,. . .
> a spirit of knowledge and of fear of
> the LORD.

(Isaiah 11:2)

Isaiah also described the Savior as a descendant of David, who was Israel's best loved king. The Messiah would be the great champion of justice who would rule as David's successor, basing his power on right and justice from now until the end of time.

Isaiah also said that the child born to be their Savior would be called "Wonder-Counselor, God-Hero, Father-Forever, Prince of Peace."

Like Isaiah, the other writers of the Bible often compared sin to darkness. At the time of Isaiah, many Israelites had turned away from God and were living in the darkness of sin. Isaiah compared the coming of the Savior to the breaking forth of light in darkness. The prophet said that the people who walked in darkness had seen a great light. They lived in a land of shadows but now light was shining on them.

(Based on Isaiah 9:1–7)

Isaiah also told the Israelites that they could recognize the Savior by his works. The Savior

palabras. El Salvador ayudaría a los pobres, curaría a los enfermos y libertaría a los prisioneros.

(Basado en Isaías 61:1–2)

La venida del Salvador

Israel esperaba con fe la venida del Salvador prometido.

Muchos años después de Isaías, el ángel Gabriel fue enviado a la Virgen María en el pueblo de Nazaret, en Galilea. El ángel le dijo: "Darás a luz a un hijo, al que pondrás por nombre Jesús. Será grande, y con razón lo llamarán: Hijo del Altísimo. Dios le dará el trono de David, su antepasado".

(Lucas 1:26–32)

Durante el Adviento recordamos las palabras de Isaías y pensamos acerca de lo que significan para nosotros. Nos preparamos para la fiesta de Navidad y para la venida de Jesús. Creemos que Jesucristo es Emanuel, "Dios con nosotros", y la Luz del Mundo. Como discípulos de Jesús, debemos llevar su luz a todo el mundo.

Durante el Adviento nos preparamos para llevar la buena nueva de Jesús a los pobres. Tratamos de ayudar y cuidar de los enfermos. Tratamos de hacer lo que esté a nuestro alcance para detener las injusticias, la discriminación y la opresión de cualquier tipo. Recordamos fomentar la paz.

ACERCANDOTE A LA FE

Explica lo que crees que Isaías quiso decir cuando dijo que nuestro Salvador sería:

- Emanuel
- un gobernante justo y recto
- una luz que alumbraría en las tinieblas
- alguien enviado a traer buena nueva

Quizás el grupo quiera traer comida enlatada o juguetes para los niños de la parroquia que están en necesidad. Planifiquen lo que pueden hacer como parte de la celebración de Adviento.

would help the poor, heal the sick, and free the oppressed.
(Based on Isaiah 61:1–2)

The Coming of the Savior

Israel waited in hope for the coming of the promised Savior.

Many years after Isaiah, the angel Gabriel was sent to the Virgin Mary in the town of Nazareth in Galilee. The angel told her, "Behold, you will conceive in your womb and bear a son. . . . He will be great and will be called Son of the Most High, and the Lord God will give him the throne of David his father" (Based on Luke 1:26–33).

During Advent we remember the words of Isaiah and think about what they mean for us today. We prepare for the feast of Christmas and for Jesus' coming again. We believe that Jesus Christ is Immanuel, "God with us," and the Light of the World. As disciples of Jesus, we must bring his light to the world.

During Advent we prepare ourselves to bring the good news of Jesus to the poor. We try even harder to help care for the sick. We try to do what we can to stop injustice, discrimination, and oppression of any kind. We remember to be peacemakers.

Coming To Faith

Tell what you think Isaiah meant when he said our Savior would be:

- Immanuel
- a wise and just ruler
- a light shining in darkness
- one sent to bring good news

Maybe your group would like to bring in gifts of canned food or games for the children of your parish who are in need. Plan what you will do and make it a part of your Advent celebration.

Viviendo la fe

Una celebración de Adviento

Todos canten:

(Ven Señor, no tardes)

Lectura: (Basado en Isaías 61:1,3)

El Espíritu del Señor Yavé está sobre mí,
me ha enviado con buenas noticias
para los humildes,
para sanar a los corazones heridos,
para anunciar a los desterrados
su liberación,
y libertad a los presos . . .
y dar a los afligidos gozo y felicidad
en vez de tristeza.

Guía: Pausamos para pensar en las palabras de Isaías. ¿Cómo podemos llevar la buena nueva de Jesús a los pobres? ¿Sanar un corazón roto? ¿Cómo podemos liberar a los que están cautivos del pecado? ¿Cómo podemos llevar el gozo de Dios a otros? (Reflexión)

Guía: Jesús, creemos que eres Emanuel, Dios con nosotros, nuestro Salvador prometido.

Todos: Ayúdanos a vivir como tus discípulos en nuestro mundo.

Guía: Jesús, eres la Luz del Mundo.

Todos: Ayúdanos a vivir como tus discípulos en el mundo.

Guía: Jesús, eres el enviado por Dios para anunciar la buena nueva.

Todos: Ayúdanos a vivir como tus discípulos en el mundo.

Guía: Jesús, eres el Hijo de Dios.

Todos: Ayúdanos a vivir como tus discípulos en el mundo.

Guía: Jesús, eres nuestro Salvador, quien vino a liberarnos. Ayúdanos a llevar la buena nueva a los pobres, a sanar los corazones rotos y a llevar libertad a todos.

Presentación de los regalos

Caminando en procesión, todos llevan los regalos para los niños necesitados y los ponen en la mesa de oración o cerca de la corona de adviento.

Todos de pie cantan: una cancion apropiada.

Practicing Faith

An Advent Celebration

All sing:

O come, O come, Emmanuel,
And ransom captive Israel
That mourns in lonely exile here
Until the Son of God appear.
Rejoice! Rejoice, O Israel,
To you shall come Emmanuel!

Reading: (From Isaiah 61:1,3)

I am filled with the Lord's spirit.
God has chosen me and sent me
To bring good news to the poor,
To heal the brokenhearted,
To announce release to captives
And freedom to those in prison. . .
To give those who mourn
Joy and gladness instead of grief.

Leader: Let's pause now and think about these words of Isaiah. How can we bring Jesus' good news to the poor? healing to the broken hearted? How can we bring freedom to those held captive by sin? How can we bring God's joy to others? (Silent reflection)

Leader: Jesus, we believe that you are Immanuel, God with us, our promised Savior.

All: Help us to live as your disciples in the world today.

Leader: Jesus, you are the Light of the World.

All: Help us to live as your disciples in the world today.

Leader: Jesus, you are the one sent by God to announce the good news.

All: Help us to live as your disciples in the world today.

Leader: Jesus, you are the Son of God.

All: Help us to live as your disciples in the world today.

Leader: Jesus, you are the Savior, who has come to free us. Help us to bring good news to the poor, to heal the broken-hearted, and to bring freedom to all.

Presentation of Gifts

Walking in procession, all carry gifts for needy children and place them on a prayer table or near an Advent wreath.

All stand and sing:

O come now Wisdom from on high
Who orders all things mightily,
To us the path of knowledge show
And teach us in your ways to go.
Rejoice! Rejoice! O Israel
To you shall come Emmanuel!

REPASO

Contesta las siguientes preguntas.

1. ¿Qué predijo el profeta Isaías sobre la venida del Salvador?

____

2. ¿Qué significa Emanuel?

____

3. ¿Qué mensaje le llevó el ángel Gabriel a María?

____

4. Escribe una oración de adviento que rezarás todos los días hasta el día de Navidad.

____

____

EN EL HOGAR Y EN LA PARROQUIA

Esta lección acerca del tiempo de Adviento introduce algunas de las profecías del Antiguo Testamento que hablan del Salvador prometido, el Mesías—el que sería un sabio y justo gobernante, como la luz que brilla en la oscuridad, el que traería buenas noticias, Emanuel (que significa "Dios con nosotros"). Creemos que estas profecías se cumplieron en Jesús.

El Adviento es un tiempo de preparación para la venida del Hijo de Dios al mundo y en nuestras vidas y su venida futura en gloria. Es tiempo para reflexionar en nuestro Salvador, quien da esperanza a los pobres, cura a los enfermos y libera a los prisioneros.

Resumen de la fe

- El profeta Isaías predijo la venida del Salvador como alguien que sería Emanuel—"Dios con nosotros".
- Años más tarde el ángel Gabriel fue enviado a María para pedirle que fuera la madre del Salvador.
- Durante el Adviento nos preparamos para la Navidad tratando de servir a los necesitados.

REVIEW ▪ TEST

Answer each question.

1. What did the prophet Isaiah foretell about the coming of the Savior?

___

2. What does the name Immanuel mean?

___

3. What message did the angel Gabriel bring to Mary?

___

4. Write an Advent prayer that you will say each day until Christmas.

___

___

AT HOME AND IN THE PARISH

This Advent lesson introduced some of the Old Testament prophecies that promised the Savior, the Messiah—the one who would be a wise and just ruler, a light shining in the darkness, the bringer of good news, Immanuel (which means "God with us"). We believe that these prophecies are fulfilled in Jesus.

Advent is a season to prepare again for the coming of God's Son into the world and into our lives and his future coming in glory. It is a time to reflect on our Savior, who gives hope to the poor, heals the sick, and liberates the oppressed.

Faith Summary

- The prophet Isaiah foretold the coming of the Savior as One who would be Immanuel—"God with us."
- Years later the angel Gabriel was sent to Mary to ask her to be the mother of the Savior.
- During Advent we prepare for Christmas by trying to serve the needs of others.

14 Celebrando la Navidad

Vamos a adorarle, Cristo el Señor.

Nuestra Vida

En algunos países de América Latina la gente celebra una hermosa costumbre de navidad, originada en México, llamada *las Posadas*. Dos personas representan a María y a José buscando un lugar donde quedarse en Belén. Mientras van de casa en casa, otros los siguen por todo el vecindario. En cada puerta cantan un villancico. Luego José y María piden posada y son despedidos hasta llegar a la última casa. Ahí son bienvenidos, y todos se unen cantando un villancico y generalmente terminan en una fiesta.

¿Tiene tu familia una costumbre especial de navidad? Háblanos de ella.

Comparte con el grupo lo que la Navidad significa para ti.

Compartiendo la vida

Comparte lo que sabes de las costumbres navideñas de otros países. ¿Por qué crees que la gente celebra la Navidad de diferentes formas?

Discutan: ¿qué es lo más importante que hay que recordar en nuestra celebraciones navideñas?

14 Celebrating Christmas

O come let us adore him, Christ the Lord!

OUR LIFE

In some Latin American countries the people celebrate a lovely Christmas custom called *Las Posadas* ("the dwellings"). Two children take the parts of Mary and Joseph as they look for a place to stay in Bethlehem. All the other children escort them as they go from house to house in the neighborhood. At each door all sing a carol. Then Mary and Joseph ask for a room. They are turned away until they come to the last house. Here they are welcomed in, and all join in singing a joyful carol. A party usually follows!

Does your family have any special Christmas customs? Tell about them.

Share what Christmas means to you.

SHARING LIFE

Share what you know about Christmas customs in other countries. Why do you think people celebrate Christmas in different ways?

Discuss: what is the most important thing to remember in our Christmas celebrations?

NUESTRA FE CATOLICA

Ha nacido un Salvador para todo el mundo

El día de Navidad celebramos el nacimiento de Jesús. Recordamos que el Hijo de Dios, la segunda Persona de la Santísima Trinidad, se hizo uno de nosotros y fue llamado Jesús, porque él es nuestro Salvador. Jesús trajo la vida y el amor de Dios al pueblo.

He aquí lo que leemos en los evangelios acerca de cómo Jesús recibió su nombre.

Antes de nacer Jesús, un ángel se apareció a José en sueños y le dijo: "Y dará a luz un hijo, al que pondrás el nombre Jesús—porque él salvará a su pueblo de sus pecados".

Basado en Mateo 1:18–22

El nombre Jesús significa "Dios salva".

Una semana después del nacimiento de Jesús, José, su padre adoptivo, siguiendo la costumbre judía dio al recién nacido Salvador el nombre, Jesús.

Después, la Sagrada Familia fue al Templo de Jerusalén a presentar a Jesús a Dios. Un anciano llamado Simeón, quien había estado rezando para ver al Salvador prometido, tomó a Jesús en sus brazos y alabó a Dios diciendo: "Señor ahora, ya puedes dejar que tu servidor muera en paz. . . Porque mis ojos han visto tu Salvador que tú preparaste para presentarlo a todas las naciones".

Basado en Lucas 2:21–32

Gente de diferentes costumbres, idiomas y razas celebran el nacimiento de Jesús porque él es el Salvador de todo el mundo. Cuando celebramos la Navidad, recordamos que Jesucristo nos ha unido a Dios y a la gente en todo el mundo.

Our Catholic Faith

Newborn Savior of All People

On Christmas Day, we celebrate the birth of Jesus. We remember that the Son of God, the second Person of the Blessed Trinity, became one of us and was named Jesus, because he is our Savior. Jesus brings God's life and love to all people.

Here is what we read in the gospels about Jesus receiving his name.

Before Jesus was born, an angel appeared to Joseph in a dream to tell him that Mary would have a Son. The angel told Joseph, "You are to name him Jesus, because he will save his people from their sins."

Based on Matthew 1:18–22

The name Jesus means "God saves."

A week after Jesus' birth, Joseph, his foster father, followed the Jewish custom and named the newborn Savior Jesus.

Later the Holy Family went to the Temple in Jerusalem to present Jesus to God. A man named Simeon, who had been praying for the Promised Savior, took Jesus in his arms. Praising God, Simeon said, "Now, Master, . . . my eyes have seen your salvation, . . . a light for revelation to the Gentiles. . . ."

Based on Luke 2:21–32

People of many different languages, customs, and races celebrate the birth of Jesus because he is the Savior of all people. When we celebrate Christmas, we remember that Jesus Christ has united us to God and to people all over the world.

Celebrando el nacimiento de Jesús

Durante los primeros tiempos de la cristiandad, los paganos en Roma celebraban una fiesta al sol el 25 de diciembre. Nuestra Iglesia escogió el mismo día para celebrar el nacimiento de Jesús, porque creemos que él es la verdadera Luz del Mundo.

Hoy los cristianos en todo el mundo celebran la Navidad de diferentes formas. Toda nuestra preparación para la Navidad, las costumbres y las decoraciones deben ayudarnos a recordar el significado de la Navidad.

Las luces en nuestro árbol de navidad y en nuestras ventanas nos recuerdan a Cristo, la Luz del Mundo. El árbol de navidad, que es casi siempre un pino, nos recuerda que Jesús nos trajo vida eterna. Las tarjetas de navidad y los regalos que damos nos recuerdan que Dios comparte su propia vida y amor con nosotros.

Durante el tiempo de Navidad, celebramos que Dios nos amó tanto que su único Hijo se hizo uno de nosotros. La mejor manera de celebrar la Navidad es compartiendo el amor de Dios con otros.

ACERCANDOTE A LA FE

Cuenten la historia del nombre de Jesús.

Luego hagan una procesión estilo posada. Escojan quien va a representar a María y a José. Vayan aula por aula en el centro parroquial pidiendo posada y cantando villancicos tales como: "Ven Señor, no tardes" "Noche de Paz". Reúnanse en el último cuarto. Uno puede ser el "posadero" que da la bienvenida a María y a José. Cuando todos estén reunidos, compartan el servicio de oración.

The lights on our Christmas trees and in our windows remind us of Christ, the Light of the World. The Christmas tree, which is usually an evergreen tree, reminds us that Jesus brought us life that lasts forever. The Christmas cards and gifts that we give remind us that God shared his own life and love with us.

During the Christmas season, we celebrate that God loved us so much that his only Son became one of us. We celebrate Christmas best by sharing God's love with others.

Celebrating the Birth of Jesus

During the first years of Christianity, pagans in Rome celebrated a feast of the sun on December 25. Our Church may have chosen that same day on which to celebrate Jesus' birth because we believe that Jesus is the true Light of the World.

Today Christians around the world celebrate Christmas in many different ways. All our Christmas preparations, customs, and decorations should help us to remember the meaning of Christmas.

COMING TO FAITH

Tell the story of Jesus' name.

Then have a *Las Posadas* procession. Choose someone to be Mary and someone to be Joseph. Go from group to group in your parish center asking for a room and singing carols like "O Come All Ye Faithful" and "Away in a Manger." Let the last "house" be the place where your group meets. Some of you can be the "hosts" who welcome Mary and Joseph. When all are gathered, share the prayer service.

Viviendo la Fe

María y José arrodillados ante una cuna vacía. Todos se reúnen y cantan:

Pastores a Belén.
Vamos con alegría,
que ha nacido ya el Hijo de María.
Allí, allí, nos espera Jesús. (bis)
Llevemos, pues turrones y miel
para ofrecer al Niño Manuel.
Vamos, vamos, vamos a ver,
vamos a ver al recién nacido,
vamos a ver al Niño Manuel.

Lector 1: Mientras María y José estaban en Belén, le llegó a María el tiempo de dar a luz. Dio a luz a un hijo, lo envolvió en pañales y lo acostó en un pesebre, porque no había lugar para ellos en el mesón.

(Algunas personas envuelven una muñeca en pañales y la colocan en el pesebre)

Lector 2: Había algunos pastores en el área cuidando sus ovejas. Un ángel del Señor se les apareció y la gloria del Señor brilló alrededor de ellos, que estaban asustados. El ángel les dijo:

Angel: No teman. He venido a proclamar la buena nueva a ustedes para que la compartan con todo el mundo. Hoy les ha nacido un Salvador. Esta es la señal: encontrarán a un niño envuelto en pañales y acostado en un pesebre.

Angeles: Gloria a Dios en el cielo y paz en la tierra a los hombres que ama el Señor.

Pastores: Vamos a Belén a ver este evento, que el Señor nos ha dado a conocer.

Lector 3: Los pastores fueron apresuradamente y encontraron a María, a José—y al bebé acostado en el pesebre.

Basado en Lucas 2:6–16

Todos canten “Noche de Paz”

Noche de paz, noche de amor.
Todo duerme en derredor.
Entre los astros que esparcen su luz,
Bella anunciando al niñito Jesús
brilla la estrella de paz,
brilla la estrella de paz.

Practicing Faith

Mary and Joseph kneel beside an empty crib. All the rest gather around them and sing:

O little town of Bethlehem
How still we see thee lie.
Above thy deep and dreamless sleep
The silent stars go by.
Yet in thy dark streets shineth
The everlasting light—
The hopes and fears of all the years
Are met in thee tonight!

Reader 1: While Mary and Joseph were in Bethlehem, the time came for Mary to have her baby. She gave birth to a son, wrapped him in cloths and laid him in a manger because there was no room for them in the inn.

(Someone places a wrapped doll or an image of the baby in the manger.)

Reader 2: There were shepherds in the area, living in the fields and keeping watch over their flock. An angel of the Lord appeared to them and the glory of the Lord shone around them, and they were very much afraid. The angel said to them:

Angel: You have nothing to fear. I come to proclaim good news to you to be shared by all the people. This day a Savior has been born to you. Let this be a sign to you: in a manger you will find an infant wrapped in swaddling clothes.

Angels: Glory to God in high heaven, peace on earth to those on whom God's favor rests!

Shepherds: Let us go over to Bethlehem and see this event that has come to pass, which the Lord has made known to us!

Reader 3: The shepherds went with haste and found Mary and Joseph—and the baby lying in the manger.

From Luke 2:6–16

All sing "Silent Night"
Silent Night, Holy Night!
All is calm, all is bright.
Round yon Virgin Mother and child!
Holy Infant so tender and mild,
Sleep in heavenly peace,
Sleep in heavenly peace.

REPASO

Completa las siguientes oraciones.

1. El nombre de Jesús significa ______________________________.

2. El día de Navidad celebramos ______________________________.

3. ¿Alineanios esto? ______________________________.

4. Jesús vino a traernos ______________________________.

5. ¿Qué regalo personal darás a Jesús esta Navidad?

____

______________________________.

EN EL HOGAR Y EN LA PARROQUIA

En esta lección litúrgica a los niños se les recordó que el nombre Jesús significa "Dios salva". Jesús vino a ser nuestro Salvador y libertador y su gracia salvadora es para todo el pueblo. Todos los cristianos celebran la Navidad con diferentes costumbres en diferentes partes del mundo. Nos regocijamos en la verdad de que Dios nos amó tanto, que su Hijo vino a morar entre nosotros y a ser como nosotros en todo menos en el pecado. Si tiene una costumbre de Navidad especial compártala con la familia.

Trate de participar en las costumbres de su parroquia con toda la familia.

Resumen de la fe

- El nombre de *Jesús* significa "Dios salva".
- Jesús es la Luz del Mundo.
- Jesús vino a traernos vida eterna.

REVIEW ▪ TEST

Complete the sentences.

1. The name Jesus means ______________________________.

2. On Christmas day we celebrate ______________________________

______________________________.

3. Jesus came to bring us ______________________________.

4. What personal gift will you give Jesus this Christmas?

____

______________________________.

AT HOME AND IN THE PARISH

In this liturgical lesson your fifth grader was reminded that the name Jesus means "God saves." Jesus came to be our Savior and Liberator, and his saving grace is for all people. All Christians celebrate Christmas and, though customs differ in different parts of the world, we all rejoice in the truth that God loved us so much that his only Son came to dwell among us and to be like us in all things, except sin. If you have special Christmas customs from your own childhood, be sure to share them with your children. Explore parish customs as well, and plan to join in them as a family.

Faith Summary

- The name *Jesus* means "God saves."
- Jesus is the Light of the World.
- Jesus came to bring us everlasting life.

15 Jesucristo nos perdona
(Reconciliación)

Jesús, perdona nuestras ofensas como nosotros perdonamos a los que nos ofenden.

Nuestra Vida

John Newton fue un capitán escocés que vivió a mediados del siglo XIX. Se hizo rico con la mercancía que transportaba—seres humanos. Newton era un mercader de esclavos. Secuestraba personas en Africa para venderlas como esclavos en el Nuevo Mundo. Por varios años estuvo en ese negocio. Entonces algo pasó que le hizo cambiar. Más tarde el llamó a esto "gracia".

Newton miró su vida detenidamente y se dio cuenta del mal que estaba haciendo. Dejó el mar y el comercio y terminó sus días rezando, pidiendo a Dios misericordia. A medida que pasó el tiempo experimentó una gran paz; se dio cuenta que había sido misericordioso. Newton trató de expresar en palabras la maravillosa gracia del amor perdonador de Dios. Lo que escribió se ha convertido en uno de los himnos religiosos más amados en inglés:

Amazing Grace (maravillosa gracia).

¿Puedes nombrar dos cosas que la gracia de Dios hizo por Newton?

Explica cómo te sientes cuando eres perdonado.

Compartiendo la Vida

Discutan lo que significa ser perdonado verdaderamente. Empieza diciendo: "verdadero perdón significa. . . "

¿Qué papel debe jugar el perdón en la vida de un cristiano, en una familia, o en una parroquia?

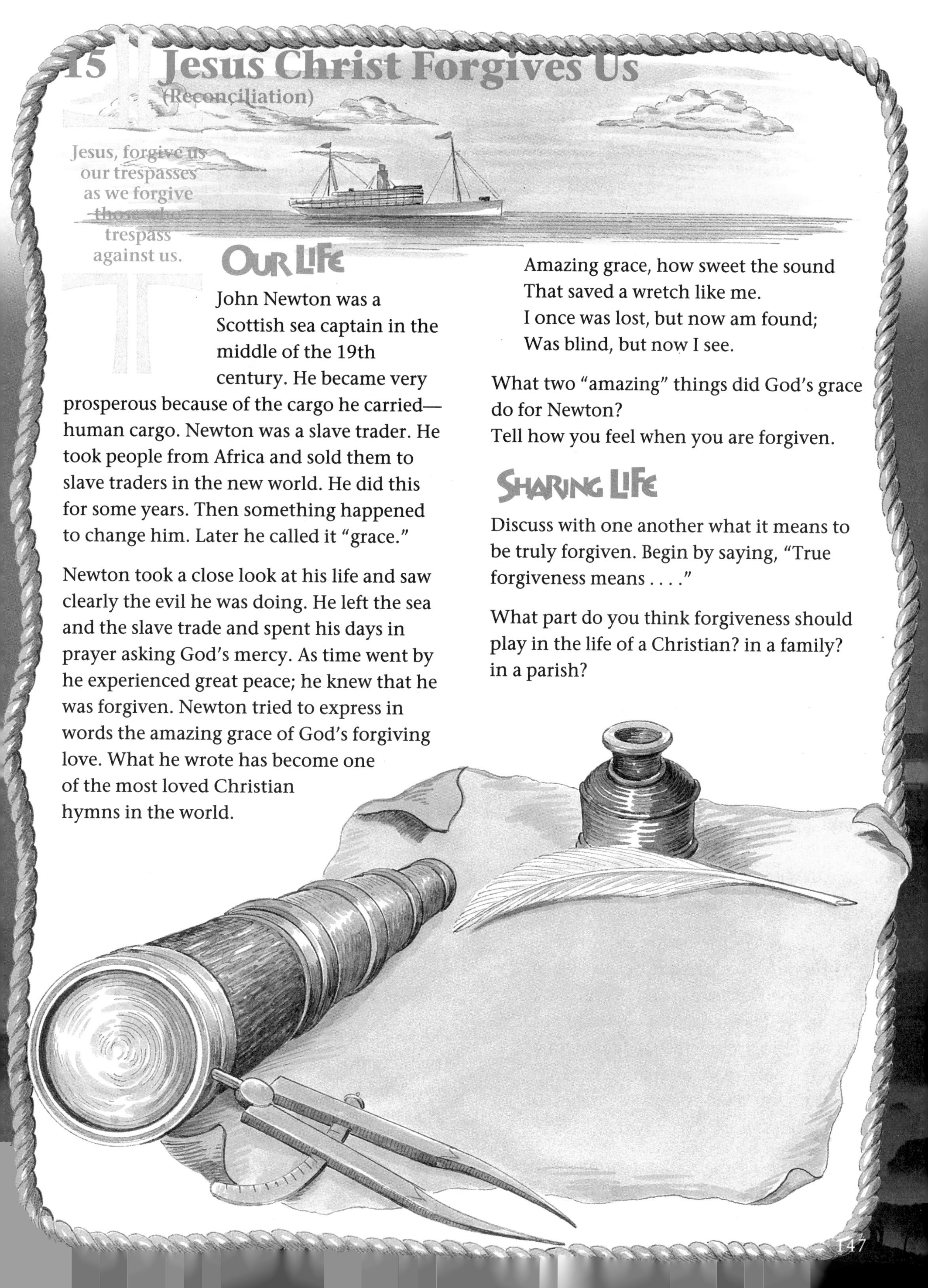

15 Jesus Christ Forgives Us
(Reconciliation)

Jesus, forgive us our trespasses as we forgive those who trespass against us.

Our Life

John Newton was a Scottish sea captain in the middle of the 19th century. He became very prosperous because of the cargo he carried—human cargo. Newton was a slave trader. He took people from Africa and sold them to slave traders in the new world. He did this for some years. Then something happened to change him. Later he called it "grace."

Newton took a close look at his life and saw clearly the evil he was doing. He left the sea and the slave trade and spent his days in prayer asking God's mercy. As time went by he experienced great peace; he knew that he was forgiven. Newton tried to express in words the amazing grace of God's forgiving love. What he wrote has become one of the most loved Christian hymns in the world.

Amazing grace, how sweet the sound
That saved a wretch like me.
I once was lost, but now am found;
Was blind, but now I see.

What two "amazing" things did God's grace do for Newton?

Tell how you feel when you are forgiven.

Sharing Life

Discuss with one another what it means to be truly forgiven. Begin by saying, "True forgiveness means . . . ."

What part do you think forgiveness should play in the life of a Christian? in a family? in a parish?

Nuestra Fe Católica

Reconciliación, un sacramento de sanación

Jesús anunció la buena nueva de que Dios siempre perdona nuestros pecados si estamos arrepentidos.

Pecamos cuando libremente escogemos hacer lo que sabemos es malo. Desobedecemos la ley de Dios a propósito. Cuando pecamos, fallamos en vivir como debemos como miembros de la Iglesia y discípulos de Jesús.

La Iglesia Católica nos enseña que podemos pecar de pensamiento, palabra y obra. Algunos pecados son tan serios que nos alejan completamente del amor de Dios. Estos son los pecados mortales. Debemos confesar todo pecado mortal para recobrar nuestra amistad con Dios.

Un pecado es mortal cuando:

- lo que hacemos es muy grave y malo
- sabemos que es malo y que Dios lo prohibe
- y libremente decidimos hacerlo.

Otros pecados son menos serios. Estos son llamados pecados veniales. Ellos no nos separan completamente del amor de Dios. Pero debilitan nuestra relación con Dios y pueden herir a otras personas y a la Iglesia.

Todo pecado es personal. Pero se puede pecar en grupo. Esto es llamado pecado social. Pecado social ocurre cuando un grupo de personas elige no hacer la voluntad de Dios. Por ejemplo, los miembros de un grupo cometen pecado social cuando tratan injustamente a los pobres o a los que son diferentes a ellos.

El pecado no es algo solamente entre Dios y la persona que lo comete. Nuestros pecados siempre hieren a alguien más. Debemos tratar de sanar la herida que hemos causado con nuestro pecado. Debemos hacer y decir cosas que muestren nuestro arrepentimiento. Debemos tratar de no volver a pecar.

Reconciliación o Penitencia, es uno de los sacramentos de sanación. Este sacramento es un signo poderoso y efectivo por medio del cual Jesús comparte con nosotros la misericordia de Dios y el perdón de nuestros pecados. Nos reconciliamos de nuevo con Dios y con la comunidad de la Iglesia.

Reconciliation, A Sacrament of Healing

Jesus announced the good news that God always forgives our sins when we are sorry for them.

We sin when we freely choose to do what we know is wrong. We disobey God's law on purpose. When we sin, we fail to live as we should as members of the Church and disciples of Jesus.

The Catholic Church teaches us that we can sin in thought, in word, or in action. Some sins are so serious that by doing them we turn completely away from God's love. We call them mortal sins. We must confess all mortal sins in order to recover our friendship with God.

A sin is mortal when:

- what we do is very seriously wrong
- we know that it is wrong and that God forbids it
- we freely choose to do it.

Other sins are less serious. These are called venial sins. By them we do not turn away completely from God's love. But they still weaken our relationship with God and they can cause hurt to others and to the Church.

All sins are personal sins. But whole groups of people can sin, too. We call this social sin. Social sin happens when groups of people choose not to do God's loving will. For example, members of a group commit social sin when they treat unfairly people who are poor or different from them.

Sin is never just between God and one person. Our sins always hurt someone else. We must try to heal the hurt we cause by our sin. We must do and say things that show we are truly sorry. We must try not to sin again.

Reconciliation, or Penance, is one of the two sacraments of healing. This sacrament is a powerful and effective sign through which Jesus shares with us God's mercy and forgiveness of our sins. We know we are united again, or reconciled, to God and to our Church community.

Cuando celebramos la Reconciliación, alabamos y damos gracias a Dios. En este sacramento recibimos la ayuda de Dios para hacer su voluntad, para evitar toda forma de pecado y para vivir como pueblo de Dios. Por esta razón celebramos la Reconciliación aun cuando no somos culpables de pecados serios.

Celebramos la Reconciliación individualmente o en comunidad. En ambos ritos nos entrevistamos en privado con el sacerdote. Por el poder del Espíritu Santo, el sacerdote actúa en nombre de Cristo y la Iglesia para perdonar nuestros pecados en nombre de Dios.

Damos gracias a Dios por la Reconciliación en nuestra vida diaria. Tratamos de llevar la paz de Dios a nuestras familias, a nuestra escuela y a nuestra comunidad parroquial.

Sacramento de Reconciliación

Examen de conciencia: Pedimos al Espíritu Santo nos ayude a pensar acerca de cómo hacer la voluntad de Dios.

Contrición: Decimos un acto de contrición para decir a Dios que estamos arrepentidos de nuestros pecados. Prometemos tratar de evitar el pecado y de amarnos unos a otros como Dios nos ama.

Confesión: Confesamos nuestros pecados a Dios diciéndolos en privado al sacerdote. Nos aseguramos de confesar todos los pecados mortales al sacerdote. El nos aconseja como vivir cada día para el reino de Dios tal como quiere Jesús. El sacerdote nunca dice a nadie lo que escucha bajo confesión.

VOCABULARIO

Pecado es libremente hacer lo que sabemos es malo. Cuando pecamos desobedecemos la ley de Dios a propósito.

Penitencia: Nuestra penitencia puede ser una oración o una buena obra que nos ayude a reparar el daño causado por nuestros pecados. Hacemos la penitencia que el sacerdote nos da para mostrar a Dios que estamos arrepentidos y que queremos cambiar. El hacer la penitencia nos ayuda a evitar el pecado y a acercarnos más a Dios.

Absolución: Por el poder del Espíritu Santo, el sacerdote nos da el perdón de Dios, o la absolución. El hace la señal de la cruz sobre nosotros y dice: "Por el ministerio de la Iglesia que Dios te perdone y dé paz, y yo te perdono de tus pecados en el nombre del Padre, y del Hijo ✝ y del Espíritu Santo".

Respondemos, "Amén".

When we celebrate Reconciliation, we praise and worship God. In this sacrament we receive God's help to do his loving will, to avoid all forms of sin, and to live as God's people. For this reason, we celebrate Reconciliation even when we are not guilty of serious sin.

We can celebrate Reconciliation individually or communally. In both rites, we meet with a priest privately. By the power of the Holy Spirit, the priest acts in the name of Christ and the Church to forgive sins in God's name.

We thank God for Reconciliation in our everyday lives. We try to bring God's peace to our families, our school, and our parish community.

FAITH WORD

Sin is freely choosing to do what we know is wrong. When we sin, we disobey God's law on purpose.

Sacrament of Reconciliation

Examination of Conscience: We ask the Holy Spirit to help us think about how well we are doing God's loving will.

Contrition: We say an Act of Contrition to tell God that we are sorry for our sins. We promise to try harder to avoid sin and to love others as God loves us.

Confession: We confess our sins to God by telling them to the priest in private. We make sure that we confess all mortal sins to the priest. He advises us how to live each day for the reign of God as Jesus wants. The priest will never tell anyone what he heard in confession.

Penance: Our penance can be a prayer or a good deed that helps make up for the hurt caused by our sins. We do the penance the priest gives us to show God that we are sorry and want to change. Doing our penance helps us to avoid sin and grow closer to God.

Absolution: By the power of the Holy Spirit, the priest gives us God's forgiveness, or absolution. He makes the sign of the cross over us and says in part, "Through the ministry of the Church may God give you pardon and peace, and I absolve you from your sins in the name of the Father, and of the Son,† and of the Holy Spirit."
We respond, "Amen."

Acercandote a la Fe

Rétense unos a otros en el conocimiento de las ideas principales sobre la Reconciliación. Elijan una tarjeta. Pide a un miembro del grupo explicar el término en la tarjeta. Busca la respuesta leyendo la definición en la parte atrás de la tarjeta. Palabras claves son: conciencia, contrición, reconciliación, absolución, penitencia, confesión.

Viviendo la Fe

Reunidos en un círculo canten una canción.

Lector: Dios nos llama a ir a él. El siempre nos ama y bendice.

Reflexión: En silencio habla con Jesús acerca del perdón que necesitas recibir o dar. Pide a Jesús que te ayude a hacer lo que debes hacer.

Guía: Para mostrar nuestro agradecimiento por la maravillosa gracia de la misericordia y el perdón de Dios, vamos a darnos la señal de la paz. (Da la mano a los que están a tu alrededor)

Conclusión: Todos canten un verso de la canción que cantaron al inicio.

Coming to Faith

Challenge one another's knowledge of the key ideas of Reconciliation. Choose a card. Ask a group member to explain the term on the card. Check the answer by reading the definition on the back of the card. Key words are: conscience, contrition, Reconciliation, absolution, penance, confession.

Practicing Faith

Gather in a circle. Sing "Amazing Grace."

Reader: God calls us to come back to him. He loves us and blesses us always.

Reflection: Be very still. Talk to Jesus about forgiveness you need to receive, or forgiveness you need to give. Ask Jesus to help you do what you need to do.

Leader: To show our thanks for the amazing grace of God's mercy and forgiveness, let us offer one another a sign of God's peace. (Turn to those on your right and left and give a handshake of peace.)

Closing: All sing (or say) another verse of "Amazing Grace."
Through many dangers, toils, and snares
We have already come;
'Tis grace has brought us here thus far
And grace will lead us home.

REPASO

Aparea

Términos		Descripciones
1. Confesión	______	Pensar si estamos viviendo la voluntad de Dios
2. Absolución	______	Arrepentimiento de nuestros pecados y deseo de evitar el pecado
3. Penitencia	______	Decir los pecados al sacerdote
4. Contrición	______	Signo sacramental del perdón de Dios
	______	Oración u obra que nos ayuda a reparar nuestros pecados

5. ¿Cuándo encuentras difícil perdonar? ¿Qué haces para solucionarlo?

____

____

____

____

EN EL HOGAR Y EN LA PARROQUIA

En este capítulo los niños exploraron el significado del pecado, el perdón y la reconciliación. Los niños en este nivel pueden empezar a reconocer que ellos, al igual que nosotros, necesitamos el perdón en el sacramento de la Reconciliación.

Por medio de su ministerio, Jesús retó al pueblo a reconocer su pecado y a buscar el perdón de Dios. El ofreció compasión y misericordia a todo pecador. La Iglesia continúa su ministerio y nos recuerda nuestra necesidad de perdón sacramental. Esta necesidad existe cuando estamos separados seriamente de Dios. Este sacramento de sanación restaura la gracia de Dios, nos reconcilia con la Iglesia y nos recuerda nuestra llamada a la conversión y a la penitencia como discípulos de Jesús.

Resumen de la fe

- Reconciliación es el sacramento en el cual recibimos el perdón de nuestros pecados por parte de Dios y de la Iglesia.
- Examen de conciencia, contrición, confesión, penitencia y absolución son pasos importantes para la celebración de la Reconciliación.
- En la Reconciliación recibimos la ayuda de Dios para hacer su voluntad, evitar el pecado y vivir como su pueblo.

REVIEW ▪ TEST

Match the terms with the descriptions.

Terms		Descriptions
1. Confession	______	thoughts about how we are living God's will
2. Absolution	______	sorrow for our sins and willingness to avoid sin
3. Penance	______	tell our sins to the priest
4. Contrition	______	sacramental sign of God's forgiveness
	______	a prayer or good work that helps make up for our sins

5. When do you find it hard to forgive? What do you do about it?

____

____

____

____

FAITH ALIVE AT HOME AND IN THE PARISH

In this chapter your fifth grader explored the meaning of sin, forgiveness, and reconciliation. Fifth graders are at an age when they are beginning to recognize that they, like all of us, are in need of forgiveness in the sacrament of Reconciliation.

Throughout his ministry, Jesus challenged people to recognize their sinfulness and to seek forgiveness from God. He offered compassion and mercy to all sinners. The Church continues his ministry and reminds us of our need for sacramental forgiveness. This need exists whether we are seriously alienated from God. This healing sacrament restores us to God's grace, reconciles us with the Church, and reminds us of our lifelong call to conversion and penance as disciples of Jesus.

Faith Summary

- Reconciliation is the sacrament in which we are forgiven by God and the Church for our sins.
- Examination of conscience, contrition, confession, penance, and absolution are important steps in the celebration of Reconciliation.
- In Reconciliation we receive God's help to do his loving will, to avoid sin, and to live as his people.

16 Jesucristo nos ayuda en la enfermedad y en la muerte

(Unción de los Enfermos)

Tú, oh Dios, eres nuestra fortaleza y esperanza.

Nuestra Vida

Cuando Daniel Cardo tenía diez años se estaba muriendo. La leucemia estaba destruyendo las células de su sangre y sólo un trasplante de médula podría salvarle la vida. La médula de ningún miembro de la familia era compatible con la suya, ni siquiera la de su hermana gemela. Su familia decidió pedir a Dios. En la escuela y en la parroquia sus amigos se unieron a ellos.

Clara, una joven de California, distante del hogar de Daniel, quien vive en Vermont, se había inscrito para ser donante de médula. La computadora asoció su tipo de sangre con el de Daniel como un donante compatible. La cirugía tuvo lugar "justo a tiempo", dijo el doctor.

Hoy Daniel, con once años, está sano y activo. A él le gustaría conocer a Clara, "Doy gracias a Dios por mi vida, me gustaría darle las gracias a ella también", dice.

¿Por qué crees que la familia de Daniel se dirigió a Dios en oración?

¿Cómo crees que se sintió Daniel al saber que muchas personas estaban rezando por él?

¿Qué o quién te ayuda cuando estás enfermo?

Compartiendo la vida

Imagina que eres Daniel ¿Cómo te sentirías al enfrentar la muerte?

¿Qué quieres que hagan tus familiares y amigos?

Discutan la mejor manera de tratar enfermedades serias.

16 Jesus Christ Helps Us in Sickness and Death (Anointing of the Sick)

You, O God, are our strength and our hope.

Our Life

Ten-year-old Danny Cardo was dying. Leukemia was destroying his blood cells and without a bone marrow transplant his life would end in a matter of weeks. No one in his family was a close enough match to his bone marrow for a transplant—not even his twin sister. His family turned to God in prayer. His school friends and his whole parish joined in.

In California, far away from Danny's home in Vermont, a young woman named Clare had recently become a bone marrow donor. The computer linked her blood type with Danny's as a real match. The surgery was done "just in time," the doctor said.

Today Danny is a healthy, active eleven-year-old. He would like to meet Clare someday. "I thank God for my life," Danny says. "I would like to thank her, too."

Why do you think Danny's family and parish turned to God in prayer?

How do you think Danny felt to know so many people were praying for him?

What or who helps you when you are sick?

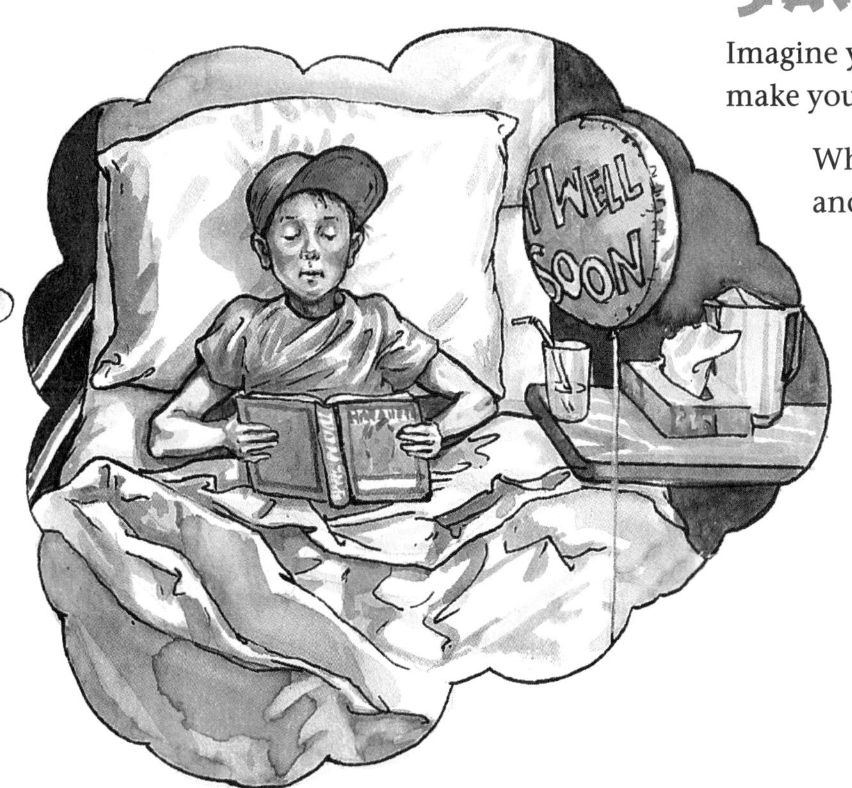

Sharing Life

Imagine you were Danny. How would it make you feel to be facing death?

What would you want your family and friends to do?

Discuss together the best way to handle serious illness.

NUESTRA FE CATOLICA

Unción de los Enfermos, un sacramento de sanación

Durante su ministerio público Jesús mostró preocupación y compasión por los enfermos. Sus milagros más frecuentes fueron de sanación. Jesús pidió a sus discípulos mantener este ministerio de sanación.

Jesús dio a su Iglesia el trabajo de llevar el poder sanador de Dios a los enfermos, a los ancianos y a los moribundos. Por el poder del Espíritu Santo, la Iglesia continúa la misión de sanacion en el sacramento de Uncion de los Enfermos.

Unción de los Enfermos es uno de los dos sacramentos de sanación. Este sacramento es un signo poderoso y efectivo de la presencia de Jesús que da fortaleza y salud a los ancianos, los enfermos y los moribundos.

Algunas veces la celebración de este sacramento ayuda a los enfermos a sanar. Cuando no sucede, el sacramento ayuda al enfermo a enfrentar su enfermedad con fe y confianza. También ayuda a los moribundos a continuar su camino hacia Dios en el cielo.

San Santiago escribió en su carta en el Nuevo Testamento que con este sacramento nuestro cuerpo enfermo puede sanar y nuestros pecados pueden ser perdonados. El escribió que si alguien estaba enfermo los ancianos de la Iglesia irían a rezar por ellos y le untarían aceite al enfermo en el nombre del Señor. Santiago dijo: “La oración hecha con fe salvará al enfermo; el Señor lo levantará y, si ha cometido pecados, les serán perdonados”.

Santiago 5:14–15

El sacramento de Unción de los Enfermos con frecuencia tiene lugar durante una misa después de la Liturgia de la Palabra. Familiares, amigos y otros miembros de la parroquia se reúnen con el enfermo y los ancianos para rezar por ellos y darles apoyo.

La Unción de los Enfermos es también ofrecida en casas y hospitales a los que están muy enfermos.

Anointing of the Sick, A Sacrament of Healing

In his public ministry, Jesus showed great care and compassion for people who were sick. His most frequent miracles were those of healing. Jesus told his disciples to carry on this ministry of healing.

Jesus gave his Church the work of bringing God's healing power to the sick, the elderly, and the dying. By the power of the Holy Spirit, the Church carries on this mission of healing in the sacrament of the Anointing of the Sick.

Anointing of the Sick is one of the two sacraments of healing. This sacrament is a powerful and effective sign of Jesus' presence that brings strength and healing to the elderly, the sick, and the dying.

The celebration of this sacrament sometimes helps sick people to get well again. When that does not happen, the sacrament helps the sick face their illness with faith and trust. It also helps dying people to continue their journey to God in heaven.

Saint James writes in his New Testament letter that in this sacrament our sick bodies can be healed and our sins forgiven. He wrote that if anyone was sick the Church elders would come and pray for and rub oil on the sick person in the name of the Lord. James said: "The prayer of faith will save the sick person, and the Lord will raise him up. If he has committed any sins, he will be forgiven."
James 5:15

The sacrament of Anointing of the Sick often takes place during a Mass after the Liturgy of the Word. Family, friends, and other members of the parish come together with the sick and elderly to pray for and support them.

Anointing of the Sick is also given at home and in the hospital to those who are very ill or dying.

The two most important signs of the sacrament are the laying on of hands

Los dos signos más importantes de este sacramento son imposición de las manos y unción con aceite. El sacerdote primero impone sus manos en la cabeza del enfermo o anciano. Este es un signo de la bendición de Dios.

Luego él unge la frente de la persona con aceite diciendo:
"Por esta santa unción
y por su bondadosa misericordia,
te ayude el Señor
con la gracia del Espíritu Santo".

Luego unge las manos del enfermo diciendo: "Para que, libre de tus pecados, te conceda la salvación y te conforte en tu enfermedad".

Todo católico debe entender como se celebra este sacramento. Cuando un católico está seriamente enfermo el sacerdote debe ser notificado. De esta forma podemos ayudar a nuestros amigos y familiares enfermos.

VOCABULARIO

El sacramento de **Unción de los Enfermos** ofrece bendiciones especiales de Dios a los enfermos, a los ancianos y a los moribundos.

Viviendo el sacramento

Dios quiere que respetemos nuestro cuerpo cuidando de él. Algunas enfermedades no se pueden evitar, otras sí, si comemos alimentos saludables, dormimos lo suficiente y hacemos ejercicio adecuadamente.

Lo más importante, no debemos abusar y lastimar nuestro cuerpo. Tomar alcohol en exceso y fumar es dañino para nuestra salud.

No importa lo que hagan o digan nuestros amigos, la voluntad de Dios nos da el valor para decir no a las drogas. La voluntad de Dios también nos ayudará a tratar de nuevo si fallamos.

Podemos continuar la misión de Jesús de llevar el poder sanador de Dios al mundo. Podemos respetar nuestro cuerpo. Podemos apoyar los esfuerzos de nuestra Iglesia para eliminar las enfermedades, el sufrimiento, el hambre, la falta de vivienda y la guerra en el mundo.

and anointing with oil. The priest first lays his hands on the head of the sick or elderly person. This is a sign of God's blessing.

He then anoints the person's forehead with oil, saying,
"Through this holy anointing
may the Lord in his love
and mercy help you
with the grace of the Holy Spirit."

He then anoints the person's hands, saying, "May the Lord who frees you from sin save you and raise you up."

Every Catholic should understand how this sacrament is celebrated. When a Catholic is seriously ill, a priest should be notified. In this way we help our friends and relatives who are sick.

Living the Sacrament

God wants us to respect our bodies by taking care of them. Some sickness or disease cannot be avoided. Other illnesses can be avoided if we eat healthful foods, get enough sleep, and exercise properly.

Most importantly, we must not abuse or harm our bodies. Drinking alcohol to excess and using tobacco are dangerous and bad for our health.

No matter what our friends do or ask us to do, God will give us the courage to say no to illegal drugs. God will also help us to try again if we fail.

We can continue Jesus' mission of bringing God's healing power to all the world. We can respect our bodies. We can support our Church's efforts to eliminate disease, suffering, hunger, homelessness, and war in our world.

FAITH WORD

The sacrament of **Anointing of the Sick** brings God's special blessings to those who are sick, elderly, or dying.

Acercándote a la Fe

Dramaticen el sacramento de Unción de los Enfermos.

Explica cómo podemos vivir este sacramento en nuestra vida diaria.

Viviendo la Fe

Pregunta a tu catequista si conoce a alguien en la parroquia que esté falto de cariño.

Juntos decidan algo que tú, tus amigos, o tus familiares pueden hacer para ayudar a esas personas.

Oración por los enfermos

Coloca en una fuente, en la mesa de oración, los nombres de los enfermos. Recen por todos ellos, la siguiente bendición, que se encuentra en la Biblia.

Guía: En el nombre del Padre, y del Hijo y del Espíritu Santo. Amén.

Todos: "Yavé te bendiga y te guarde, Yavé haga resplandecer su rostro sobre ti y te conceda lo que pidas, vuelva hacia ti su rostro y te dé la paz".

Número 6:24–26

Por turno recen por la persona que escogieron.

Coming to Faith

Act out a celebration of the sacrament of Anointing of the Sick.

Tell how we can live this sacrament in our daily lives.

Practicing Faith

Ask your catechist about some people in your parish who are in need of your loving care.

Decide together some things that you, your friends, or your family will do to help these people.

Praying for the Sick

Place in a bowl on a prayer table the names of people who are sick. Pray this blessing from the Bible for all these people.

Leader: In the name of the Father, and of the Son, and of the Holy Spirit. Amen.

All: The Lord bless you and keep you!
The Lord let his face shine upon you
and be gracious to you!
The Lord look upon you kindly
and give you peace!

Numbers 6:24–26

Take turns praying for your special person by name.

REPASO

Encierra en un círculo la letra al lado de la respuesta correcta.

1. Nuestra Iglesia se preocupa de los enfermos especialmente en el sacramento de
a. Reconciliación.
b. Unción de los Enfermos.
c. Bautismo.
d. Confirmación.

2. La Unción de los Enfermos puede celebrarse
a. durante la misa.
b. en la casa.
c. en el hospital.
d. todas son correctas.

3. Los dos signos más importantes en la Unción de los Enfermos son:
a. imposición de las manos y la unción.
b. agua y aceite.
c. las palabras y acciones de la absolución.
d. el pan y el vino.

4. Vivimos el sacramento de Unción de los Enfermos cuando
a. ignoramos a los desamparados.
b. usamos drogas.
c. respetamos nuestro cuerpo.
d. no comemos comida sana.

5. Explica como respetarás tu cuerpo.

____

____

____

____

EN EL HOGAR Y EN LA PARROQUIA

En este capítulo los niños aprendieron el sacramento de Unción de los Enfermos. A este sacramento se le llamaba Extrema Unción. La Iglesia Católica retornó a la creencia de los primeros cristianos de que este es un sacramento de sanación no simplemente limitado a los moribundos. Es por esto que se llama Unción de los Enfermos.

Fieles a la misión sanadora de Jesús, la Iglesia invita a los enfermos y a los moribundos a venir a él, para lograr salud espiritual y física. La unción con óleo santo es un poderoso signo de la presencia amorosa de Jesús para el que sufre.

Resumen de la fe

- El sacramento de Unción de los Enfermos lleva bendiciones especiales de Dios a los enfermos, a los ancianos y a los moribundos.
- Unción de los Enfermos es uno de los dos sacramentos de sanación.
- Debemos respetar nuestro cuerpo cuidándolo. Debemos trabajar para eliminar la enfermedad y la maldad en el mundo.

REVIEW ■ TEST

Circle the letter beside the correct answer.

1. Our Church cares for the sick, especially in the sacrament of
   a. Reconciliation.
   b. Anointing of the Sick.
   c. Baptism.
   d. Confirmation.

2. Anointing of the Sick can be celebrated
   a. during Mass.
   b. at home.
   c. in a hospital.
   d. all of the above

3. The two most important signs in Anointing of the Sick are
   a. laying on of hands and anointing.
   b. water and oil.
   c. the words and actions of absolution.
   d. bread and wine.

4. We live the sacrament of Anointing of the Sick when we
   a. ignore the homeless.
   b. take illegal drugs.
   c. respect our bodies.
   d. eat only "junk" foods.

5. Tell how you will respect your body.

____

____

____

____

FAITH ALIVE AT HOME AND IN THE PARISH

In this chapter your fifth grader has learned more about the sacrament of the Anointing of the Sick. The sacrament used to be called Extreme Unction. The Catholic Church has returned to the early Christian understanding of this sacrament as one of healing, and not simply a sacrament limited to the dying. This is why the sacrament is now called Anointing of the Sick.

Faithful to the healing mission of Jesus, the Church invites the sick and dying to come to him, seeking physical and spiritual health. The anointing with holy oil is a powerful sign of Jesus' loving presence to the one who is suffering.

Faith Summary

- The sacrament of Anointing of the Sick brings God's special blessings to those who are sick, elderly, or dying.
- Anointing of the Sick is one of the two sacraments of healing.
- We must respect our bodies by caring for them. We must work to eliminate sickness and evil from the world.

17 Jesucristo nos ayuda a amar

(Matrimonio)

Dios de amor, ayúdanos a crecer y a mantener nuestras promesas.

Nuestra vida

En la mayoría de los cuentos de hadas los príncipes son "felices para siempre". Ese es el final que esperamos. Sin embargo, la vida real es muy diferente. Los que se casan planifican vivir felices para siempre. Las parejas prometen estar juntas "hasta que la muerte los separe". Pero la vida real está llena de buenos y malos tiempos, gozos y penas, enfermedad y salud. ¿Qué hace una pareja para que su matrimonio funcione?

He aquí la respuesta de algunas personas:

- "Tratamos de amarnos uno al otro. Eso es lo más importante".

(Jennifer y Steven, recién casados)

- "Tratamos de crecer y cambiar juntos— somos compañeros en todo".

(Gilberto y María, casados desde hace 10 años)

- "Cuando tenemos problemas los resolvemos, el matrimonio requiere *trabajo*".

(Roy y Linda, casados desde hace 21 años)

- "Somos buenos amigos. Siempre lo seremos".

(Jim y Tania, casados desde hace 46 años)

¿Qué piensas de lo que esas personas dicen del matrimonio?

Pregúntate: ¿Cómo mantengo mis promesas?

Compartiendo la vida

Discutan:

- cosas que hacen difícil que una pareja mantenga sus promesas
- cosas que una pareja debe hacer que le ayude a mantener sus promesas

17 Jesus Christ Helps Us to Love
(Matrimony)

Loving God, help us to grow as people who understand and keep our promises.

Our Life

Most fairy tales end with the prince and princess "living happily ever after." It is an ending we expect. Real life, however, can be very different. People who get married plan to live happily ever after, too. The couples promise to stay together "until death us do part." But real life is full of good times and bad times, joys and sorrows, sickness and health.

How do couples make marriage work? Here are some responses from real people.

- "We try to love each other. That's what is most important."
(Jennifer and Steven, newlyweds)
- "We keep trying to grow and change together—we're partners in everything."
(Gilberto and Maria, married 10 years)
- "When we have problems, we work them out. Marriage takes *work*!"
(Roy and Linda, married 21 years)
- "We are best friends. We always will be."
(Jim and Tiana, married 46 years)

What do you think about what these couples are saying about marriage?

Then ask yourself: How well do I keep promises?

Sharing Life

Discuss together:

- things that make it difficult for couples to keep their promises
- things couples might do to help them keep their promises

Nuestra Fe Católica

Matrimonio, un sacramento de servicio

Dios, quien nos creó por amor, nos invita a amar. Amar es la vocación de todo ser humano. La Iglesia celebra esta llamada de amor en una forma especial en el sacramento del Matrimonio.

El Matrimonio es uno de los sacramentos de servicio. Las parejas casadas prometen servirse uno a otro con amor y servir a toda la Iglesia. Ellos entran en un convenio de amor para toda la vida. Esa es su vocación.

Ellos sirven a la Iglesia por medio de su amor y participan de la creación de Dios de manera especial cuando tienen hijos. Cada pareja debe estar dispuesta a dar la bienvenida y a criar los hijos que Dios quiere que ellos tengan. En el Matrimonio Dios da al hombre y a la mujer gracias y bendiciones especiales para hacer juntos una familia verdaderamente cristiana.

En el sacramento del Matrimonio la Iglesia lleva el amor y la bendición de Dios a la pareja recién casada. Su amor es un signo del amor infinito y fiel de Dios por nosotros. Jesús mismo es un compañero especial en su relación. El quiere ayudar a toda pareja a vivir su compromiso matrimonial.

El Espíritu Santo da a la pareja la gracia de vivir fielmente este sacramento.

Los católicos celebran el matrimonio como un sacramento. Generalmente se celebra en la parroquia de la novia o del novio. En la celebración católica del matrimonio, la pareja es ministro del sacramento. Después de la Liturgia de la Palabra, la novia y el novio se paran ante el sacerdote o el diácono, quien es testigo de la comunidad de Cristo, la Iglesia, para escuchar las promesas.

Individualmente se prometen uno al otro: "Yo, (N), te recibo a ti, (N) como esposa y prometo serte fiel, en lo favorable y en lo adverso, con salud o enfermedad, y, así, amarte y respetarte todos los días de mi vida". Estos son los votos del matrimonio o promesas.

Jesús viene a unir a la pareja en amor como Cristo ama a su Iglesia. El Espíritu Santo fortalece y bendice su amor.

Matrimony, A Sacrament of Service

God who created us out of love calls us to love. Love is the vocation of every human being. The Church celebrates that call to love in a special way in the sacrament of Matrimony, or marriage.

Matrimony is one of the two sacraments of service. Married couples promise to serve each other with love and to serve the whole Church. They enter into a lifelong covenant of love. This is their vocation.

They serve the Church by their love and share in God's creation in a very special way when they give birth to children. Every married couple must be ready to welcome and raise lovingly the children God wishes them to have. In Matrimony God gives a man and woman the special grace and blessings to build a truly Christian family together.

In the sacrament of marriage, the Church brings God's love and blessing to the newly married couple. Their love is a sign of God's absolute and unfailing love for us. Jesus himself becomes a special partner in their relationship. Jesus wants to help every couple live out their marriage covenant.

The Holy Spirit gives the couple the grace to live this sacrament faithfully and well.

Catholics celebrate marriage as a sacrament. It is usually celebrated in the parish of the bride or groom. In the Catholic celebration of marriage, the couple themselves are the ministers of the sacrament. After the Liturgy of the Word, the bride and groom stand before the priest or deacon, who witnesses the couple's promises for Christ's community, the Church.

Individually they vow to each other, "I, (Name), take you, (Name), to be my wife [or husband]. I promise to be true to you in good times and in bad, in sickness and in health. I will love you and honor you all the days of my life." These are called the marriage vows, or promises.

Jesus comes to the couple and unites them in love as Christ loves his Church. The Holy Spirit strengthens and blesses their love.

El amor en el matrimonio es un signo del amor de Dios en el mundo.

Después del intercambio de votos, los novios se dan los anillos como signo de su nueva unión.

Después del Padre Nuestro, en la misa, el sacerdote o el diácono bendice a la pareja. En esta oración, la Iglesia pide a Dios ayudar a la pareja a amarse como Jesús nos amó, compartir su amor con sus hijos y criarlos como discípulos de Jesús.

Como otro signo de su unión, los novios, si ambos son católicos, reciben la sagrada comunión juntos. Piden a Jesús les ayude a vivir sus promesas de matrimonio con amor toda la vida.

Algunos esposos tienen problemas en su matrimonio. Pero los niños no deben culparse cuando sus padres se separan o divorcian. La separación o el divorcio no significa que las personas son malas. Ese es un tiempo muy difícil para toda la familia. No importa lo que pase, Dios sigue amando a cada persona y siempre ofrece la ayuda necesaria.

Aprendiendo a amar

El matrimonio es un largo camino. Nos podemos preparar ahora para ese sacramento aprendiendo a amar, a respetar y a cuidar de nuestra familia y amigos de la misma forma que Dios siempre nos ama.

Debemos aprender y practicar amor desinteresado. Los padres generalmente ponen las necesidades de sus hijos antes que las de ellos. Podemos practicar ese tipo de amor desinteresado haciendo cosas por nuestros padres, hermanos y amigos.

VOCABULARIO

El sacramento del **Matrimonio** es un signo poderoso y efectivo de la presencia de Cristo que une a un hombre y a una mujer.

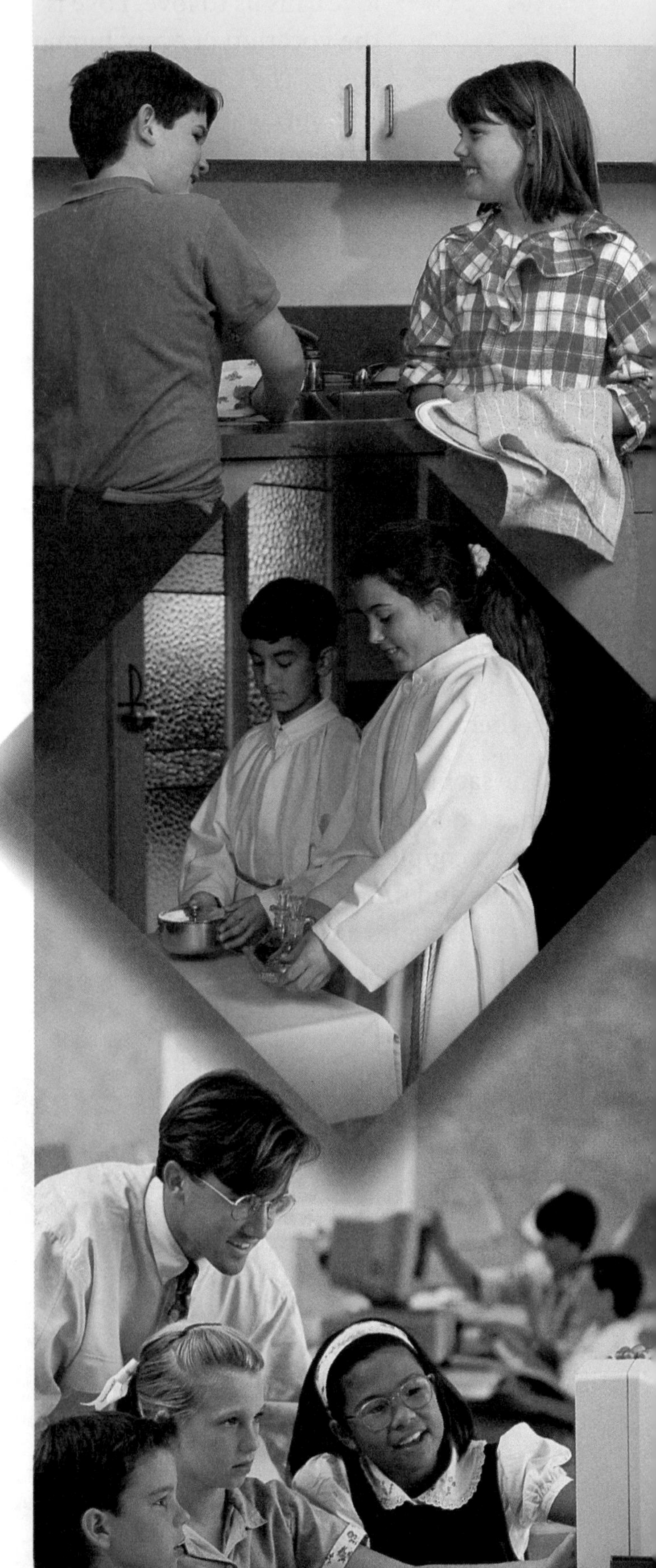

Their married love becomes a sign of God's love for the world.

After they exchange their vows, the bride and groom usually give each other wedding rings as signs of their new union.

After the Our Father of the Mass, the priest or deacon gives the nuptial blessing. In this prayer, the Church asks God to help the couple love each other as Jesus loves us, share their love with their children, and raise them to be Jesus' disciples.

As another sign of their union, the bride and groom, if both are Catholics, may receive Holy Communion together. They ask Jesus to help them live their marriage promises with love all their lives.

FAITH WORD

The sacrament of **Matrimony** is a powerful and effective sign of Christ's presence that joins a man and woman together for life.

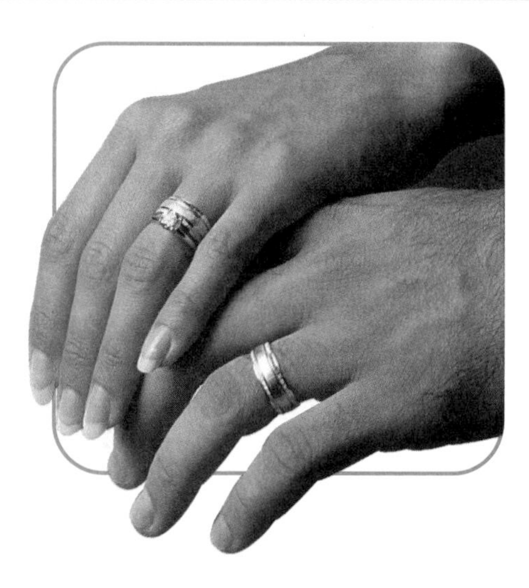

Sometimes husbands and wives struggle in their marriages. But children are not to blame when their parents separate or divorce. Separation or divorce does not mean people are bad. This is a very difficult time for the whole family. No matter what happens, God continues to love each person and always offers the help that is needed.

Learning to Love

Marriage is a long way off for us. We can prepare now for this sacrament by learning to love, respect and care for our family and friends in the same way that God always loves us.

We should learn to practice unselfish love. Parents often place their children's needs before their own. We can practice this kind of unselfish love now by doing things generously for our parents, for our brothers and sisters, and for our friends.

Acercandote a la fe

Lee de nuevo las promesas del matrimonio en la página 168. Estas promesas se las hacen el hombre y la mujer el día de su boda y son para siempre. Describe en tus propias palabras lo que se prometen.

¿Por qué la Iglesia considera el Matrimonio como un sacramento de servicio?

Viviendo la fe

† Oración por los matrimonios
Orar por los matrimonios es uno de los ministerios más importantes que los jóvenes pueden llevar a cabo.

Hagan la siguiente oración

Guía 1: Jesús, comparte el gozo y la risa de las celebraciones matrimoniales.

Todos: Comparte tu gozo con los matrimonios—especialmente los que están cerca de nosotros.

Guía 2: Jesús, tú que trataste igual a la mujer y al hombre.

Todos: Ayuda a los esposos a vivir juntos, con amor, como compañeros y amigos.

Guía 3: Jesús, tú quieres que los matrimonios duren para siempre, como el amor de Dios por nosotros.

Todos: Guía a los matrimonios con problemas. Ayuda a las parejas separadas o divorciadas.

Guía 4: Jesús, ayuda a todos tus discípulos a seguir tu mandamiento de amor y a ser fieles amigos.

Todos: Amén.

Coming to Faith

Reread the marriage vows on page 169. These are the promises the man and woman make to each other on their wedding day and forever. Describe in your own words what they are promising.

Why do you think the Church considers Matrimony a sacrament of service?

Practicing Faith

Praying for Married Couples

Praying for married couples is one of the most important ministries, or services, young people can offer.

Offer the following prayer together.

Leader 1: Jesus, you shared the joy and laughter of wedding celebrations.

All: Share your joy with all married couples—especially those who are closest to us.

Leader 2: Jesus, you treated women and men equally.

All: Help wives and husbands to live together as equal partners and loving friends.

Leader 3: Jesus, you want marriage to last forever, like God's love for us.

All: Guide those whose marriages are in trouble. Help divorced or separated couples.

Leader 4: Jesus, help all your disciples to follow your command to love and to be faithful friends.

All: Amen

REPASO

Completa las siguientes oraciones:

1. El Matrimonio es un sacramento de servicio. El mejor servicio que un cristiano puede dar al mundo es

   ____.

2. En los votos matrimoniales el hombre y la mujer prometen

   ____.

3. Jesucristo une a un hombre y a una mujer en amor como Cristo nos

   ____.

4. El amor en el matrimonio es un signo del

   ____.

5. ¿Cómo te vas a preparar para ser un buen compañero algún día?

   ____

   ____

   ____

   ____

EN EL HOGAR Y EN LA PARROQUIA

Los niños aprendieron sobre el sacramento del Matrimonio esta semana. Invite a su hijo a explicarle lo que significa el sacramento y lo que los niños pueden hacer ahora para aprender a prepararse para el matrimonio.

Lea en la Biblia la historia en Juan 2:1–11 acerca de la Boda de Caná. Hable del amor de Dios por las parejas y las familias. También hable acerca de que Dios no abandona a las familias separadas por muerte o divorcio.

Resumen de la fe

- El sacramento del Matrimonio es un signo poderoso y efectivo de la presencia de Cristo, que une a un hombre y a una mujer para toda la vida.
- La pareja promete servirse uno al otro y a toda la Iglesia. El Matrimonio es un sacramento de servicio.
- Podemos prepararnos ahora para el Matrimonio tratando de amar a otros como Dios nos ama.

REVIEW ▪ TEST

Complete the following statements.

1. Matrimony is a sacrament of service. The best service Christians can give the world is

   ______________________________.

2. In the marriage vows a man and a woman promise to

   ______________________________.

3. Jesus Christ unites a husband and wife in love as Christ loves

   ______________________________.

4. Married love is a sign of ______________________________.

5. How will you prepare now to be a good marriage partner someday?

   ____

   ____

   ____

   ____

FAITH ALIVE AT HOME AND IN THE PARISH

Your fifth grader has learned more about the sacrament of Matrimony. Invite her or him to tell you what the sacrament means and what young people can do now to learn to prepare for marriage.

Read the Bible story in John 2:1–11 about the marriage feast at Cana. Talk about God's love for married couples and families. Also talk about the fact that God does not abandon families separated by death or divorce.

Faith Summary

- The sacrament of Matrimony is a powerful and effective sign of Christ's presence that joins a man and woman together for life.
- Married couples promise to serve each other and the whole Church. Matrimony is a sacrament of service.
- We can prepare now for Matrimony by trying to love others as God loves us.

18 Jesucristo nos llama a servir
(Orden Sacerdotal)

Dios de amor,
llena tu Iglesia
del espíritu
de valor,
amor y
servicio.

Nuestra Vida

En esta foto el sacerdote está ofreciendo un servicio a su parroquia, explica;

- como cada sacerdote está sirviendo.
- que diferencia está haciendo el sacerdote en las vidas de las personas a quien sirve.

Nombra otras formas en las que los sacerdotes pueden servir como ministros de su pueblo.

Compartiendo la Vida

Si fueras un sacerdote ¿qué te gustaría hacer por aquellos a quienes sirves? Encierra en un círculo uno de los servicios del sacerdote en la siguiente lista:

bautizar	confesar	enseñar
predicar	amistad	dirigir
celebrar misa	guía espiritual	

Piensa en un sacerdote que está sirviendo a tu familia con su ministerio. ¿Cómo él ayuda?

Discute con el grupo las cualidades necesarias para ser un buen sacerdote. ¿Por qué?

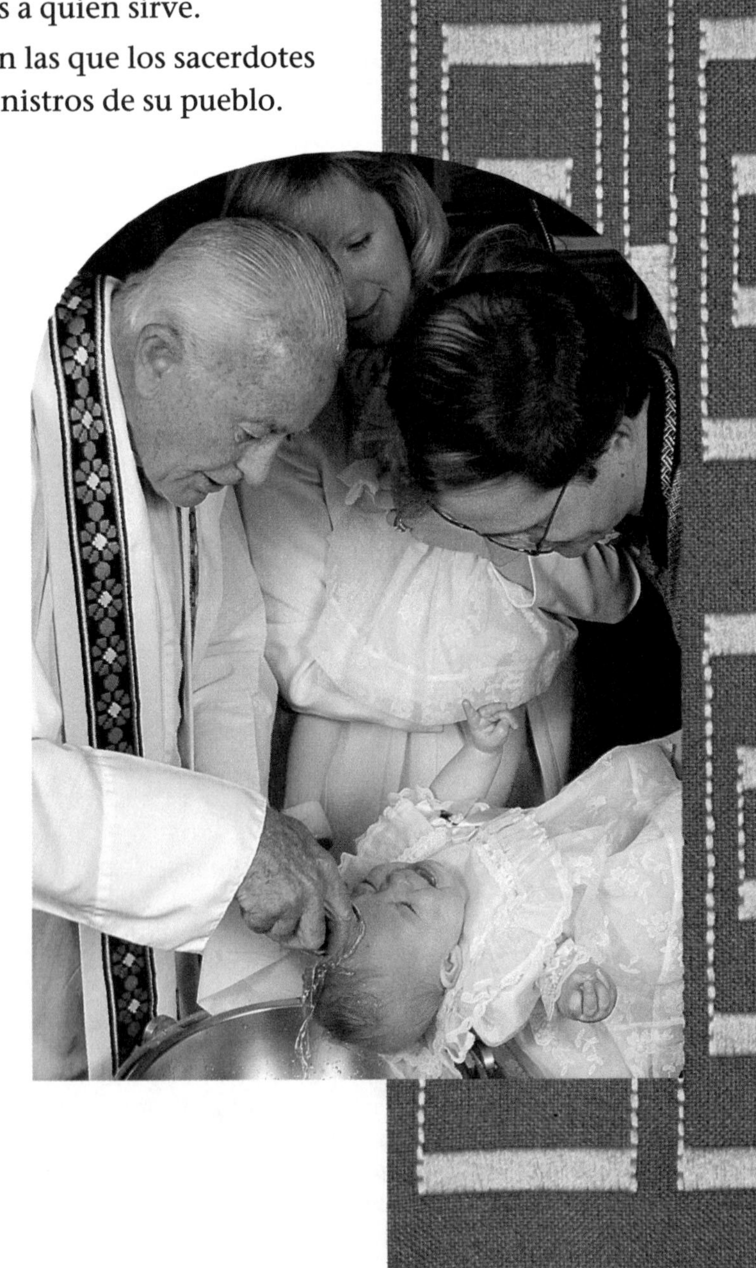

18 Jesus Christ Calls Us to Serve

(Holy Orders)

Loving God, fill your Church with the spirit of courage, love, and service.

Our Life

In this picture a priest is ministering, or offering some service, to his parish. Tell:

- how each priest is serving.
- what difference the priest may be making in the lives of the people served.

Name other ways by which priests minister to, or serve, their people.

Sharing Life

If you were a priest, what would you want to do for those you serve? Circle one of the priestly ministries listed below.

baptizer	confessor	teacher
preacher	leader	friend
Mass celebrant and presider		spiritual guide

Think of a priest who has served you or your family in this ministry. How did he help?

Discuss as a group what qualities are needed to be a good priest. Why?

NUESTRA FE CATOLICA

Jesucristo nos dio dirigentes

Entre los discípulos Jesús escogió doce, llamados apóstoles, para ser los primeros líderes de su Iglesia. El les mostró que ser líder es servir, no ser servido.

Jesús les dijo: "El que quiera ser el primero, que se haga siervo de todos. . . El Hijo del Hombre no vino para que lo sirvieran sino para servir".
Marcos 10:43–45

La Iglesia creció tan rápido que necesitó muchos servidores. Los apóstoles, con la ayuda de la comunidad cristiana, escogieron a otros para continuar su trabajo de enseñar y dirigir a la Iglesia en alabanza y servicio. Los apóstoles imponían sus manos sobre ellos y rezaban para que fueran fortalecidos por el Espíritu Santo.

Con el tiempo estos sucesores de los apóstoles fueron llamados obispos. Los obispos ordenaron a otros como sacerdotes para que les ayudaran. Los diáconos también fueron escogidos para asegurar que las necesidades de los pobres, las viudas, los abandonados y los huérfanos fueran satisfechas. La cabeza de los apóstoles fue San Pedro. Como obispo de Roma, el papa continúa el ministerio de San Pedro. El es el Vicario, o representante de Cristo en la tierra.

Hoy nuestros obispos, sacerdotes y diáconos continúan la misión de los apóstoles. Nuestro papa, junto con los obispos, dirige a toda la Iglesia Católica. Los obispos dirigen y sirven en nuestras diócesis.

En nuestra parroquia, los sacerdotes nos ayudan para ser una comunidad cristiana que se preocupe por los demás. Ellos nos dirigen en la celebración de los sacramentos y nos enseñan cómo vivir la buena nueva de Jesús. Ellos sirven a toda la comunidad y nos animan a usar nuestros dones para servir. Los diáconos tienen especial interés en servir a los pobres y a los necesitados.

Orden Sacerdotal, un sacramento de servicio

El Orden Sacerdotal es el sacramento por medio del cual, la ordenación ministerial de obispos, sacerdotes y diáconos, es conferida por medio de la imposición de las manos, seguida de la oración de consagración.

Nuestros ministros sirven a la comunidad católica de cuatro formas:

- Predican y enseñan la buena nueva de Jesucristo.
- Nos dirigen en la celebración de los sacramentos.
- Nos dirigen para trabajar juntos en la construcción de la comunidad cristiana.
- Nos ayudan a servir a los pobres y a los necesitados.

Jesus Christ Gives us Leaders

From among the disciples, Jesus chose twelve special helpers, called apostles, to be the first leaders of his Church. He showed them that being a leader means being a servant, not one who is served.

Jesus told them, "Whoever wishes to be great among you will be your servant. . . . For the Son of Man did not come to be served but to serve and to give his life as a ransom for many."
Mark 10:43–45

The Church grew so rapidly that soon more helpers were needed. The apostles, with the help of the Christian community, chose others to continue their work of teaching and leading the Church in worship and service. The apostles laid their hands on them and prayed that they would be strengthened by the Holy Spirit.

In time these successors of the apostles were called bishops. The bishops ordained still others as priests to help them. Deacons also were chosen to make sure that the needs of the poor, the lonely, the widowed, and the orphaned were met. The leader of the apostles was Saint Peter. As bishop of Rome, the pope carries on the ministry of Saint Peter. He is the Vicar, or representative, of Christ on earth.

Today our bishops, priests, and deacons continue the mission of the apostles. Our pope together with the bishops, leads the whole Catholic Church. Bishops lead and serve our dioceses.

In our parish, priests help us to be a Christian community caring for one another. They lead us in celebrating the sacraments and teach us how to live Jesus' good news. They serve the whole community and encourage us to use our gifts in service, too. Deacons have a special concern and ministry for the poor and those in need.

Holy Orders, A Sacrament of Service

Holy Orders is the sacrament through which the ordained ministry of bishops, priests, and deacons is conferred by the laying on of hands followed by the prayer of consecration.

Our ordained ministers serve the Catholic community in four ways:

- They preach and teach the good news of Jesus Christ.
- They lead us in celebrating the sacraments.
- They lead us in working together to build up the Christian community.
- They help us to serve the poor and all those in need.

Los obispos, sacerdotes y diáconos son ordenados en el sacramento del Orden Sagrado. Este sacramento se celebra durante una misa. Sólo un obispo puede ordenar a otro obispo, a un sacerdote o a un diácono.

Al ordenar a los sacerdotes, el obispo impone sus manos en la cabeza de cada candidato y reza en silencio. Este es el signo más importante del sacramento de las Ordenes Sagradas. Luego el obispo reza una oración de consagración, o una oración que "santifica".

Cada candidato al sacerdocio es también ungido con aceite. Este es un signo de que comparte de manera especial el propio sacerdocio de Cristo, por medio de esta ordenación ministerial.

Cada uno recibe una patena y un cáliz. Con ellos el sacerdote dirige la comunidad en la celebración de la Eucaristía.

Por medio del sacramento *del Orden Sagrado* los sacerdotes reciben la gracia de compartir, en forma total, en el trabajo de salvación de Cristo. Ellos representan a Cristo en la tierra.

Al igual que el Bautismo y la Confirmación confiere un carácter indeleble y no se puede repetir. Necesitamos pedir al Espíritu Santo que dé la fortaleza de aceptar y vivir su vocación a aquellos que son llamados al sacerdocio.

Por el Bautismo cada uno de nosotros ha sido llamado a compartir el sacerdocio de Jesucristo. No somos ministros ordenados. Pero nosotros también somos llamados a compartir la buena nueva de Jesucristo y continuar su misión.

VOCABULARIO

Orden Sagrado es el sacramento que confiere la ordenación como ministros a obispos, sacerdotes y diáconos.

Bishops, priests, and deacons are ordained in the sacrament of Holy Orders. The sacrament of Holy Orders is celebrated during Mass. Only a bishop can ordain another bishop, priest, or deacon.

In ordaining priests, the bishop lays his hands on the head of each candidate and prays silently. This is the most important sign of the sacrament of Holy Orders. Then the bishop prays a prayer of consecration, or the prayer that "makes holy."

Each candidate for the priesthood is also anointed with holy oil. This is a sign of his special sharing in Christ's own priesthood through the ordained ministry.

Each receives a paten and chalice. With these the priest leads the community in celebrating the Eucharist.

Through the sacrament of Holy Orders, priests receive the grace to share, in the fullest way, in Christ's work of salvation. They are Christ's representatives on earth.

FAITH WORD

Holy Orders is the sacrament that confers the ordained ministry of bishops, priests, and deacons.

Like Baptism and Confirmation, Holy Orders cofers an indelible character and cannot be repeated. We need to ask the Holy Spirit to give those called to the ordained priesthood the strength to accept and live this vocation.

By Baptism each of us is given a share in the priesthood of Jesus Christ. We are not ordained ministers. But we, too, are called to share the good news of Jesus Christ and carry on his mission.

Acercándote a la fe

Juntos imaginen un día en la vida de un sacerdote. Hagan una lista de todas las formas en que sirve a la comunidad.

____

____

____

Viviendo la fe

Piensa en una persona de tu parroquia que no ha sido tocada por el ministerio del sacerdocio. ¿Le dirás a tu sacerdote acerca de esta persona?

Nombra una forma en que puedes ayudar al sacerdote de tu parroquia a servir a las personas que:

No tienen comida ______________________________

____

Son ancianos ______________________________

____

No conocen a Cristo ______________________________

____

Encierra en un círculo la que harás esta semana.

† Reunidos, cada uno extiende sus manos en oración diciendo: "Señor Jesús, nos has pedido servir, no ser servidos. Te pedimos por nuestros ministros ordenados. Que los que son llamados al sacerdocio respondan con corazón generoso. Amén".

Coming To Faith 12

Work together and imagine a day in the life of a priest. Make a list of all the ways he serves the community.

____

____

____

____

Practicing Faith

Think about some people in your parish who may not have been touched by the ministry of a priest. Will you tell your priest about these people?

Name one way you will help the priest in your parish serve the people who are:

hungry ______________________________

____

elderly ______________________________

____

ignorant of their faith ______________________________

____

Circle the one you will do this week.

† Now gather together. Each one extend hands in prayer and say: "Lord Jesus, you ask us to serve and not be served. We pray for our ordained ministers. May those called to the priesthood respond with generous hearts. Amen."

REPASO

Completa las siguientes oraciones.

1. Jesús escogió doce ______________ para ser los primeros líderes de la Iglesia.

2. Los ____________________ son sucesores de los apóstoles.

3. Los ministros ordenados que tienen interés particular en los pobres son llamados ______________________________.

4. El sacramento del Orden Sagrado es conferido por medio de la ______________________________ y la oración de la consagración.

5. Explica algunas formas en que ayudarás a un sacerdote que sirve en tu parroquia.

____

____

FE VIVA

EN EL HOGAR Y EN LA PARROQUIA

Los padres tienen una gran responsabilidad de ayudar a los niños a crecer en la fe. Es algo que hacen toda la vida. También son responsables de ayudar a los niños a elegir su vocación en la vida.

La Iglesia nos recuerda que las vocaciones sacerdotales y religiosas son dones de Dios que necesitan ser apoyados por los padres. Los padres deben animar a sus niños a considerar que Dios puede estar llamándoles para el sacerdocio o para la vida religiosa.

Tome un momento para conocer más de cerca las diferentes vocaciones en la Iglesia y la mejor forma de prepararse para la vocación. En familia discutan ideas y la necesidad de vocaciones para ministros ordenados en la Iglesia.

Resumen de la fe

- Jesús escogió a los doce apóstoles para dirigir nuestra Iglesia a enseñar y a alabar.
- Los obispos, los sacerdotes y los diáconos son ordenados en el sacramento del Orden Sagrado.
- Nuestros ministros ordenados nos dirigen en la construcción de la comunidad cristiana.

REVIEW ▪ TEST

Complete the following sentences.

1. Jesus chose the twelve ________________________ to be the first leaders of our Church.

2. ________________________ are the successors of the apostles.

3. Those ordained ministers who have a special concern and ministry for the poor are called

________________________.

4. The sacrament of Holy Orders is conferred through the ________________________ and the prayer of consecration.

5. Tell some ways you will support a priest who serves the people in your parish.

____

____

____

____

FAITH ALIVE AT HOME AND IN THE PARISH

What a great responsibility parents have in helping their children grow in faith. It is something that they do all their lives. The same is true in helping children to make their vocational choice in life.

The Church reminds us that vocations to the priesthood and to the religious life are gifts from God that first need to be supported and cared for by parents. Parents must encourage their children to consider that God may be calling them to the priesthood or to the religious life.

Take time to find out more about the different vocations in the Church and the best way to prepare for a vocation. Discuss ideas as a family and the need for vocations to the ordained ministry in the Church today.

Faith Summary

- Jesus chose the twelve apostles to lead our Church in teaching and worship.
- Bishops, priests, and deacons are ordained in the sacrament of Holy Orders.
- Our ordained ministers lead us in building up the Christian community.

19 Compartimos el sacerdocio de Jesucristo
(Ministerio)

Espíritu Santo, ayúdanos a continuar la misión y el ministerio de Jesús.

Nuestra vida

El consejo parroquial de la Iglesia Santa Rosa estaba preocupado cuando se enteró de que muchos jóvenes entre 18 y 30 años y adultos entre 30 y 45 no eran miembros activos de la Iglesia.

El consejo decidió invitarlos a regresar a la Iglesia y preparó una celebración especial "Regresa a casa en Pascua". Escogieron a los responsables de la organización.

Diferentes miembros del consejo opinaron:

1. "El padre Tomás es el párroco. Es el único que puede atraer a los católicos a la Iglesia. Por supuesto que, sor Teresa y la Sra. López, ministros pastorales, pueden ayudarle".

2. "Somos la parroquia, vamos a trabajar juntos con nuestros ministros para construirla".

¿Qué respuestas crees que dará cada uno de los siguientes y por qué?

Consejo parroquial	tú
tus padres	Jesús

Compartiendo la vida

¿Por qué crees que la Iglesia necesita sacerdotes, religiosas, religiosos y ministros pastorales laicos?

Hablen de cómo el Bautismo llama a todo cristiano a compartir el ministerio de Jesús.

¿Cuáles son algunos de los dones que puedes compartir con tu comunidad parroquial?

19 We Share Jesus Christ's Priesthood

(Ministry)

Holy Spirit, help us to carry on the mission and ministry of Jesus.

Our Life

The parish council of St. Rose's Parish was upset to learn that so many young people between the ages of 18 and 30 and adults ages 30 to 45 seemed not to be active in the Church.

The council decided to invite these people back to the Church with a very special "Come Home for Easter!" celebration. Then they began to talk about who had the responsibility to organize the drive. This is what different members of the parish council said:

1. "Father Thomas is the priest and pastor. So he's the only one who can bring Catholics back to the Church. Of course, Sister Teresa and Mrs. Brown, the pastoral ministers, could help him."

2. "We're the people of the parish. Let's all work together with our ministers to build up our parish."

What answers do you think each of the following would give and why?

Your parish council	You
Your parents	Jesus

Sharing Life

Why do you think the Church needs priests, religious brothers and sisters, and lay pastoral ministers?

Discuss how Baptism calls all Christians to share in the ministry of Jesus.

What are some of the gifts that you can share with your parish community?

NUESTRA FE CATOLICA

Compartiendo la misión sacerdotal de Jesús

Antes de ascender a los cielos Jesús dijo a sus discípulos: "Vayan y hagan que todos los pueblos sean mis discípulos: bautícenlos en el nombre del Padre y del Hijo y del Espíritu Santo y enséñenles a cumplir todo lo que yo les he encomendado. Yo estoy con ustedes todos los días hasta que termine el mundo".

Mateo 28:19–20

Jesús quiere que su obra sea continuada por todo bautizado. Por el Bautismo todos compartimos la gran misión de Jesús de llevar el reino de Dios a otros. Esto quiere decir que cada uno de nosotros ha sido llamado a vivir una vida santa al servicio de nuestra Iglesia y el mundo.

Esta llamada es nuestra *vocación cristiana.* Nuestra vocación cristiana empieza con el Bautismo, el primer sacramento de iniciación. Con el Bautismo recibimos la vida y la gracia de Dios y somos llamados a llevar esta vida a otros.

En la Confirmación somos sellados con el Don del Espíritu Santo y fortalecidos para vivir nuestra fe cristiana con valor.

En la Eucaristía se nos da la ayuda diaria que necesitamos para cumplir nuestra vocación cristiana.

Por medio del Bautismo todo cristiano comparte la misión sacerdotal de Jesús. Esto es llamado el *sacerdocio de los fieles*. Esto significa que todo bautizado tiene una vocación de vivir como Jesús vivió. Como discípulos compartimos en el sacerdocio de Jesucristo.

El sacerdocio de los fieles no es lo mismo que ministro ordenado. Por medio del sacerdocio de los fieles, cada uno de nosotros ayuda a continuar la misión de Jesús en el mundo. Nuestro papa y obispos han escrito cartas especiales a todos los católicos, recordándonos nuestras responsabilidades de compartir la buena nueva de Jesús. Esta responsabilidad es llamada evangelización. Todo cristiano tiene muchas oportunidades de compartir su fe con otros.

Sharing Christ's Priestly Mission

Before Jesus ascended into heaven, he said to his disciples, "Go, therefore, and make disciples of all nations, baptizing them in the name of the Father, and of the Son, and of the holy Spirit, teaching them to observe all that I have commanded you. And behold, I am with you always, until the end of the age."
Matthew 28:19–20

Jesus wants his work to be carried on by all who are baptized. By Baptism all of us share in the great mission of Jesus to bring about the reign of God. This means that each of us has been called to live a holy life of service in our Church and our world.

This call is named our *Christian vocation*. Our Christian vocation begins at Baptism, the first sacrament of initiation. At Baptism we receive God's life of grace and are called to bring this life to others.

In Confirmation we are sealed with the Gift of the Holy Spirit and strengthened to live our Christian faith with courage.

In the Eucharist we are given the daily help we need to carry out our vocation as Christians.

Through Baptism every Christian shares in Jesus' priestly mission. We call this the *priesthood of the faithful*. This means that every baptized person has a vocation to live as Jesus lived. As disciples, we share in the priesthood of Jesus Christ.

The priesthood of the faithful is not the same as the ordained priesthood. Through the priesthood of the faithful, each one of us helps to carry on Jesus' mission in the world. Our pope and bishops have written special letters to all Catholics, reminding us of our responsibility to share the good news of Jesus. This responsibility is called evangelization. Every Christian has many opportunities to share his or her faith with others.

VOCABULARIO

Evangelización significa predicar la buena nueva de Cristo y compartir nuestra fe por medio de nuestras palabras y acciones.

Continuando la misión de Jesús

Estas son algunas de las vocaciones a las que Jesús llama a su pueblo.

Matrimonio: Jesús llama a muchos hombres y mujeres a la vocación del matrimonio para ser padres.

Solteros: Algunas personas tienen una vocación de servir a la Iglesia como solteros. Por medio de su trabajo y acciones diarias, los solteros pueden mostrar al mundo lo que significa seguir a Jesús.

Ministros ordenados: Los que reciben el sacramento de las Ordenes Sagradas son llamados por Jesús para servir a su Iglesia como obispos, sacerdotes y diáconos. Ellos comparten el sacerdocio de Cristo de manera especial.

Religiosos: Por muchos años, hombres y mujeres se han unido en comunidades religiosas como hermanos, hermanas o sacerdotes. Los religiosos sirven a nuestra Iglesia en parroquias, hospitales, escuelas y dondequiera que haya necesidad de predicar. Ellos hacen votos de pobreza, castidad y obediencia.

Laicos: Estos son fieles, solteros o casados, que sirven a nuestra Iglesia de muchas formas. Algunos sirven como misioneros laicos o como voluntarios en comunidades religiosas en nuestro país y en todo el mundo.

Ministros pastorales: Ministros pastorales son religiosos y laicos que han recibido una preparación especial para servir las necesidades de la Iglesia. Algunos han dedicado su vida entera a dirigir y a educar. Otros han trabajado por los pobres, los desamparados y por la justicia y la paz.

Cada uno de nosotros ha sido llamado por Jesús para continuar la misión de construir el reino de Dios en la tierra. Todos nosotros tenemos una vocación de hacer algo que sólo nosotros podemos hacer.

FAITH WORD

Evangelization means spreading the good news of Jesus Christ and sharing our faith by our words and actions.

Carrying on Jesus' Mission

These are some of the vocations to which Jesus calls his people.

Married People: Jesus calls many women and men to the vocation of marriage and being parents.

Single People: Some people have a vocation to serve the Church as single, or non-married, men and women. By their daily words and actions, single people can show the world what it means to follow Jesus.

Ordained Ministers: Men who receive the sacrament of Holy Orders are called by Jesus to serve his Church as bishops, priests, and deacons. They share in Christ's priesthood in a special way.

Religious: For many hundreds of years, men and women have joined religious communities as religious sisters, brothers, or priests. Religious serve our Church in parishes, hospitals, schools, and anywhere the good news needs to be preached. They make promises, or vows, of poverty, chastity, and obedience.

Laity: These are the single or married people in our Church. They serve our Church in many ways. Some dedicate years in serving as lay missionaries or as volunteers with religious communities in our country and around the world.

Pastoral Ministers: Pastoral ministers are religious brothers or sisters and lay people who have received special training to serve the needs of our Church. Some dedicate their entire lives to the tasks of parish leadership and education. Others serve by working with the poor and the homeless and for justice and peace.

Each of us has been called by Jesus to continue his mission of building up the reign of God on earth. All of us have a vocation to do something that only we can do.

Acercándote a la fe

Explica lo que es una vocación.

¿Cuál es la vocación cristiana de un bautizado?

Haz una lista de los talentos y habilidades que Dios te ha dado. ¿Cómo usarlos para ayudar a otros?

____

____

____

____

Viviendo la fe

Juntos trabajen en grupo y elijan una de las siguientes formas en que servirán a otros esta semana.

- Ofrecerse a visitar a un enfermo con un ministro eucarístico.
- Ofrecerse a ayudar a un catequista.
- Ofrecerse de voluntario para trabajar en un proyecto comunitario por los pobres o los desamparados.
- Ofrecerse como voluntario para ser tutor de un niño con impedimentos físicos.
- Otras ______________________________

Escriban el plan para el proyecto.
¿Qué van a hacer?
¿Cuándo y cómo el grupo lo hará?
¿Quién dirigirá el proyecto?

† Dios de amor, ayúdanos a vivir nuestra vocación cristiana al seguir a Jesús.

Coming to Faith

Tell what a vocation is.

What is the Christian vocation of a baptized person?

List the talents and abilities God has given you. How can you use them to help others?

____

____

____

____

Practicing Faith

Work together in your group to choose one of the following ways you will serve others this week.

- Offer to visit the sick with a eucharistic minister.
- Offer to help your catechist.
- Volunteer to work in a community project for the poor or the homeless.
- Volunteer as a tutor for younger or handicapped children.
- Other: ______________________

Write the plan for your project.
What will you do?
How and when will your group do it?
Who will lead the project?

† Loving God, help us to live our Christian vocation in following Jesus.

REPASO

Define.

1. Evangelización: ______________________________

____

2. Vocación: ______________________________

____

3. Laico: ______________________________

____

4. Ministro pastoral: ______________________________

____

5. ¿Cómo puedes prepararte para tu futura vocación? ¿Cuál crees es tu vocación?

____

____

____

____

EN EL HOGAR Y EN LA PARROQUIA

En esta lección los niños aumentaron su comprensión de que cada uno de nosotros tiene una vocación especial para construir el reino de Dios en la tierra. Pida a su niño que le explique las diferentes vocaciones presentadas en esta lección. Para un niño de quinto curso es difícil considerar cual puede ser su vocación. Anime a su hijo a rezar y leer sobre su vocación y conversar con alguien que la ha seguido. Luego discutan como se va a preparar para la vida cristiana de servir a otros. Los padres harían muy bien en informar a los niños acerca de la belleza de las vocaciones religiosas y la gran tradición de la Iglesia a este respecto.

Resumen de la fe

- Jesús llama a cada uno de nosotros a una vocación especial para continuar su misión sacerdotal.
- Evangelización significa predicar la buena nueva de Jesucristo y compartir nuestra fe por medio de palabras y obras.
- Hay muchas vocaciones—matrimonio, sacerdocio, vida religiosa y vida de soltero. Todos somos llamados a continuar la misión de Jesús.

REVIEW ▪ TEST

Define.

1. Evangelization: ______________________________

____

2. Vocation: ______________________________

____

3. Laity: ______________________________

____

4. Pastoral minister: ______________________________

____

5. How can you prepare now for your future vocation? What do you think that vocation might be?

____

____

____

____

FAITH ALIVE AT HOME AND IN THE PARISH

In this lesson your fifth grader has deepened his or her understanding that each of us has a particular vocation to build up the reign of God on earth. Ask your fifth grader to describe the different vocations presented in the lesson. It is not too early for fifth graders to consider what their special vocation might be. Encourage your fifth grader to pray and read about this vocation and to talk to those who follow it. Then discuss how she or he can prepare now for a life of Christian service to others. Parents would do well to be informed of the beauty of religious vocations and the Church's great tradition in this regard.

Faith Summary

- Jesus calls each of us to a specific vocation to carry on his priestly mission.
- Evangelization means spreading the good news of Jesus Christ and sharing our faith by our words and deeds.
- There are many vocations—married, ordained, religious, and single life. We are all called to carry on Jesus' mission.

20 Celebrando la Cuaresma

Jesús, ayúdanos a seguirte en esta Cuaresma para vivir el gozo de la Pascua.

NUESTRA VIDA

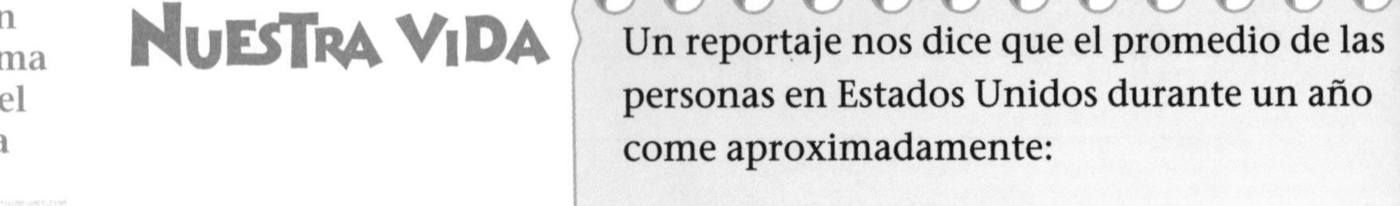

Un reportaje nos dice que el promedio de las personas en Estados Unidos durante un año come aproximadamente:

- 144 libras de carne
- 81 libras de vegetales
- 63 libras de azúcar
- 22 libras de queso
- 18 libras de helado

También reporta que durante un año la gente gasta un promedio de:

- 26 billones de dólares en productos de televisión
- 8.6 trillones de dólares en ropa
- 20 billones de monedas en juegos de videos

¿Qué piensas de este informe?

¿Cuál de tus pertenencias sería la última que botarías? ¿Por qué?

COMPARTIENDO LA VIDA

Hablen en grupos acerca de lugares donde hay personas que:

- no tienen suficiente comida y pertenencias.
- tienen lo justo para comer y vivir.
- tienen más comida y pertenencias de las necesarias.

¿Por qué las cosas son como son y qué podemos hacer?

¿Crees que Jesús quiere que compartamos con otros, especialmente los más pobres? ¿Por qué o por qué no?

20 Celebrating Lent

Jesus, help us to follow you this Lent so that we may live in Easter joy.

Our Life

A report tells us that during one year the average person in the United States eats about:

- 144 pounds of meat
- 81 pounds of vegetables
- 63 pounds of sugar
- 22 pounds of cheese
- 18 pounds of ice cream

It is also reported that during an average year people spend about:

- 26 billion dollars on television products
- 8.6 trillion dollars on clothes
- 20 billion quarters on video games

What do you think about this report?

Which of your possessions is the last you would give away? Why?

Sharing Life

Discuss with your group whether there are people who have:

- not enough food and things?
- just enough food and things?
- more than enough food and things?

Why are things the way they are, and what can be done about them?

Do you believe that Jesus wants us to share with others, especially the poor? Why or why not?

Jesús en el desierto

Antes de empezar a predicar la buena nueva del amor de Dios a la gente, Jesús se fue al desierto a prepararse. Después de muchos días sintió hambre y el diablo lo tentó diciendo: "Si eres el Hijo de Dios, convierte estas piedras en pan".

Jesús debió haber mirado las rocas a su alrededor. Algunas quizás parecían hogazas de pan. Para el sería fácil tomar las piedras en sus manos y convertirlas en un oloroso pan caliente.

Pero Jesús contestó: "No sólo de pan vive el hombre sino también de la palabra de Dios".

Luego el diablo lo llevó a Jerusalén. Lo colocó en el punto más alto del templo y le dijo: "Si eres el Hijo de Dios tírate de aquí. Dios enviará a sus ángeles para que te salven y ni siquiera tus pies tocarán el suelo".

Jesús le contestó: "Dice también la Escritura, no tentarás al Señor tu Dios".

Finalmente el diablo llevó a Jesús a una alta montaña y le mostró todos los reinos del mundo y le dijo: "Todo esto será tuyo si me adoras".

Jesús le contestó: "Aléjate de mí, Satanás, dice la Escritura: adorarás al Señor tu Dios y a él sólo servirás".

Entonces el diablo se fue.

Basado en Mateo 4:1–11

Tiempo de preparación

Durante el tiempo de Cuaresma nos preparamos para la Pascua. La Cuaresma nos ayuda a entender el significado de la muerte y resurrección de Jesús. Recordamos que en nuestro Bautismo dimos muerte al pecado y resucitamos a una nueva vida en Jesús. Durante la Cuaresma tratamos de prepararnos para vivir mejor la nueva vida que recibimos en el Bautismo. También rezamos por los que se van a bautizar.

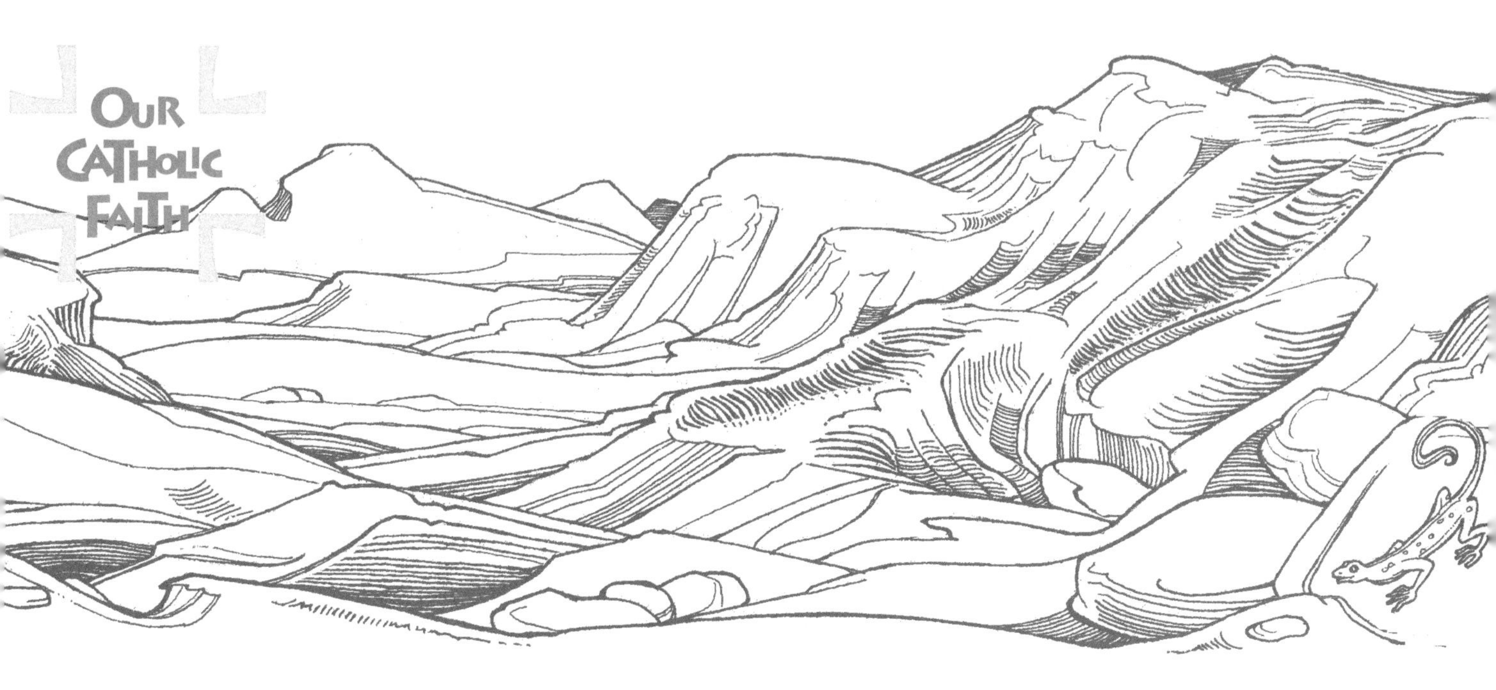

Jesus in the Desert

Before Jesus began to preach the good news of God's love to the people, he went into the desert to prepare himself. After many days Jesus was very hungry, and the devil tempted him by saying, that if he was God's son, he should turn the stones into bread.

Jesus must have looked at the rocks around him. Some of them may even have been shaped like loaves of bread. How easy it would have been to hold a rock in his hands and turn it into a hot, good-smelling loaf of bread.

But Jesus told the devil that a person does not live only on bread, but needs every word that God speaks.

The devil next took Jesus to Jerusalem. Setting him on the highest point of the Temple, the devil told Jesus to throw himself down, and if he was God's Son, God would send angels to hold him up so that even his feet would not be hurt.

Jesus told the devil that the scripture says, "You shall not put the Lord, your God, to the test."

The devil finally took Jesus to a very high mountain, and showing him all the kingdoms of the world, said he would give Jesus all this if Jesus would kneel down and worship him.

Jesus told satan to go away! The scripture says that no one but God should be worshipped.

Then the devil left Jesus.

Based on Matthew 4:1–11

After this, Jesus went out and began to preach the good news to all the people.

What do you learn from this story of Jesus being tempted?

A Time for Preparing

During the season of Lent we prepare for Easter. Lent helps us to understand the meaning of the death and resurrection of Jesus. We remember that in our Baptism we die to sin and rise to new life in Jesus. During Lent we try to prepare ourselves to live better the new life we received in Baptism. We also pray for those who are about to be baptized.

Algunas veces pasamos el tiempo comiendo, comprando y jugando. Estamos tan ocupados con nuestras posesiones que podemos olvidarnos de Dios y de los demás.

Durante la Cuaresma muchos católicos dejan de comer golosinas y comen menos. Ayudamos a los pobres y a los que no tienen que comer. Pasamos más tiempo con Dios rezando y leyendo la Biblia. Estas prácticas de cuaresma nos ayudan a poner a Dios y a los demás antes que nuestras posesiones. Durante la Cuaresma tratamos de amar más a Dios y a los demás, como nos enseñó Jesús, sin esperar nada a cambio.

Debemos prepararnos para continuar la misión de Jesús. Tratamos de hacerlo durante la Cuaresma.

Acercandote a la Fe

He aquí algunas cosas que podemos hacer durante la Cuaresma. Selecciona lo que harás para participar en la misión de Jesús.

_____ Leer más la Biblia
_____ Regalar algunos de mis juguetes
_____ Participar en la misa con más frecuencia
______Perdonar a alguien que me ofendió
______Ser amable con alguien que es ignorado
_____ Dejar de comer uno de mis platos favoritos
_____ Rezar el vía crucis
_____ Visitar a alguien que no tiene familia
_____ Rezar por los líderes de la Iglesia
_____ Confesarme
_____ Rezar por mis amigos y familiares
_____ Preocuparme por el medio ambiente
_____ Rezar por los que se están preparando para el Bautismo
_____ Llevar comida a la parroquia para las familias necesitadas
_____ Trabajar junto con personas que están fomentando la paz
_____ Buscar a alguien que ha sido tratado injustamente

Otras cosas que puedes hacer:

_______________________________________ _______________________________________

Sometimes we spend too much time eating, shopping, and playing games. We become so busy with our possessions that we can forget about God and others.

During Lent many Catholics give up snacks or eat less at meals. We help poor and hungry people. We spend more time with God by praying and reading from the Bible.

These Lenten practices help us put God and people before our possessions.

During Lent we try more than ever to love God and others, as Jesus showed us, without expecting something in return.

We must prepare ourselves to carry on the mission of Jesus. We try to do this during Lent.

Coming To Faith

Here are some things we can do during the season of Lent. Check off the thing that you will do to share in Jesus' mission.

_____ Spend more time reading the Bible
_____ Give away some toys or games
_____ Take part in Mass more often
_____ Forgive someone who has hurt me
_____ Be kind to someone who is ignored by others
_____ Give up one of my favorite foods
_____ Pray the stations of the cross
_____ Visit someone who is lonely
_____ Pray for the leaders of our Church
_____ Celebrate Reconciliation
_____ Pray with my family or friends
_____ Care for the environment
_____ Pray for those preparing for Baptism
_____ Bring food to the parish to give to a hungry family
_____ Work with people who are trying to make peace
_____ Reach out to someone who is being treated unfairly

Other things I can do:

_________________________________ _________________________________

VIVIENDO LA FE

†Servicio de oración para la Cuaresma

Reúnanse en un círculo

Canción de apertura

Amémonos de corazón,
no de labios solamente. (Bis)

Para cuando Cristo venga,
para cuando Cristo venga
nos encuentre bien unidos. (Bis)

Oración

Guía: Jesús, nos reunimos para iniciar nuestra preparación para la Pascua. Durante este tiempo de Cuaresma, queremos renovar nuestro deseo de vivir en la forma en que tú nos enseñaste.

Evangelio

Lector: Lectura del evangelio según Marcos
(Leer Marcos 1:12–15)

Tiempo para reflexión

Piensa acerca del evangelio que se acaba de leer. Lee la lista de las prácticas de cuaresma que seleccionaste en la página 200. Ahora discutan en grupo lo que pueden hacer para unirse a la misión de Jesús esta cuaresma.

Luego hagan la siguiente oración:

Jesús, durante estos cuarenta días de cuaresma ayúdanos a seguirte. Ayúdanos a vivir con más plenitud la vida que recibimos con el Bautismo. Como tus discípulos, hemos decidido hacer lo siguiente:

Rezaremos más ______________________
____
____

Fomentaremos la paz ________________
____
____

Serviremos a los pobres y a los que no tienen comida
____
____

Canción final

¿Cómo puedes tú orar
enojado con tu hermano? (Bis)
Dios no escucha la oración,
no escucha la oración
si no estás reconciliado.
Amémonos de corazón,
no de labios solamente. (Bis)

PRACTICING FAITH

† A Prayer Service for Lent

Gather in a circle.

Opening Hymn

"Come Back to Me" (Hosea)
or "Earthen Vessels"

Prayer

Leader: Jesus, we come together to begin our preparation for Easter. During the season of Lent, we want to renew our desire to live the way you taught us.

Gospel

Leader: A reading from the holy gospel according to Mark.

(Read Mark 1:12–15)

Time for Reflection

Think about the Gospel reading. Read over the list of Lenten practices you checked on page 201. Now discuss together quietly what your group might do together to join in Jesus' mission this Lent.

Then pray the following prayer together.

Jesus, during these forty days of Lent, help us to follow you. Help us to live more fully the new life we received in Baptism. As your disciples, we have decided to do the following acts:

We will pray more by ____________________

____

____

We will act as peacemakers by __________

____

____

We will serve the poor and hungry by

____

____

Closing Hymn

"Let There Be Peace on Earth"
or "Prayer of Saint Francis"

REPASO

Da la respuesta que dio Jesús a cada una de las tentaciones del demonio.

1. "Si eres el Hijo de Dios, di a estas piedras que se conviertan en pan".
   Jesús:

   ____

   ____

2. "Si eres el Hijo de Dios, tírate de aquí". (desde una montaña)
   Jesús:

   ____

   ____

3. "Te daré todo eso si te arrodillas y me adoras".
   Jesús:

   ____

   ____

4. ¿Cómo seguirás a Jesús esta Cuaresma?

   ____

   ____

EN EL HOGAR Y EN LA PARROQUIA

En este capítulo los niños aprendieron que la Cuaresma es un tiempo para fortalecer nuestros corazones y voluntad contra la tentación, como lo hizo Jesús cuando rezó y ayunó en el desierto. Rezar, ayunar y dar limosnas son prácticas tradicionales de cuaresma que nos ayudan a renovar los dones de fe que se nos dieron por primera vez con el Bautismo. Además de ayunar el Miércoles de Ceniza y el Viernes Santo, los católicos también se abstienen de comer carne esos días y todos los viernes de cuaresma.

Su niño también aprendió que durante la Cuaresma nos unimos a la oración con los catecúmenos que se preparan para el Bautismo. Damos apoyo a los que se están preparando para ser miembros de la Iglesia.

Resumen de la fe

- La Cuaresma nos prepara para entrar más profundamente en la pasión, muerte y resurrección de Jesús.
- Durante la Cuaresma tratamos de amar a Dios y a los demás sin esperar nada a cambio.

REVIEW ■ TEST

Give Jesus' answers to each of the devil's temptations.

1. "If you are the Son of God, command that these stones become loaves of bread."
   Jesus:

   ____

   ____

2. "If you are the Son of God, throw yourself down" (from the mountain).
   Jesus:

   ____

   ____

3. "All these I shall give to you, if you will worship me."
   Jesus:

   ____

   ____

4. How will you follow Jesus this Lent?

   ____

   ____

FAITH ALIVE AT HOME AND IN THE PARISH

In this chapter your fifth grader has learned that Lent is a time to strengthen our hearts and wills against temptation as Jesus did when he prayed and fasted in the desert. Prayer, fasting, and almsgiving are traditional Lenten practices to help us renew the gift of faith that we first received in Baptism. Besides fasting on Ash Wednesday and Good Friday, Catholics also abstain from meat on these days and the other Fridays of Lent.

Your child has also learned that during Lent we join in prayer with catechumens preparing for Baptism. We give our support to those preparing for membership in our Church.

Faith Summary

- Lent prepares us to enter more fully into the passion, death, and resurrection of Jesus.
- During Lent we try to love God and others without expecting something in return.

21 Celebrando la Pascua

Aleluya, Jesús ha resucitado y está con nosotros. ¡Aleluya, aleluya!

NUESTRA VIDA

Era un pedazo de tierra casi olvidado entre los sucios y abandonados apartamentos. Lleno de malezas, basura y porquerías, era otro feo pedazo en esa peligrosa parte de la ciudad. Pero para el Sr. Castro no lo era. El tenía un sueño. Este pedazo de tierra podía tener vida otra vez. Así que un día el Sr. Castro salió y empezó a trabajar.

Algunos vecinos vieron lo que estaba haciendo y se ofrecieron a ayudar. Muy pronto toda la basura había sido empacada en grandes sacos listos para ser recogidos por el camión de la basura. Algunos jóvenes del vecindario empezaron a llegar y a ayudar a desyerbar. Laboriosamente el Sr. Castro removía el suelo. Todo el vecindario estaba participando y el Sr. Castro obtuvo semillas, plantas y hasta árboles y la siembra empezó. ¿Ahora qué? Preguntaron los niños. "Ahora esperamos, regamos y dejamos a Dios hacer su trabajo", contestó el Sr. Castro.

Llegó la primavera y el solar es un parque lleno de flores, grama y árboles. "Nuestro parque es hermoso". Dijo todo el mundo y el Sr. Castro sonreía. Lo que estaba muerto ha revivido.

¿Qué aprendiste de esta historia del Sr. Castro?

Nombra algunas cosas que te dan nueva vida.

COMPARTIENDO LA VIDA

¿Has ayudado alguna vez a algo que parecía muerto a tener nueva vida? Cuéntanos

¿Por qué esas experiencias están llenas de gozo y sorpresas?

21 Celebrating Easter

Alleluia! Jesus is risen and is still with us. Alleluia, alleluia!

Our Life

It was a forgotten patch of earth almost lost among the dingy apartments. Full of weeds, garbage, and abandoned junk, it was just another piece of ugliness in this very tough part of the city. But not to Mr. Catelli. He had a dream. This plot of earth could live again. So one day Mr. Catelli went out and began to work.

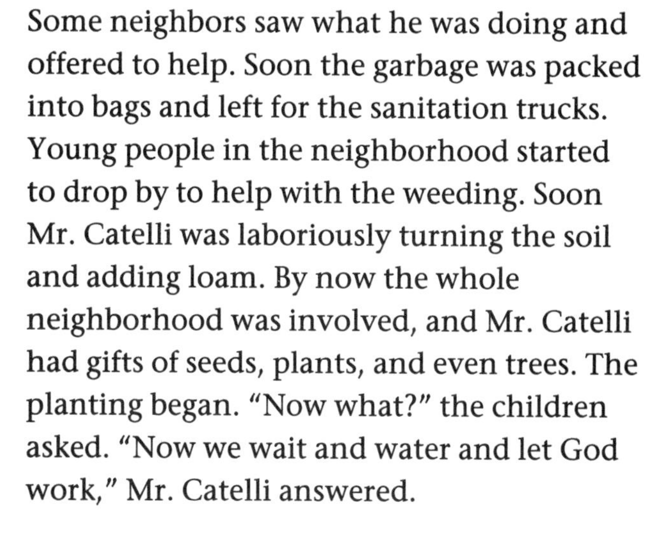

Some neighbors saw what he was doing and offered to help. Soon the garbage was packed into bags and left for the sanitation trucks. Young people in the neighborhood started to drop by to help with the weeding. Soon Mr. Catelli was laboriously turning the soil and adding loam. By now the whole neighborhood was involved, and Mr. Catelli had gifts of seeds, plants, and even trees. The planting began. "Now what?" the children asked. "Now we wait and water and let God work," Mr. Catelli answered.

Spring came and the lot was now a park full of flowers and grass and young trees. "Our park is beautiful!" everyone said. Mr. Catelli smiled. What was dead had come back to life.

What do you learn from this story of Mr. Catelli?

Name some things that give you new life.

Sharing Life

Have you ever helped something that seemed dead have new life? Tell about it.

Why are these experiences so full of surprise and joy?

NUESTRA FE CATOLICA

Honrando a Cristo, nuestro Salvador

El domingo antes del Domingo de Pascua es llamado Domingo de la Pasión o Domingo de Ramos. El Domingo de Ramos es el primer día de la Semana Santa. Nos prepara para el Triduo Pascual, los tres días que empiezan el Jueves Santo en la tarde y terminan con las oraciones en la tarde del Domingo de Pascua.

El Domingo de Ramos recordamos que Jesús y sus amigos fueron a la ciudad de Jerusalén antes de que Jesús fuera arrestado y crucificado. En el Evangelio de Marcos leemos:

Jesús, montado en un pollino, entró a la ciudad de Jerusalén. Mientras pasaba, mucha gente del pueblo tiró su capa a la calle para que él pasara. Otros cortaron ramas de palma y la tiraron frente a él. Otros lo seguían gritando: "¡Hosanna! ¡Bendito el que viene en nombre del Señor!" Dios bendice el reino de David. Bendito sea Dios.

Basado un Marcos 11:1–11

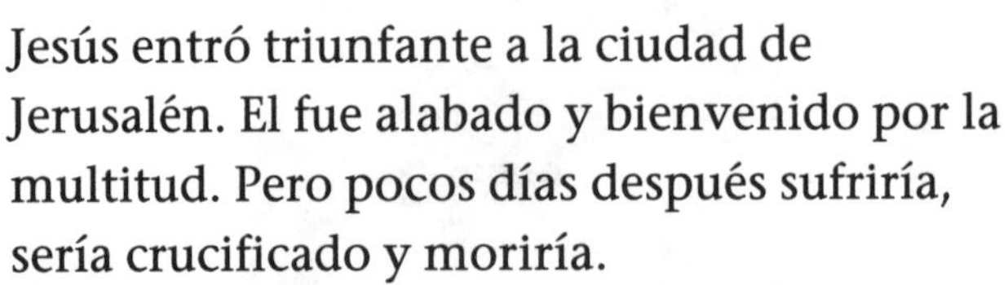

Jesús entró triunfante a la ciudad de Jerusalén. El fue alabado y bienvenido por la multitud. Pero pocos días después sufriría, sería crucificado y moriría.

El Domingo de Ramos, ramas de palma son bendecidas y entregadas a los feligreses. Caminamos en procesión hacia la iglesia, cantamos y agitamos las palmas en honor a Jesús.

El Triduo Pascual

Durante el Triduo Pascual celebramos el misterio pascual. La palabra *pascua* significa "pasar". El misterio pascual es un memorial y una celebración de los eventos que marcan el "paso" de Jesús por medio del sufrimiento y la muerte a una nueva vida en su resurrección.

Honoring Christ, Our Savior

The Sunday before Easter Sunday is called Passion, or Palm, Sunday. Passion Sunday is the first day of Holy Week. It prepares us for the Easter Triduum, the three days that begin on Holy Thursday evening and end with Evening Prayer on Easter Sunday.

On Passion Sunday we remember that Jesus and his friends went to the city of Jerusalem shortly before his arrest and crucifixion. The Gospel of Mark tells us the story as follows:

Jesus, riding on a donkey, came into the city of Jerusalem. As Jesus rode by, people spread their cloaks before him on the road. Others cut branches off the trees and laid these on the road in front of Jesus. Others followed Jesus, shouting,

> "Blessed is he who comes in the name
> of the Lord! . . .
> Hosanna in the highest!"

Based on Mark 11:1–11

Jesus came into the city of Jerusalem in triumph. He was honored and welcomed by the crowds. But within a few days, he would suffer, be crucified, and die.

On Passion Sunday, palm branches are blessed and given to us. We walk in procession into the church, singing and waving palm branches to honor Jesus.

The Easter Triduum

During the Easter Triduum we celebrate the paschal mystery. The word *paschal* means "passing over" or "passover." The paschal mystery is a remembering and celebrating of the events of Jesus' "passing" through suffering and death to new life in his resurrection.

El Jueves Santo en la tarde celebramos la misa de la Cena del Señor. Recordamos que Jesús nos dio el regalo de sí mismo en la Eucaristía.

El Viernes Santo es la celebración de la Pasión del Señor, recordamos que Jesús fue coronado con espinas, sufrió y murió en la cruz por nuestros pecados.

El Sábado Santo en la noche celebramos la Vigilia Pascual. Esperamos la resurrección de Jesús y recordamos que somos bautizados con su muerte y resurrección. Esa noche damos la bienvenida a la Iglesia a nuevos miembros por medio de los sacramentos de iniciación.

El Domingo de Resurrección celebramos la resurrección de Jesús y nuestra nueva vida en Cristo. El Triduo Pascual concluye con las oraciones en la tarde de ese día. Durante todo el tiempo de Pascua recordamos cómo Jesucristo nos trajo la vida y el amor total de Dios.

Acercandote a la Fe

Abajo hay una lista de algunas celebraciones importantes del Triduo Pascual. Explica lo que recordamos y celebramos en cada una. Escribe cómo puedes participar en cada celebración.

En la Cena de la Señor celebramos ________

____

____

Puedo ________________________________

____

____

En la Pasión del Señor celebramos ________

____

____

Puedo ________________________________

____

____

En la Vigilia Pascual celebramos ________

____

____

Puedo ________________________________

____

____

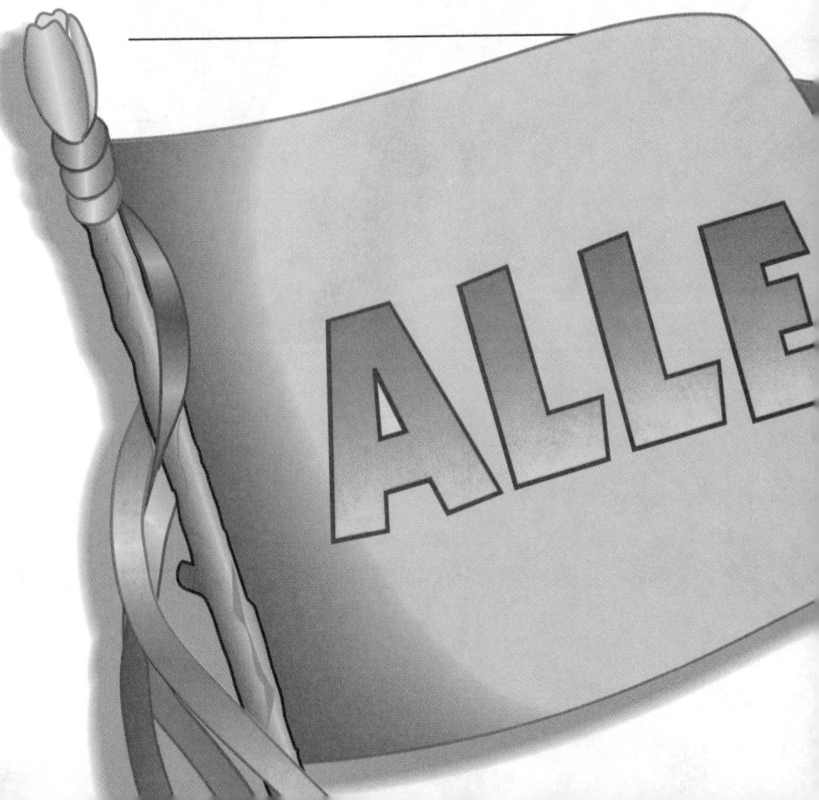

On Holy Thursday evening we celebrate the Mass of the Lord's Supper. We remember that Jesus gave us the gift of himself in the Eucharist.

On Good Friday in the Celebration of the Lord's Passion, we remember that Jesus was crowned with thorns, suffered, and died on the cross for our sins.

On Holy Saturday night we celebrate the Easter Vigil. We await the resurrection of Jesus and remember that we are baptized into his death and resurrection. On this night we welcome new members into the Church through the sacraments of initiation.

On Easter Sunday we celebrate the resurrection of Jesus and our new life in Christ. The Easter Triduum concludes with Evening Prayer on this day. Then all during the Easter season, we remember how Jesus Christ brought us the fullness of God's life and love.

Coming to Faith

Below is a list of some important celebrations of the Easter Triduum. Tell what we remember and celebrate during each. Write how you can take part in each celebration.

Evening Mass of the Lord's Supper

We celebrate ________________________________
____
____

I can ________________________________
____
____

Celebration of the Lord's Passion

We celebrate ________________________________
____
____

I can ________________________________
____
____

Easter Vigil

We celebrates ________________________________
____
____

I can ________________________________
____
____

Viviendo la fe

Una celebración de pascua

Oración inicial

Guía: Jesús, nos hemos preparado para compartir el gozo de tu resurrección. Abre nuestros corazones para recibir tu nueva vida.

Una historia de pascua

Grupo 1: ¿Eres el único visitante en Jerusalén que no sabe las cosas que han pasado a Jesús de Nazaret?

Grupo 2: ¿Qué cosas?

Grupo 1: Esperábamos que Jesús liberara a Israel. Pero fue crucificado. Después de su muerte algunas de las mujeres de nuestro grupo fueron a su tumba y nos dicen que "¡él está vivo!"

Grupo 2: ¡Cuánto les cuesta creer! ¿No era necesario que el Mesías sufriera todas esas cosas?

Narrador: Jesús les explicó muchas otras cosas. Al acercarse al pueblo donde iban, Jesús siguió caminando.

Grupo 1: Quédate con nosotros. Se está haciendo tarde.

Narrador: Jesús se sentó con ellos. Tomó el pan, lo bendijo, lo partió y se lo dio. Sus ojos se abrieron y reconocieron a Jesús. Entonces Jesús desapareció.

Bosado en Lucas 24:13–24

Renovación de las promesas bautismales

Guía: ¿Renuncias a Satanás?

Todos: Renuncio.

Guía: ¿Renuncias a todas sus pompas?

Todos: Renuncio.

Guía: ¿Crees en Dios Padre, todopoderoso, creador del cielo y de la tierra?

Todos: Creo.

Guía: ¿Crees en Jesucristo, Hijo único de Dios, Nuestro Señor, que nació de la Virgen María, fue crucificado, muerto y sepultado, resucitó de entre los muertos, y está sentado a la derecha del Padre?

Todos: Creo.

Guía: ¿Crees en el Espíritu Santo, la santa Iglesia católica, la comunión de los santos, el perdón de los pecados, la resurrección de los muertos y la vida futura?

Todos: Creo.

Bendición con agua bendita

Todos se acercan a la mesa de oración en la cual se ha colocado una fuente con agua bendita. Todos se bendicen con el agua bendita haciendo la señal de la cruz para recordar el regalo de la nueva vida dado en el Bautismo.

Practicing Faith

An Easter Celebration

Opening Prayer

Leader: Jesus, we have prepared ourselves to share in the joy of your resurrection. Open our hearts to receive your new life.

An Easter Story

Group 1: Are you the only visitor in Jerusalem who does not know what things happened there to Jesus of Nazareth?

Group 2: What things?

Group 1: We had hoped that Jesus was the one who would set Israel free. But he was crucified. After his death, some women in our group went to the tomb and told us, "He is alive!"

Group 2: How slow to believe you are! Wasn't it necessary for the Messiah to suffer these things?

Narrator: Jesus explained many other things to them. As they came near the village toward which they were going, Jesus acted as if he were going on.

Group 1: Stay with us. It is getting dark.

Narrator: Jesus sat down to eat with them, took the bread, and said the blessing; then he broke the bread and gave it to them. Their eyes were opened and they recognized Jesus. Jesus then disappeared from their sight.

Based on Luke 24:13–31

Renewal of Baptismal Promises

Leader: Do you reject Satan?

All: I do.

Leader: And all his works?

All: I do.

Leader: And all his empty promises?

All: I do.

Leader: Do you believe in God, the Father Almighty, creator of heaven and earth?

All: I do.

Leader: Do you believe in Jesus Christ, God's only Son, our Lord, who was born of the Virgin Mary, was crucified, died and was buried, rose from the dead, and is now seated at the right hand of the Father?

All: I do.

Leader: Do you believe in the Holy Spirit, the holy catholic Church, the communion of saints, the forgiveness of sins, the resurrection of the body, and life everlasting?

All: I do.

Blessing with Holy Water

All come to a prayer table on which a small bowl containing holy water has been placed. All bless themselves with the holy water by making the sign of the cross to remember the gift of new life given in Baptism.

REPASO

Explica lo que recordamos y celebramos en cada uno de estos días.

1. Jueves Santo: ______________________________

____

____

2. Viernes Santo: ______________________________

____

____

3. Vigilia Pascual: ______________________________

____

____

4. Domingo de Resurrección: ______________________________

____

____

EN EL HOGAR Y EN LA PARROQUIA

Esta lección es una preparación para una experiencia de la Pascua de Resurrección pasando con Jesús de la muerte a una nueva vida. Los niños siguieron los eventos del Domingo de Ramos y el Triduo Pascual—que se inicia con la Cena del Señor el Jueves Santo y termina con las oraciones de la tarde del Domingo de Pascua. La Pascua de Resurrección es la mayor celebración del año de la Iglesia. La resurrección de Jesús es la base fundamental de la fe cristiana.

Resumen de la fe

- El misterio pascual celebra los eventos en que Jesús "pasa" por medio del sufrimiento y la muerte a una nueva vida.
- El Jueves Santo celebramos el regalo de la Eucaristía. El Viernes Santo recordamos el sufrimiento y muerte de Jesús. El Domingo de Resurrección celebramos la resurrección de Jesús.

REVIEW ▪ TEST

Tell what we remember and celebrate on these days.

1. Holy Thursday: ____

____

____

2. Good Friday: ____

____

____

3. Easter Vigil: ____

____

____

4. Easter Sunday: ____

____

____

FAITH ALIVE AT HOME AND IN THE PARISH

This lesson is a preparation for the Easter experience of moving with Jesus through death to new life. Your child followed the events of Palm Sunday and the Easter Triduum—which begins with the Evening Mass of the Lord's Supper on Holy Thursday and ends Easter Sunday with Evening Prayer. Easter is the greatest celebration of the Church year. The resurrection of Jesus is the ultimate foundation of Christian faith.

Faith Summary

- The paschal mystery celebrates the events of Jesus' "passing" through suffering and death to new life.
- On Holy Thursday we celebrate the gift of the Eucharist. On Good Friday we remember Jesus' suffering and death. On Easter we celebrate Jesus' resurrection.

22 Ser católico
(Las características de la Iglesia)

Dios de amor, bendice a la Iglesia. Ayúdanos a vivir como tu pueblo.

Nuestra Vida

Grupos tales como equipos deportivos, y organizaciones juveniles tienen rasgos o cualidades, que claramente muestran lo que cada grupo es, o lo que quiere ser. Escoge una de las siguientes situaciones y trabaja con un compañero para escribir tus esperanzas, cualidades o "característica" para cada uno.

- Estás organizando un "equipo ideal" en un deporte de tu interés.
- Eres un músico y estás organizando una banda u orquesta.
- Estás organizando un grupo de servicio de jóvenes.

¿Qué cualidades esperas tengan los miembros? ¿Todo el grupo?

Compartiendo la Vida

Somos miembros de la Iglesia. Juntos discutan: ¿Cuáles características o cualidades creen que debe tener la Iglesia? Hagan una lista.

¿Muestras que nuestra Iglesia tiene esas cualidades? ¿Cómo?

22 Becoming a Catholic
(The Marks of the Church)

Loving God, bless the Church. Help us to live as your people.

Our Life

Groups such as youth organizations and sports teams have marks, or qualities, that clearly show what kind of a group each one is or would like to be. Choose one of the following situations and work with a partner to draw up your expectations, qualities, or "marks" for each one.

- You are putting together a "dream team" in any sport you wish.
- You are a musician and are assembling a band or an orchestra.
- You are organizing a youth service group.

What qualifications would you expect from individual members? from the group as a whole?

Sharing Life

We are members of the Church. Discuss together: What marks, or qualities, do you think the Church should have? Make a list.

Do you show that our Church has these qualities? How?

NUESTRA FE CATOLICA

Las características de la Iglesia

La Iglesia se identifica por cuatro grandes características, que indican el tipo de comunidad que empezó Jesús. Decimos que la Iglesia es una, santa, católica y apostólica. Debemos tratar de vivir esas características.

La Iglesia es una

Jesús quiere que todos sus discípulos sean uno con él y uno con otros en el Espíritu Santo.

Cuando decimos que la Iglesia es una queremos decir que todo bautizado está unido al cuerpo de Cristo. Nosotros, aunque muchos, por medio del Bautismo formamos parte del cuerpo de Cristo

Como católicos estamos unidos al liderazgo del papa y los obispos. Celebramos nuestra unidad con Jesús y con los demás en la Eucaristía. Estamos unidos en fe y en amor con Jesucristo y uno con otros.

No todos los cristianos comparten las mismas creencias y prácticas. A través de los siglos, algunos cristianos se han separado de la Iglesia Católica.

Hoy todos los cristianos son llamados a rezar por la unidad de la Iglesia. San Pablo describió cual es la unidad que debemos tener: "Uno es el Señor, una la fe, uno el bautismo, uno es Dios y Padre de todos, que está por encima de todos".

Efesios 4:5–6

La Iglesia es santa

Sólo Dios es perfectamente santo. La Iglesia es santa porque es el cuerpo de Cristo y el Espíritu Santo está presente en ella.

Jesús llamó a sus discípulos a vivir una vida santa, como él. La vida santa de los apóstoles, los santos, y todos los discípulos de Jesús muestra la santidad de la Iglesia.

Dios nos dice: "Sean santos, porque yo Yavé Dios de ustedes soy Santo" (Levítico 19:1–2).

Empezamos a compartir la santidad de Dios con el Bautismo. La Iglesia nos ayuda a crecer en santidad, especialmente por medio de los sacramentos.

Podemos mostrar que la Iglesia es santa viviendo vidas santas y trabajando por el reino de Dios en el mundo. Tratamos de poner a Dios primero en todo lo que hacemos y decimos. Tratamos de vivir la Ley del Amor y trabajar por la justicia y la paz.

La Iglesia es católica

La palabra *católica* significa "universal" o "mundial". La Iglesia debe ser una comunidad en la que todo el mundo de cualquier raza, color, nacionalidad y origen sea bienvenido. Todos deben escuchar la buena nueva de Jesucristo.

The Marks of the Church

The Church has four great identifying "marks," or qualities, that let people know the kind of community Jesus began. We say that the Church is one, holy, catholic, and apostolic. We must always keep trying to live these marks.

The Church Is One

Jesus wants all his disciples everywhere to be one with him and with one another in the Holy Spirit.

When we say that the Church is one, we mean that all baptized persons are united in the body of Christ. We, though many, are made part of the one body of Jesus Christ through Baptism.

As Catholics we are united by the leadership of the pope and bishops. We celebrate our unity with Jesus and with one another in the Eucharist. We are united in faith and in love with Jesus Christ and one another.

But not all Christians share the same beliefs and practices. Over the centuries, some Christians became separated from the Catholic Church.

Today all Christians are called to pray and work for the full unity of the Church. Saint Paul once described the unity we should have: "One Lord, one faith, one baptism; one God and Father of all, who is over all and through all and in all."
Ephesians 4:5–6

The Church Is Holy

God alone is perfectly holy. The Church is holy because it is the body of Christ and because the Holy Spirit is present in the Church.

Jesus called his disciples to live holy lives, as he did. The holy lives of the apostles, the saints, and of all disciples of Jesus show the holiness of the Church.

God says to us, "Be holy, for I, the LORD, your God, am holy" (Leviticus 19:2).

We begin to share in God's holy life when we are baptized. The Church helps us to grow in holiness, especially through the sacraments.

We can show that the Church is holy by leading holy lives and by working for the reign of God in the world. We try to put God first in all we say and do. We try to live the Law of Love and work for justice and peace.

The Church Is Catholic

The word *catholic* means "universal" or "worldwide." The Church is to be a community in which all people of every race, color, nationality, and background are welcome. All are to hear the good news of Jesus Christ.

Jesús invitó a todo el mundo a pertenecer a su comunidad y a seguirle. El encomendó a sus discípulos a ser justos y a incluir a todo el mundo a trabajar por su misión.

Antes de su ascensión al cielo Jesús dijo a sus discípulos: "Vayan por todo el mundo y anuncien la Buena Nueva" (Marcos 16:15). Los discípulos cumplieron ese mandato.

Hoy la Iglesia continúa mostrando que es católica. Misioneros llevan la buena nueva a todos los países del mundo. La Iglesia trabaja por la salvación del mundo en todas partes. Tratamos de compartir nuestra fe y acogemos a todos en la comunidad de discípulos de Jesús.

La Iglesia es apostólica

Cuando San Pablo escribió a los primeros cristianos, les recordó que: "Ustedes son la casa, cuyas bases son los apóstoles y los profetas, y cuya piedra angular es Cristo Jesús" (Efesios 2:20). La Iglesia es apostólica, porque fue fundada en los apóstoles y trata de ser fiel a la misión y creencias que Jesús les dio. La Iglesia puede remontarse a los primeros apóstoles.

San Pedro dirigió a los primeros apóstoles en continuar la misión de Jesús. En la Iglesia Católica los sucesores de San Pedro son los papas. Hoy nuestro Santo Padre, el papa, continúa la misión de San Pedro. Los obispos llevan a cabo el trabajo de los primeros apóstoles.

Podemos mostrar que nuestra Iglesia es apostólica aprendiendo lo más que podamos acerca de nuestra fe católica. Podemos rezar y ayudar a los misioneros. Podemos continuar la misión que Jesús dio a los primeros apóstoles.

VOCABULARIO

El **papa** es el obispo de Roma, es el sucesor de San Pedro y cabeza de toda la Iglesia Católica.

Cada vez que rezamos el Credo de Nicea en la misa, expresamos que creemos que la Iglesia es una, santa, católica y apostólica. Jesús pide a cada uno de nosotros desarrollar estos rasgos, o cualidades, en nuestra propia vida. De esta forma mostramos a los demás que somos verdaderos discípulos de Jesucristo.

Jesus invited everyone to belong to his community and to follow him. He commanded his disciples to be just as welcoming and to include everyone in carrying on his mission.

Before his ascension into heaven, Jesus told his disciples, "Go into the whole world and proclaim the gospel to every creature" (Mark 16:15). The disciples carried out Jesus' command.

FAITH WORD

The **pope** is the bishop of Rome. He is the successor of Saint Peter and the leader of the whole Catholic Church.

Today the Church continues to show it is catholic. Missionaries carry the good news to every country on earth. The Church works for the salvation of all people everywhere. We try to share our faith and welcome everyone to Jesus' community of disciples.

The Church Is Apostolic

When Saint Paul wrote to the early Christians, he reminded them that they were "built upon the foundation of the apostles and prophets, with Christ Jesus himself as the capstone" (Ephesians 2:20). The Church is apostolic, because it was founded on the apostles and tries to be faithful to the mission and beliefs Jesus gave them. The Church can trace itself back to the apostles.

Saint Peter led the first apostles as they carried on Jesus' mission. In the Catholic Church, Peter's successors are the popes. Today our Holy Father, the pope, carries on the work of Saint Peter. The other bishops carry on the work of the first apostles.

We can show that our Church is apostolic by learning all we can about our Catholic faith. We can pray for and help our missionaries. We can do our part in carrying out the mission Jesus gave to the first apostles.

Each time we pray the Nicene Creed at Mass, we say that we believe in the one, holy, catholic, and apostolic Church. Jesus asks each one of us to develop these marks, or qualities, in our own lives. In this way we show others that we are true disciples of Jesus Christ.

Acercandote a la fe

Escribe el nombre de:
tu diócesis, obispo, parroquia y párroco.

Imagina que el obispo ha pedido a tu grupo hacer un anuncio de televisión mostrando como tu diócesis o tu parroquia trata de vivir las características de la Iglesia. Planifica tus ideas junto con tu grupo. Usa las características de la Iglesia como bosquejo. Pueden hacer un dibujo, escribir una obra o dramatizarla.

Viviendo la fe

†Reúnanse en un círculo de oración. En silencio dejen que el Espíritu Santo los guíe.

Lado 1: Que el Espíritu Santo nos ayude a vivir en unidad con Jesús y con los demás.

(*Idea en acción*: Decide ayudar a alguien que está en necesidad esta semana).

Lado 2: Que el Espíritu Santo nos guíe para ser como Jesús en todo.

(*Idea en acción*: Decide tomar tiempo esta semana para rezar).

Lado 1: Que el Espíritu Santo nos ayude a estar abiertos a acoger a todo el mundo.

(*Idea en acción*: Invita a un amigo, que no va a misa, a ir contigo esta semana).

Lado 2: Que el Espíritu Santo nos dé valor para proclamar la buena nueva de Jesús.

(*Idea en acción*: Leer una historia del evangelio con un amigo o un familiar. Hablen acerca del significado).

Todos: Creemos en una Iglesia santa, católica y apostólica.

Coming To Faith

Tell the name of:
your diocese, bishop, parish, pastor.

Now imagine that your bishop has asked your group to make a short TV spot showing how your diocese or parish tries to live the marks of the Church today. Plan your ideas together. Use the marks of the Church as an outline. You may draw sketches, write a script, or act it out.

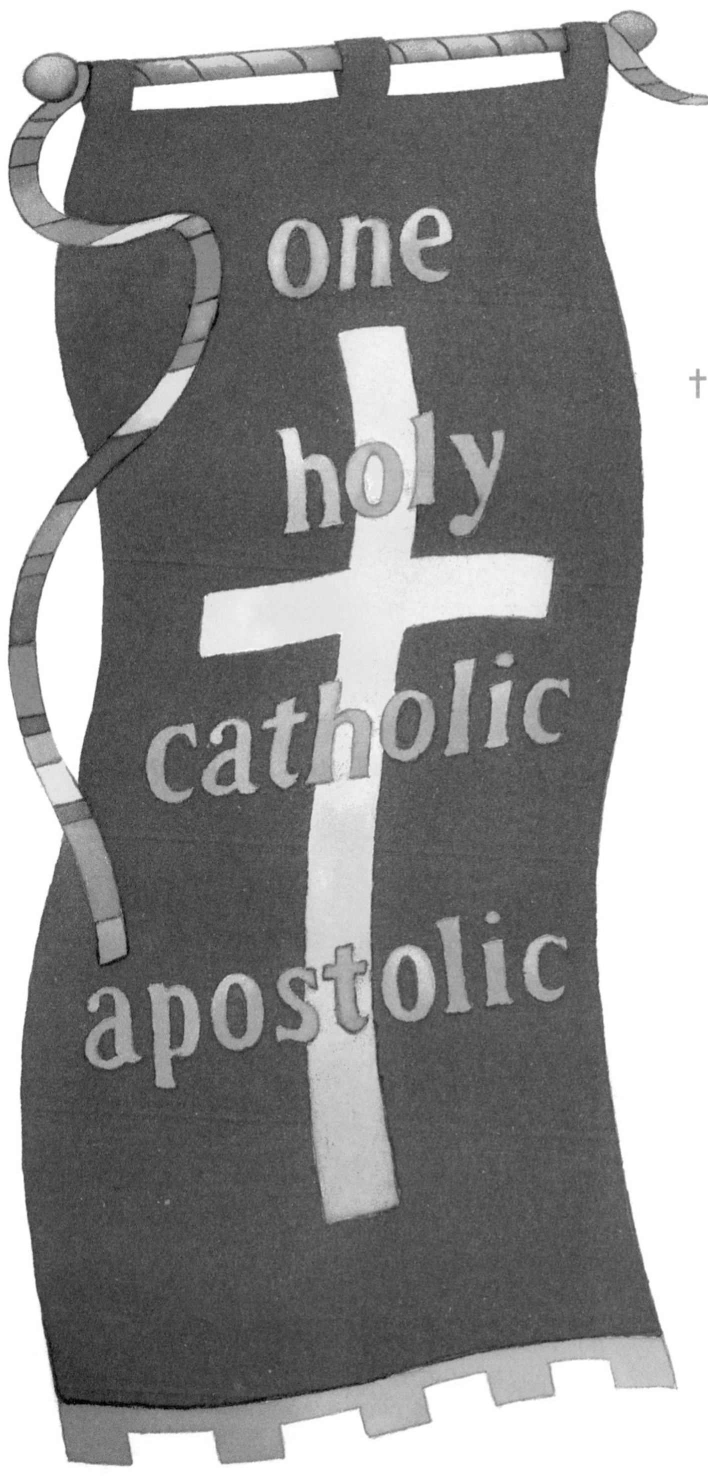

Practicing Faith

† Gather in a prayer circle. Be very still and let the Holy Spirit guide us.

Side 1: May the Holy Spirit help us to live in unity with Jesus and one another.

(*Action idea*: Decide to help someone who is sick or lonely or poor this week.)

Side 2: May the Holy Spirit guide us to be like Jesus in all things.

(*Action idea*: Decide to set aside time for prayer this week.)

Side 1: May the Holy Spirit help us to be open and welcoming to all people.

(*Action idea*: Invite a friend, who does not usually go to Mass, to come with you this week.)

Side 2: May the Holy Spirit give us courage to proclaim the good news of Jesus.

(*Action idea*: Read a gospel story with a friend or family member. Talk about what it means.)

All: We believe in the one, holy, catholic, and apostolic Church. Amen.

REPASO

Aparea las características de la Iglesia con su correcta descripción.

Característica		Descripción
1. apostólica	_____	todo creyente está unido al cuerpo de Cristo.
2. santa	_____	signos de la comunidad cristiana.
3. católica	_____	comunidad que acoge a todo el mundo.
4. una	_____	la buena nueva de Jesús nos llega de los primeros líderes de la Iglesia.
	_____	comparte la santidad de Dios.

5. ¿Qué significa para ti ser católico?
¿Qué tipo de católico quieres ser?

____

____

____

____

____

____

EN EL HOGAR Y EN LA PARROQUIA

En este capítulo los niños aprendieron acerca de las cuatro características de la Iglesia. La Iglesia es una, santa, católica y apostólica. Mas allá de una confesión de fe, estas cuatro características son retos que toda la Iglesia y cada miembro es llamado a vivir fielmente. Pida a su niño nombrar y describir cada una de las características. Discutan en familia como cada uno, como miembro de la Iglesia, puede vivir esas características hoy. La próxima vez que vaya a misa deje que las palabras (una, santa, católica y apostólica) les recuerden el reto que tiene de vivir su fe cada día.

Resumen de la fe

- Las características de la Iglesia son una, santa, católica y apostólica.
- La Iglesia de Jesucristo muestra que es una y santa cuando estamos unidos en la fe y vivimos vidas santas.
- La Iglesia de Jesucristo muestra que es católica y apostólica dando la bienvenida a todos y siendo fiel a la misión y creencias que Jesús dio a los apóstoles.

REVIEW ■ TEST

Match the marks of the Church with the correct descriptions.

Marks		Descriptions
1. apostolic	______	all believers are united in the body of Christ
2. holy	______	signs of Jesus Christ's community
3. catholic	______	a community where all are welcome
4. one	______	the good news of Jesus comes to us from the first leaders of the Church
	______	sharers in God's holiness

5. What does it mean to you to be a Catholic?
What kind of Catholic do you want to be?

____

____

____

____

____

____

FAITH ALIVE AT HOME AND IN THE PARISH

In this chapter your fifth grader has learned more about the four marks of the Church. The Church is one, holy, catholic, and apostolic. Beyond a confession of faith, these four marks are challenges that the whole Church and every member is called to live faithfully. Ask your son or daughter to name and describe each mark. Discuss with the family how each of you as a member of the Church can live these marks today. Then, the next time you join with others at Mass and profess your faith, let the words you speak (one, holy, catholic, and apostolic) remind you of the challenge to live your faith each day.

Faith Summary

- The marks of the Church are one, holy, catholic, and apostolic.
- The Church of Jesus Christ shows it is one and holy when we are united in faith and live holy lives.
- The Church of Jesus Christ shows it is catholic and apostolic by welcoming all and being faithful to the mission and beliefs Jesus gave to the apostles.

23 Todos pertenecemos al pueblo de Dios

Querido Jesús, ayúdanos a amarnos unos a otros como tú nos amas.

Nuestra Vida

Era casi el final de las olimpíadas, algunos atletas que habían finalizado la competencia de campo y pista estaban siendo entrevistados en la televisión.

Mirando al grupo que incluía jóvenes de diferentes países el entrevistador preguntó: "¿Qué fue lo más notable de esta experiencia para ustedes?"

¿Cuál crees que fue la respuesta?

Los atletas no hablaron de la competencia, las medallas de oro, o el honor nacional. Para una persona, dijeron, el recuerdo más hermoso es conocer personas de diferentes culturas, razas, lenguaje, educación y descubrir lo mucho que tienen en común.

"Los círculos olímpicos son el color de las razas del mundo, pero están unidos en uno solo", dijo un atleta.

¿Qué dice esta historia acerca del prejuicio?

¿Cómo tratas de vivir este "sueño olímpico"?

Compartiendo la Vida

¿Hay alguna persona o grupo a quien te es difícil tratar como igual? ¿Por qué? ¿Quién te puede ayudar?

Juntos discutan: ¿Cómo quiere Dios que trates a las personas que son diferentes a ti? Explica.

23 All People Are God's People

Dear Jesus, help us to love one another as you love us.

OUR LIFE

It was almost the last day of the summer Olympics. Some athletes who had just completed the track and field competition were being interviewed for TV.

"Let me ask you," the interviewer said looking at the group that included young people from many different countries. "What is the highlight of this experience for you?"

What do you think was the answer?

The athletes did not talk about competition, or gold medals, or national honor. To a person they said their deepest memory would be of meeting people from different cultures, different backgrounds, different races, different languages, and discovering how very much they all shared in common.

"The Olympic circles are the color of the races of the world," one athlete remarked, "but they are all linked together as one."

What do you think this story says about prejudice?

How do you try to live this "Olympic" dream?

SHARING LIFE

Is there any person or group of people that you find hard to treat as equals? Why is this so? Who can help you?

Discuss together: How does God want you to treat people who are different from you? Explain.

Nuestra Fe Católica

Respetando otras religiones

Conocemos personas de diferente color, religión, edad, lenguaje o situación económica. A pesar de que la gente es diferente, todos hemos sido creados a imagen y semejanza de Dios. Debemos tratar a todo el mundo con respeto.

Prejuicio es no aceptar u odiar a otra persona o grupo por ser diferente de nuestra raza, sexo, religión, edad u otra razón. La Iglesia Católica condena todo prejuicio como un pecado.

Dios nos llama a rechazar el prejuicio de cualquier tipo, incluyendo el prejuicio religioso. Este es el desprecio de las personas que no alaban a Dios o lo hacen en forma diferente a nosotros. Hay muchas otras religiones en el mundo además de las cristianas. Jesús quiere que respetemos a todo el mundo, aún a los que no creen en él.

Tenemos una relación especial con el pueblo judío. Jesús era judío y creció practicando la religión judía. María, su madre, San José, y los apóstoles fueron todos judíos devotos. Los cristianos deben tener un gran respeto por el pueblo judío que sigue siendo el pueblo escogido de Dios.

Los cristianos y los judíos comparten las siguientes creencias:

- Ambas religiones creen que hay un solo Dios, quien es nuestro creador.
- Ambas religiones leen, estudian y creen en las Escrituras judías, que los cristianos llaman Antiguo Testamento.
- Ambas religiones siguen los Diez Mandamientos.

La cristiandad es el grupo de bautizados discípulos de Jesús. Originalmente, hubo una sola Iglesia. Sin embargo, con el tiempo, los cristianos se han dividido.

Entre las iglesias cristianas separadas de la Católica están las Ortodoxas y las Protestantes (por ejemplo Luteranas y Episcopales). Otras iglesias Protestantes fundadas en los Estados Unidos incluyen la Bautista, Congregacionalista, Metodista y Presbiteriana.

Por el Bautismo todo los cristianos están unidos como hermanos y hermanas en Cristo. Compartimos muchas verdades importantes:

- Creemos y adoramos a un verdadero Dios: Padre, Hijo y Espíritu Santo.

Respecting Other Religions

We meet many people who differ from us in color, religion, age, language, or wealth. Although people are different, all are created in God's image and likeness. We must treat everyone with respect.

Prejudice is a dislike for or hatred of people because they are different from us in race, sex, religion, age, or any other way. The Catholic Church condemns all prejudice as a sin.

God calls us to reject prejudice of any kind. This also includes religious prejudice. This is a dislike for people who worship God differently from the way we do, or who do not worship God at all. There are many religions in the world other than Christianity. Jesus wants us to respect all people, even those who do not believe in him.

We have a special relationship with the Jewish people. Jesus himself was a Jew and grew up practicing the Jewish religion. Mary, his mother, Saint Joseph, and the apostles were all devoted Jews. Christians must have a great respect for the Jewish people, who are still God's chosen people.

Christians and Jews share these beliefs:

- Both religions believe in the one true God, who is our creator.
- Both religions read, study, and believe the Jewish Scriptures, which Christians call the Old Testament.
- Both religions follow the Ten Commandments.

Christianity itself is made up of all the baptized disciples of Jesus. Originally, there was only one Church. However, over the centuries, divisions took place among Christians.

Among the Christian Churches that became separated from the Catholic Church are the Eastern Orthodox Churches and the Protestant Churches (for example, the Lutheran and Episcopal). Some other Protestant Churches found in America today include the Baptist, Congregationalist, Methodist, and Presbyterian.

By Baptism all Christians are united as brothers and sisters in Christ. We share many important beliefs:

- We believe in and worship the one true God: Father, Son, and Holy Spirit.

- Creemos en Jesucristo, quien es divino y humano. Jesús murió por amor a nosotros y nos salvó del pecado. Resucitó de la muerte y nos trajo nueva vida.
- Creemos que la Biblia es la palabra inspirada de Dios.
- Creemos en un Bautismo para el perdón de los pecados.
- Creemos que debemos cumplir los Diez Mandamientos y la Ley del Amor y continuar la misión de Jesús en el mundo.
- Creemos en la resurrección de los muertos y la vida eterna.

Ecumenismo es la búsqueda de la unión de todas las iglesias cristianas. La Iglesia Católica está trabajando mucho para lograrlo. Todos debemos trabajar y rezar por la unidad cristiana.

VOCABULARIO

Racismo es un pecado de prejuicio.

Trabajando en contra del prejuicio

El prejuicio es una ofensa a Dios. El prejuicio de cualquier tipo nos impide vivir de la forma que Jesús nos enseñó. Para evitar ser culpables de prejuicio, debemos aprender acerca de las personas a quienes consideramos "diferentes". Podemos ser amistosos con los niños en nuestro vecindario o parroquia o escuela que son de diferente color o religión.

Al crecer podemos estudiar más acerca de nuestras tradiciones cristianas y acerca de otras religiones. El aprender lo que ellos creen y cómo alaban a Dios puede enriquecer nuestra propia fe.

Podemos hablar acerca de nuestra fe con nuestros amigos quienes no son católicos. Podemos rezar diariamente para que algún día todos los cristianos se unan en una sola iglesia.

- We believe in Jesus Christ, who is both divine and human. Jesus died out of love for us and to save us from our sins. He rose from the dead to bring us new life.
- We believe that the Bible is the inspired word of God.
- We believe in one Baptism for the forgiveness of sins.
- We believe that we are to live the Ten Commandments and the Law of Love, and to carry on Jesus' mission in the world.
- We believe in the resurrection of the dead on the last day and in everlasting life.

Ecumenism is the search for the reunion of the Christian Churches. The Catholic Church is very involved in this work. All of us must work and pray for Christian unity.

Working Against Prejudice

Prejudice is an offense against God. Prejudice of any kind prevents us from living the way Jesus taught. To avoid being guilty of prejudice, we can learn about people whom we consider "different." We can be friendly with the children in our neighborhood or parish or school who are of another color or religion.

As we get older, we can study more about other Christian traditions and about other religions. Learning what they believe and how they worship God can enrich our own faith.

We can talk about our faith to our friends who are not Catholic. We can pray each day that some day all Christians will be united in one Church.

FAITH WORD

Racism is a sin of prejudice.

Acercandote a la fe

Discute: ¿Por qué nos enseña nuestra fe católica que todo prejuicio es pecado?

¿Qué podemos hacer para evitar el prejuicio?

Rétense a nombrar las creencias que todos los cristianos tienen en común.

Viviendo la fe

Formen cinco grupos, cada uno represente a un grupo que enfrenta prejuicio. Corten cinco círculos grandes de papel de diferentes colores.

Grupo 1: Nuestro círculo representa a los incapacitados. A veces las cosas para nosotros son difíciles, pero somos iguales a todo el mundo.

Grupo 2: Representamos a los que son rechazados por su color. Los seguidores de Jesús no deben "ver colores". (El grupo dos hace una ranura en su círculo y lo une al del grupo número 1).

Grupo 3: Nuestro círculo representa a los que son rechazados por sus creencias religiosas. Sabemos que Dios ama a todo el mundo. (El grupo tres une su círculo al círculo del grupo número dos).

Grupo 4: Nuestro círculo representa a aquellos que son rechazados por su género. Hombres, mujeres, niños y niñas son iguales ante Dios. (El grupo cuatro une su círculo al círculo del grupo tres).

Grupo 5: Nuestro círculo representa a los pobres y a los desamparados. Tenemos pocas cosas, pero Jesús nos llamó su pueblo. (El grupo cinco se une al cuatro y al grupo uno para formar un solo círculo).

Todos: En Cristo, no hay este ni oeste.
En él no hay norte ni sur.
Una gran familia unida por amor
en toda la tierra.

Coming to Faith

Discuss: Why does our Catholic faith teach that all prejudice is a sin?

What can we do to avoid prejudice?

Challenge one another to name the beliefs all Christians have in common.

Practicing Faith

Form five groups, each representing a group that faces prejudice. Cut five large circles out of different-colored paper.

Group 1: Our circle stands for the physically and mentally challenged. Things are sometimes harder for us. But we are just like everyone else.

Group 2: Our circle stands for those who face prejudice because of their skin color. Jesus' followers must be "color blind." (Group 2 makes a slit in its circle and joins it with Group 1's.)

Group 3: Our circle stands for those who face prejudice because of their religious beliefs. We know that God loves all people. (Group 3 joins circles with Group 2.)

Group 4: Our circle stands for those who meet prejudice because of gender. Men and women, girls and boys are equal in God's eyes. (Group 4 joins circles with Group 3.)

Group 5: Our circle stands for poor and homeless people. We have very few material things, but Jesus calls us his very own people. (Group 5 joins with Group 4 and Group 1, linking all circles together.)

All: In Christ, there is no east or west,
In him no north or south,
One great family bound by love
Throughout the whole wide earth!

REPASO

Encierra en un círculo la letra al lado de la respuesta correcta.

1. Todo el mundo ha sido creado
a. desigual.
b. a imagen de Dios.
c. para vivir solos.

2. Luchamos contra el prejuicio cuando
a. tratamos a todo el mundo con dignidad y respeto.
b. miramos mal a los que son diferentes.
c. despreciamos las creencias religiosas de otros.

3. Cristianos y judíos creen en
a. que Jesús es el Mesías.
b. los Diez Mandamientos.
c. la Eucaristía.

4. Todos los cristianos creen en
a. los siete sacramentos.
b. que el papa es el sucesor de San Pedro.
c. la Ley del Amor de Jesús.

5. Piensa por un momento. ¿Has tratado a alguien con prejuicio alguna vez? ¿Qué harás para cambiar tu actitud?

____

____

EN EL HOGAR Y EN LA PARROQUIA

Los niños nacen sin prejuicio o intolerancia. Otros les enseñan este pecado. Todo tipo de prejuicio es malo. Nuestro mundo y nuestra sociedad constantemente enfrenta el pecado del prejuicio–racial, religioso, de género y el prejuicio contra los impedidos físicos o mentales, contra los ancianos, los enfermos y hasta contra los pobres. El prejuicio es generalmente el resultado de la ignorancia y el miedo, cosas que se pueden vencer con la gracia de Dios y nuestra buena voluntad. Dios creó a todo el mundo a su imagen. Esta creencia fundamental de nuestra fe cristiana debe ayudarnos a eliminar cualquier semblanza de prejuicio en nuestras vidas. Además debemos trabajar para asegurarnos que; nosotros, nuestra parroquia y nuestra escuela estén libres de todo prejuicio.

Resumen de la fe

- Como católicos debemos luchar contra el prejuicio en nuestras vidas.
- Respetamos a los que adoran a Dios en otras religiones.
- Tenemos lazos especiales con el pueblo judío. Buscamos la unidad con todos los cristianos.

REVIEW ▪ TEST

Circle the letter beside the correct answer.

1. All people are created
a. unequal.
b. in God's image.
c. exactly the same.

2. We fight against prejudice when we
a. treat all people with dignity and respect.
b. look down on those who are different.
c. put down the religious beliefs of others.

3. Christians and Jews share the same belief
a. in Jesus, the Messiah.
b. in the Ten Commandments.
c. in the Eucharist.

4. All Christians share belief
a. in the seven sacraments.
b. that the Pope is Peter's successor.
c. in Jesus' Law of Love.

5. Think for a moment. Have you ever treated anyone with prejudice? What will you do to change your attitude?

____

____

FAITH ALIVE AT HOME AND IN THE PARISH

Children are not born prejudiced or bigoted. Others teach them this sin. Any kind of prejudice is evil. Our world and our society constantly face the sin of prejudice—racial, religious, gender prejudice, and prejudice against those who are physically or mentally challenged, against the elderly, against the ill, or against the poor. Prejudice is usually the result of ignorance and fear, both of which can be overcome by God's grace and our good will. God created all people in his image. This fundamental belief of our Christian faith should help to root out any semblance of prejudice in our lives. In addition, we must work to ensure that we ourselves, our parish, and our school are free of all prejudice.

Faith Summary

- As Catholics we must fight against prejudice in our lives.
- We respect those who worship God in other religions.
- We have a special bond with the Jewish people. We seek unity with all Christians.

24 El regalo de la fe

Señor Jesús, creemos que tienes palabras de vida eterna.

NUESTRA VIDA

Jesús dijo a la gente: "Yo soy el pan vivo bajado del cielo; el que coma de este pan vivirá para siempre". Muchos de sus seguidores no entendían esa enseñanza. Ellos se alejaron. Jesús, entonces preguntó a los doce apóstoles: "¿Quieren dejarme también ustedes?"

Simón Pedro contestó por los demás: "Señor, ¿a quién iríamos? tú tienes palabras de vida eterna. Nosotros creemos y sabemos que tú eres el Santo de Dios".

Basado en Juan 6:51–69

¿Qué aprendiste de esta historia?

Imagina que Jesús te pregunta: "¿También tú me dejarás?" ¿Qué responderías?

COMPARTIENDO LA VIDA

Hablen acerca de estas ideas.

- ¿Qué hay en una persona que te hace creer en ella?
- ¿Qué es lo que hace más difícil creer en una persona?
- Comparte las razones por las que crees en Dios.

24 The Gift of Faith

Lord Jesus, we believe that you have the words of eternal life.

OUR LIFE

Jesus said to the people, "I am the living bread that came down from heaven; whoever eats this bread will live forever." Many of his followers could not understand this teaching. They turned away from him. So Jesus asked the twelve disciples, "Do you also want to leave?"

Simon Peter answered for all of them. "Master," he said, "to whom shall we go? You have the words of eternal life. We have come to believe and are convinced that you are the Holy One of God."

Based on John 6:51–69

What do you learn from this Scripture story?

Suppose Jesus asked you, "Do you also want to leave?" What would be your answer?

SHARING LIFE

Talk together about these ideas.

- What is it about a person that makes us believe in him or her?
- What is the hardest thing about believing in someone?
- Share the reasons why you believe in God.

NUESTRA FE CATOLICA

La virtud de la fe

Una *virtud* es un hábito de hacer algo bueno. Encontramos las virtudes de valor, honestidad y justicia en muchas personas.

En nuestra relación con Dios se nos pide practicar todos los días las virtudes especiales de fe, esperanza y caridad. Cada una de estas virtudes es un regalo de Dios.

Nuestra fe católica es un regalo de Dios. Jesús nos enseñó que la fe es necesaria para ganar la vida eterna. La fe viene a nosotros sólo porque Dios nos da ese regalo. No ganamos el regalo de la fe.

En respuesta al amor de Dios, vivimos nuestra fe como discípulos de Jesucristo y como pueblo de Dios. Jesús es el principal maestro de nuestra fe. Jesús también nos dio la Iglesia que nos ayuda a aprender sobre nuestra fe y cómo vivirla.

Algunas veces es difícil entender todo acerca de Dios y nuestra fe. Muchas cosas acerca de Dios son llamadas misterios de fe, como por ejemplo la Santísima Trinidad. Nadie puede entender completamente los misterios. Creemos porque Dios lo ha revelado o nos lo ha dejado saber. La Iglesia nos enseña sobre los milagros, ellos son parte de nuestra fe.

Nuestra Iglesia tiene varias oraciones llamadas credos para resumir nuestras creencias. Rezamos el Credo de Nicea en la misa.

Reproducimos otro credo en la página 240. Este credo es llamado Credo de los Apóstoles porque fue desarrollado de las primeras enseñanzas de la Iglesia. Este Credo describe las verdades más importantes de nuestra fe católica: Hay un solo Dios pero tres divinas Personas en un Dios. Llamamos a esta verdad Santísima Trinidad.

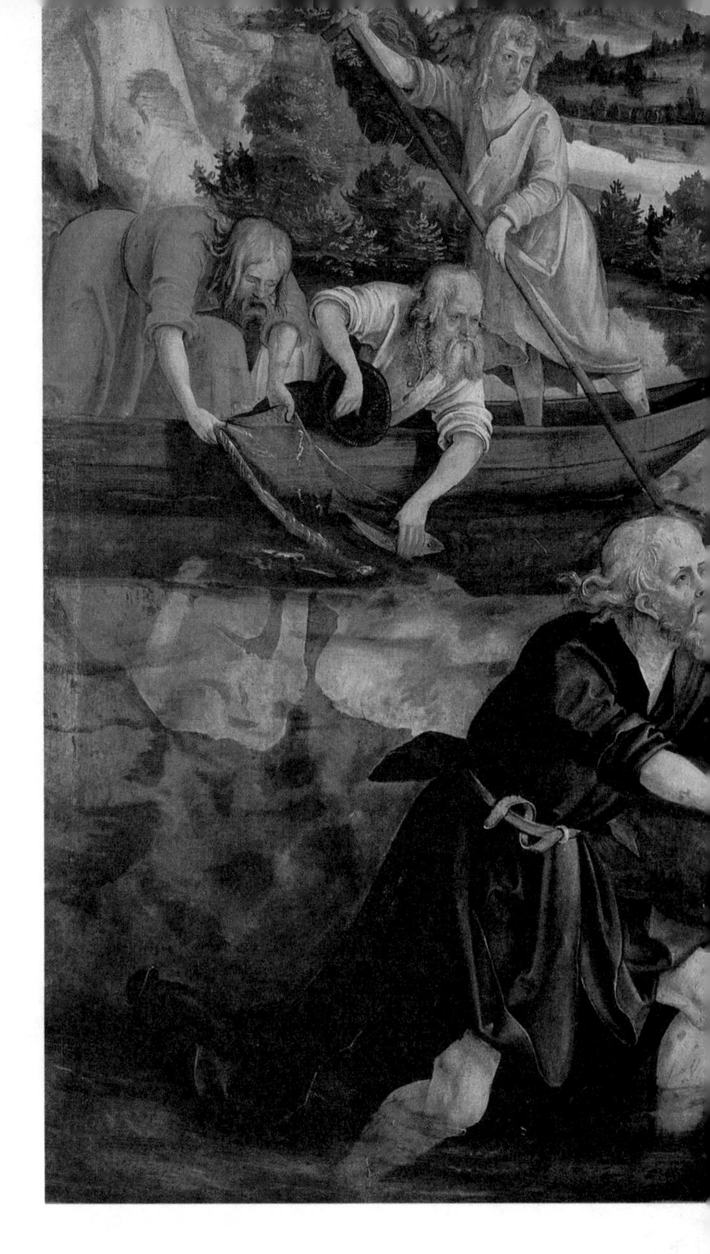

Nuestra fe requiere que practiquemos lo que creemos y pongamos nuestra fe en acción. He aquí algunas formas en que podemos hacerlo:

- Debemos aprender lo más que podamos acerca de nuestra fe.
- Debemos celebrar los sacramentos con frecuencia, especialmente la Eucaristía y la Reconciliación.
- Todos los días debemos tomar decisiones que demuestren que vivimos la Ley del Amor y estamos trabajando para el reino de Dios.
- Debemos evitar toda forma de prejuicio.
- Debemos tratar de trabajar por la paz en nuestras vidas y rezar por la paz en el mundo.

ter *Walking on Water*, H.V. Kulmbach, circa 1500

The Virtue of Faith

A *virtue* is the habit of doing something good. We find virtues such as courage, honesty, and justice in many people.

In our relationship with God we are asked to practice the special virtues of faith, hope, and love every day. Each of these virtues is a gift from God.

Our Catholic faith is a gift from God. Jesus taught us that faith is necessary for us to gain eternal life. Faith comes to us only because God gives us this gift. We do not earn the gift of faith.

In response to God's love, we live our faith as disciples of Jesus Christ and as God's own people. Jesus is the greatest teacher of our faith. Jesus also gave us the Church to help us learn about and live our faith together.

Sometimes it is difficult to understand everything about God and our faith. Many things about God are called mysteries of faith, such as the Blessed Trinity. No one can fully understand these mysteries. We believe them because God has revealed, or made them known, to us. The Church teaches them to us, and they are part of our faith.

Our Church has several prayers called creeds that summarize what we believe. We pray the Nicene Creed at Mass.

On page 241 is another creed. It is called the Apostles' Creed because it developed from the very early teachings of the Church. The Apostles' Creed describes the most important truth of our Catholic faith: There is one God but three divine Persons in the one God. We call this truth the mystery of the Blessed Trinity.

Our faith requires that we practice what we believe and put our faith into action. Here are some ways we can do this:

- We should learn as much as we can about our faith.
- We should celebrate the sacraments often, especially Eucharist and Reconciliation.
- We should make decisions each day that show we are living the Law of Love and building up the reign of God.
- We should avoid all forms of prejudice.
- We should try to be peacemakers in our lives and pray for peace in the world.

VOCABULARIO

Fe es la virtud que nos capacita para confiar y creer en Dios, aceptar lo que Dios ha revelado y vivir de acuerdo a su voluntad.

El Credo de los Apóstoles

Creo en Dios, Padre todopoderoso,
Creador del cielo y de la tierra.

El Credo de los Apóstoles cuenta la historia del amor de Dios por nosotros. Está dividido en tres partes. La primera parte del Credo Apostólico nos habla de Dios Padre, quien nos da vida.

Creo en Jesucristo, su único Hijo, nuestro Señor,
que fue concebido por obra y gracia del Espíritu Santo,
nació de santa María Virgen,
padeció bajo el poder de Poncio Pilato,
fue crucificado, muerto y sepultado,
descendió a los infiernos,
al tercer día resucitó de entre los muertos,
subió a los cielos
y está sentado a la derecha de Dios, Padre todopoderoso.
Desde allí ha de venir a juzgar a vivos y muertos.

La segunda parte habla del Dios Hijo, quien se hizo nuestro Salvador y el Salvador de todo el mundo. Dios Hijo se hizo uno de nosotros para salvarnos del pecado. Jesús murió en la cruz y resucitó de la muerte para traernos nueva vida. El nos redimió y libertó del poder del pecado. Es el signo perfecto del amor de Dios por nosotros.

Creo en el Espíritu Santo,
la santa Iglesia católica,
la comunión de los santos,
el perdón de los pecados,
la resurrección de la carne
y la vida eterna. Amén.

La tercera parte del Credo de los Apóstoles habla primero de Dios Espíritu Santo, quien es nuestro santificador, el que nos hace santos.

Luego el Credo nos recuerda que debemos creer que la Iglesia fue fundada por Jesús. Estamos unidos a todo bautizado vivo o difunto.

Creemos que nuestros pecados son perdonados si verdaderamente estamos arrepentidos de ellos y que resucitaremos para vivir con Dios para siempre en el cielo.

FAITH WORD

Faith is a virtue that enables us to trust and believe in God, to accept what God has revealed, and to live according to God's loving will.

The Apostles Creed

I believe in God, the Father almighty,
creator of heaven and earth..

The Apostles' Creed tells the story of God's love for us. It is divided into three parts. The first part of the Apostles' Creed tells us about God the Father, who gives us life.

I believe in Jesus Christ,
his only Son, our Lord.
He was conceived by the power
of the Holy Spirit
and born of the Virgin Mary.
He suffered under Pontius Pilate,
was crucified, died, and was buried.
He descended to the dead.
On the third day he rose again.
He ascended into heaven,
and is seated at the right hand of the Father.
He will come again to judge
the living and the dead.

The second part speaks of God the Son, who became our Savior and the Savior of all people. God the Son became one of us to save us from sin. Jesus died on the cross and rose from the dead to bring us new life. He redeemed us and freed us from the power of sin. He is the perfect sign of God's love for us.

I believe in the Holy Spirit,
the holy, catholic Church,
the communion of saints,
the forgiveness of sins,
the resurrection of the body,
and the life everlasting.
Amen.

The third part of the Apostles' Creed talks first of God the Holy Spirit, who is our sanctifier, the one who makes us holy.

Then the Creed reminds us that we are to believe that the Church was founded by Jesus. We are in union with all baptized persons, living and dead.

We believe that our sins will be forgiven if we are truly sorry for them, and that we will rise again to live with God forever in heaven.

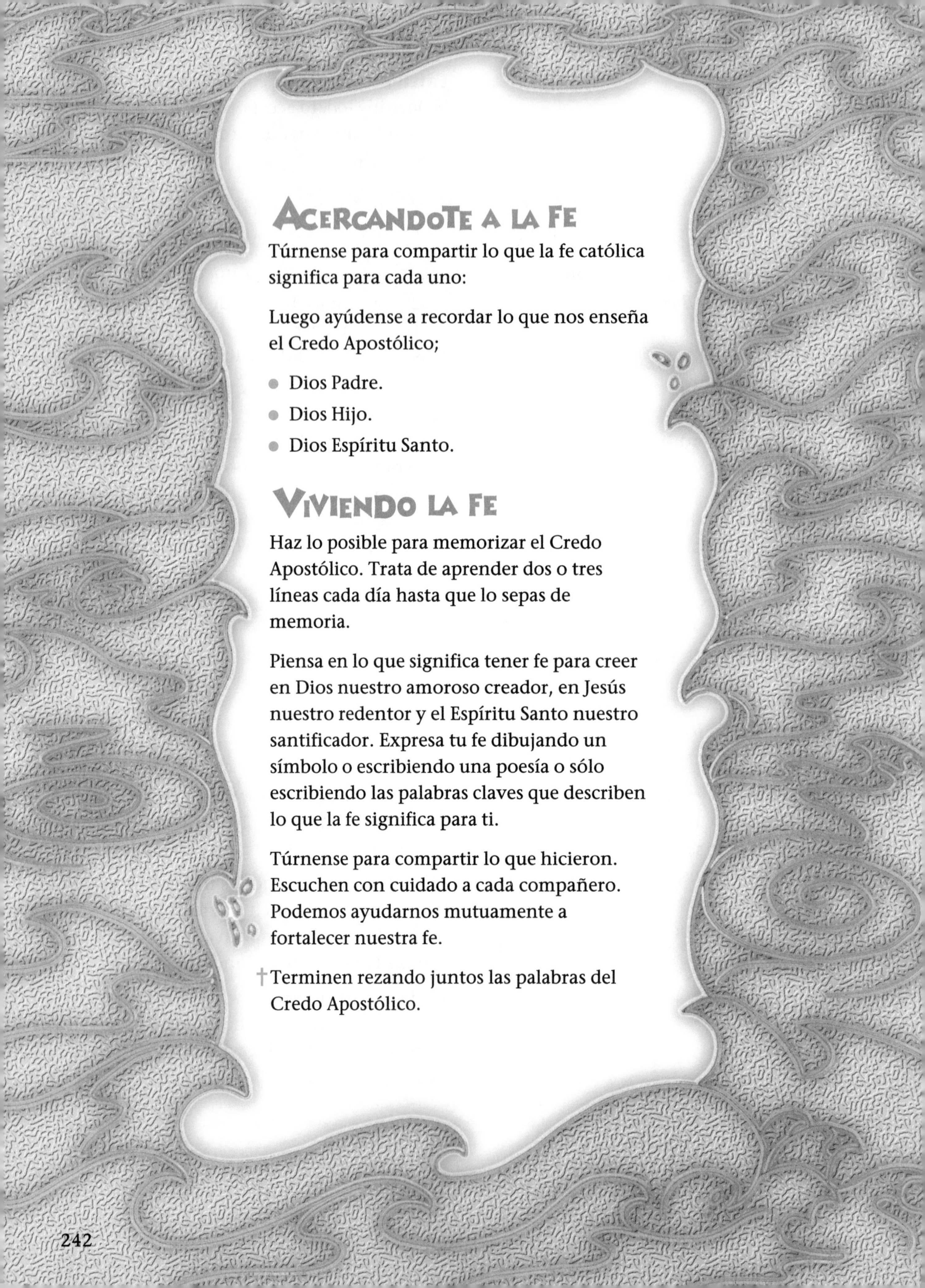

Acercandote a la fe

Túrnense para compartir lo que la fe católica significa para cada uno:

Luego ayúdense a recordar lo que nos enseña el Credo Apostólico;

- Dios Padre.
- Dios Hijo.
- Dios Espíritu Santo.

Viviendo la fe

Haz lo posible para memorizar el Credo Apostólico. Trata de aprender dos o tres líneas cada día hasta que lo sepas de memoria.

Piensa en lo que significa tener fe para creer en Dios nuestro amoroso creador, en Jesús nuestro redentor y el Espíritu Santo nuestro santificador. Expresa tu fe dibujando un símbolo o escribiendo una poesía o sólo escribiendo las palabras claves que describen lo que la fe significa para ti.

Túrnense para compartir lo que hicieron. Escuchen con cuidado a cada compañero. Podemos ayudarnos mutuamente a fortalecer nuestra fe.

† Terminen rezando juntos las palabras del Credo Apostólico.

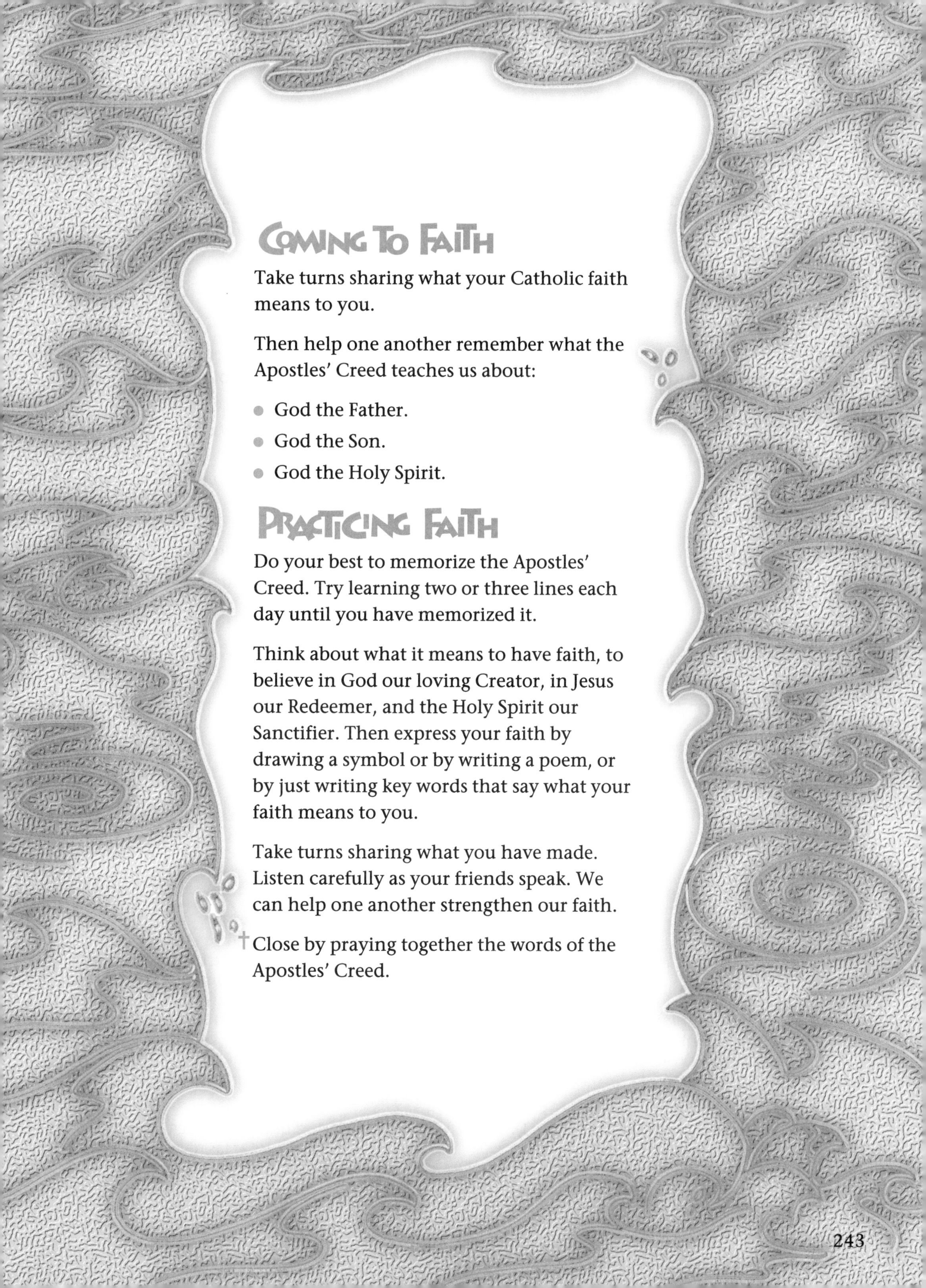

Coming to Faith

Take turns sharing what your Catholic faith means to you.

Then help one another remember what the Apostles' Creed teaches us about:

- God the Father.
- God the Son.
- God the Holy Spirit.

Practicing Faith

Do your best to memorize the Apostles' Creed. Try learning two or three lines each day until you have memorized it.

Think about what it means to have faith, to believe in God our loving Creator, in Jesus our Redeemer, and the Holy Spirit our Sanctifier. Then express your faith by drawing a symbol or by writing a poem, or by just writing key words that say what your faith means to you.

Take turns sharing what you have made. Listen carefully as your friends speak. We can help one another strengthen our faith.

† Close by praying together the words of the Apostles' Creed.

REPASO

Aparea.

1. virtud

2. Credo Apostólico

3. virtud teologal

4. fe

_____ nos capacita para creer y confiar en Dios

_____ amor

_____ el hábito de hacer lo bueno

_____ profesión de nuestra fe

_____ es una afirmación sobre la santidad

5. ¿Cómo vas a compartir tu regalo de la fe en tu hogar?

____

____

FE VIVA

EN EL HOGAR Y EN LA PARROQUIA

En este capítulo los niños aprendieron algo más sobre la fe y su necesidad para nuestra salvación. Esta es la primera de las tres grandes virtudes que son el centro de nuestra identidad católica. Son llamadas teologales porque pertenecen a nuestra relación con Dios.

Juntos lean en la Biblia la historia de Jesús caminado sobre las aguas (Mateo 14:22–23). Piensen en tiempos difíciles que cada miembro de la familia ha pasado al tratar de vivir la fe. Luego hablen acerca del tipo de fe que Jesús quiere que tengamos en él. Fe es un regalo de Dios, regalo que alimentamos en nuestra comunidad religiosa durante toda nuestra vida. La familia es esencial para fomentar la fe. Pida a Dios que ayude a sus familiares a darse ejemplo unos a otros de como vivir la fe cristiana.

Resumen de la fe

- Las virtudes de fe, esperanza y caridad son regalos de Dios.
- Fe es una virtud que nos capacita para confiar y creer en Dios, aceptar las revelaciones de Dios y vivir de acuerdo a su voluntad.
- Los credos de la iglesia resumen nuestras creencias.

REVIEW ■ TEST

Match.

1.	virtue	_____	enables us to trust and believe in God
2.	Apostles' Creed	_____	love
3.	a theological virtue	_____	the habit of doing good
4.	faith	_____	a profession of our faith
		_____	is a statement about sainthood

5. How will you share the gift of faith at home?

____

____

____

FAITH ALIVE AT HOME AND IN THE PARISH

In this chapter your fifth grader has learned more about the virtue of faith and its necessity for our salvation. This is the first of the three great virtues that are at the core of our Catholic identity. They are sometimes called the theological virtues because they pertain to our relationship with God.

Read together the Bible story of Jesus walking on the water (Matthew 14:22–33). Think about the hard times that each family member has faced in trying to practice faith. Then talk about the kind of faith that Jesus wants us to have in him. Faith is a gift from God. But we are to nurture this gift in the community of the Church throughout our lives. The family, too, is essential in nurturing faith. Ask God to help the members of your family to give one another the example of a lived Christian faith.

Faith Summary

- The virtues of faith, hope, and love are gifts from God.
- Faith is a virtue that enables us to trust and believe in God, to accept what God has revealed, and to live according to God's will.
- The creeds of the Church summarize what we believe.

25 Dios nos llena de esperanza

Jesús, ponemos nuestra esperanza en ti.

Nuestra Vida

El Papa Juan Pablo II ama a los jóvenes. El se alegra de estar con ellos y de escuchar lo que ellos dicen acerca de su vida y su fe. El siempre les ofrece mensajes de esperanza.

Después de reunirse con el Santo Padre, he aquí lo que un grupo de jóvenes dijo:

"Creo que el Papa es fenomenal, él me hace sentir que las cosas son mejores de lo que yo pensaba".

"El nos dijo cuanto la Iglesia necesita de nosotros y lo importante que somos, ¡Eso es fabuloso!".

"Nos dijo que somos el futuro de la Iglesia. Me hace sentir que la juventud puede hacer la diferencia".

¿Conoces a alguien que está lleno de esperanza? Háblanos de esa persona.

¿Qué significa esperanza en tu vida?

¿Conoces a alguien que está lleno de esperanza? Háblanos de esa persona.

¿Qué significa esperanza en tu vida?

Compartiendo la Vida

¿Te has sentido desamparado alguna vez? Cuéntanos acerca de la experiencia. Explica lo que hiciste y por qué.

Hablen y compartan las razones por qué los cristianos siempre deben tener esperanza.

25 God Fills Us with Hope

Jesus,
we place all
our hope
in you.

Our Life

Pope John Paul II loves young people. He enjoys being with them and hearing what they have to say about their lives and about their faith. He always brings them a message of hope.

After meeting with the Holy Father, here is what a group of young people had to say:

"I think the pope is great! He makes me feel that things are better than I thought."

"Wow! He told us how much the Church needs us and how important we are. That's cool!"

"He told us that we are the future of the Church. He made me feel that young people like us can make a difference."

Do you know anyone who is filled with hope? Tell about him or her.

What do you think it means to be a person of hope?

What does hope mean in your life now?

Sharing Life

Have you ever been in a situation in which you felt hopeless? Tell about it. Explain what you did and why.

Talk together and share reasons why Christians should always have hope.

NUESTRA FE CATOLICA

La virtud de esperanza

Con frecuencia usamos la palabra esperanza que significa "desearía que pasara". Cuando decimos "me gustaría que tuviéramos un bonito fin de semana", estamos deseando que el tiempo sea bueno. La virtud de la esperanza significa mucho más que este tipo de esperanza o deseo.

Vivimos la virtud de la esperanza cuando confiamos en que Dios nos ayudará en toda situación, sin importar cual sea el problema.

La esperanza, al igual que la fe, es un don de Dios. Somos capaces de tener esperanza porque Dios promete amarnos siempre. Nuestra confianza en Dios nos ayuda a vivir con esperanza.

Jesús es nuestra gran fuente de esperanza. Confiamos en la promesa de Jesús de que nuestras acciones harán la diferencia. Cuando los cristianos esperan la venida del reino de Dios no estamos sólo deseando. Hacemos diariamente todo lo que podemos para que llegue. Con la ayuda del Espíritu Santo, hacemos lo que está a nuestro alcance para hacer la voluntad de Dios, sabiendo que nuestra vida puede hacer la diferencia.

Todos los días leemos sobre tristezas y sufrimientos. Tendemos a pensar si Dios nos ha olvidado. Tener esperanza no significa esperar que Dios resuelva todos nuestros problemas. Con la ayuda de la gracia de Dios podemos trabajar juntos por el reino de Dios.

Hace dos mil años, San Pablo también vivió en un mundo lleno de problemas. Los cristianos eran perseguidos y asesinados por su fe en Jesucristo. Parecía como si la Iglesia, que empezaba, no duraría.

En Romanos 8:39, San Pablo escribió a los cristianos de Roma animándoles a tener esperanza diciéndoles que nada: "Podía apartarlos del amor de Dios, que encontramos en Cristo Jesús, nuestro Señor".

Michelangelo, *Pietà*, (15th century)

The Virtue of Hope

Often we use the word hope to mean "wish and expect." When we say, "I hope it will be nice this weekend," we are wishing for good weather. The virtue of hope means much more than this kind of wishing or expecting.

We practice the virtue of hope when we trust that God will help us in every situation, no matter what our problem is.

Hope, like faith, is a gift from God. We are able to have hope because God promises to love us always. Our confidence in God helps us to live as people with hope.

Jesus is our greatest source of hope. We trust in Jesus' promise that our actions will make a difference. When Christians hope that God's reign will really come, we are not just wishing. We do all that we can each day to make it happen. With the help of the Holy Spirit, we do our best to do God's loving will, knowing that our lives can make a difference.

Everyday we read about sadness and suffering. We are tempted to wonder whether God has forgotten us. To hope does not mean to wait for God to solve all our problems. With the help of God's grace, we must work together for the reign of God.

Two thousand years ago, Saint Paul also lived in a world filled with problems. Christians were being persecuted and killed for their faith in Jesus Christ. It looked as if the Church, which had just begun, would not last.

In Romans 8:39, Saint Paul wrote to the Christians in Rome to encourage them to have hope, telling them that there was nothing in all creation that would ever be able to separate them from the love of God which was theirs—and is ours—through Christ Jesus our Lord.

Como cristianos esperamos la vida eterna. Esta esperanza nos da valor para rezar por las almas del purgatorio. En la misa rezamos por los que han muerto y esperan resucitar de nuevo. También esperamos el gozo eterno de ver la gloria de Dios en el cielo.

María, signo de esperanza

María es un signo especial de esperanza para nosotros. La Santísima Virgen María fue el primer y mayor de los discípulos de Jesús. María es la Madre de la Iglesia.

La Iglesia enseña que cuando María murió, Jesús la llevó en cuerpo y alma con él al cielo. Llamamos a este evento la asunción de María. Celebramos este evento el 15 de agosto. La asunción de María fortalece nuestra esperanza de que también viviremos para siempre en el cielo.

Podemos pedir a María que nos ayude a esperar que podamos hacer buenas cosas por el mundo. Un día nuestra esperanza será satisfecha. También nosotros, como María, gozaremos de la vida con Dios por siempre en el cielo.

La Iglesia continúa enseñando un mensaje de esperanza al mundo. Cada vez que rezamos y celebramos los sacramentos con nuestra comunidad parroquial, mostramos que tenemos esperanza en que el reino de Dios vendrá.

VOCABULARIO

Esperanza es una virtud que nos capacita para confiar en que la voluntad de Dios está con nosotros siempre.

FAITH WORD

Hope is a virtue that enables us to trust that God will be with us in every situation.

As Christians we have the hope of eternal life as well. This hope encourages us to pray for the souls in purgatory. At Mass we pray for those who have died in the hope of rising again. We also hope to enjoy forever the vision of God's glory in heaven.

Mary, A Sign of Hope

Mary is a special sign of hope for us. The Blessed Virgin Mary was Jesus' first and greatest disciple. Mary is the Mother of the Church.

The Church teaches that at the end of her life, Jesus brought Mary, body and soul, to be with him forever in heaven. We call this Mary's assumption. We celebrate this event on August 15. Mary's assumption strengthens our hope that we, too, will live forever in heaven.

We can ask Mary to help us hope that we can make things better in the world. Then one day our hope will be fulfilled. We, too, like Mary, will enjoy life with God forever in heaven.

The Church today continues to bring a message of hope to the whole world. Each time we pray and celebrate the sacraments with our parish community, we show that we have hope that God's reign will come.

Acercandote a la Fe

Como cristianos debemos mostrar esperanza en Dios de diferentes formas. Discute lo que harás para vivir la virtud de la esperanza en cada una de estas situaciones. ¿Por qué?

- Todo en casa parece irremediable. Parece que nadie entiende. Quieres escapar.
- La gente está siendo tratada injustamente y con prejuicio por su color o su religión.
- La violencia parece ser una forma de vida; los jóvenes están muriendo en nuestras calles.

Viviendo la Fe

Compartan formas en que pueden ser signos de esperanza en sus hogares y vecindarios. Escríbanlo en la vela. Luego reúnanse en un círculo. Túrnense y levantando sus velas lean en voz alta la decisión de esperanza. Luego recen:

†**Guía:** Vamos a rezar por esperanza para otros y para nosotros.

Todos: Somos un pueblo de esperanza.

Guía: Dios, nuestro creador, ayuda a los que no tienen esperanza.

Todos: Somos un pueblo de esperanza.

Guía: Jesucristo, nuestro redentor, ayuda a los que son víctimas de las drogas. Libéralos de sus acciones desesperanzadas.

Todos: Somos un pueblo de esperanza.

Guía: Espíritu Santo, nuestro santificador, ayuda al pueblo, especialmente a los de nuestra edad, que quieren dañar o terminar con sus vidas. Libéralos de sus desesperanzas.

Todos: Somos un pueblo de esperanza.

Guía: Dios de amor, ayuda a cada uno de nosotros a ser una persona de esperanza.

Todos: Amén.

Coming To Faith

As Christians we can show hope in God in many ways. Discuss what you would do to live the virtue of hope in each of these situations. Why?

- Everything at home seems hopeless. No one seems to understand you. You feel like running away.
- People are being treated unfairly and with prejudice because of their race or religion.
- Violence seems to be a way of life; young people are losing their lives on our streets.

Practicing Faith

Share with one another ways you can be signs of hope in your homes and neighborhood. Write on the candle one way you will do this. Then gather in a circle with your friends. Take turns holding up your candle and reading aloud your decision of hope. Pray together:

†**Leader:** Let us pray for hope for others and for ourselves.

All: We are people of hope.

Leader: God, our Creator, help those who have given up hope.

All: We are people of hope.

Leader: Jesus Christ, our Redeemer, help those who suffer from addiction. Free them from their hopeless actions.

All: We are people of hope.

Leader: Holy Spirit, our Sanctifier, help all people, especially those our age, who want to hurt themselves or even end their lives. Take away their hopelessness.

All: We are people of hope.

Leader: Loving God, help each one of us to be a person of hope.

All: Amen.

REPASO

Encierra en un círculo la letra al lado de la respuesta correcta.

1. En la asunción, María.
  a. escuchó el mensaje del ángel
  b. fue llevada en cuerpo y alma al cielo.
  c. dio a luz a su hijo.

2. Esperanza significa confiar en que
  a. la voluntad de Dios estará con nosotros en toda situación.
  b. todo será de la manera que queremos.
  c. nunca tendremos problemas.

3. Dios nos da esperanza para que
  a. nunca suframos.
  b. podamos para cambiar el mundo.
  c. podamos amar a otros.

4. La mayor fuente de esperanza para los cristianos es
  a. las maravillas de la creación.
  b. el ejemplo de los santos.
  c. la vida, muerte y resurrección de Jesús.

5. ¿Cómo serás un signo de esperanza esta semana?

____

____

____

EN EL HOGAR Y EN LA PARROQUIA

En este capítulo los niños aprendieron algo más acerca de la virtud de la esperanza. Ayude a la familia a entender que para los cristianos el misterio pascual, la vida, muerte y resurrección de Jesús, es nuestra mayor fuente de esperanza. Por la resurrección sabemos que el Cristo resucitado está verdaderamente con nosotros. El está ahí para traernos nueva vida, para ayudarnos a evitar el pecado y para hacer la voluntad de Dios. Podemos vivir con esperanza porque sabemos que siempre podemos confiar en Dios.

Hable con la familia, de las cosas que pueden hacer para ser signos de esperanza para otros. Pida al Espíritu Santo guiar en esperanza a toda su familia y toda la comunidad de la Iglesia. Recuerde las palabras de Jesús: "Estaré con ustedes siempre hasta el fin de los tiempos" (Mateo 28:20). Finalmente, mire a María como ejemplo de verdadera esperanza cristiana.

Resumen de la fe

- Esperanza es la virtud que nos ayuda a confiar en que Dios estará con nosotros en toda situación.
- Jesús es nuestra mayor fuente de esperanza.
- María, la Madre de la Iglesia, es un signo de esperanza para nosotros.

REVIEW ▪ TEST

Circle the letter beside the correct answer.

1. At the assumption, Mary
   a. heard the angel's message.
   b. was taken, body and soul, into heaven.
   c. gave birth to Jesus.

2. Hope means trusting that
   a. God will be with us in every situation.
   b. everything will be just the way we wish.
   c. we will never have any problems.

3. God gives us hope so that we
   a. will never suffer.
   b. will do what we can to change the world.
   c. will love others.

4. The Christian's greatest source of hope is
   a. the wonders of creation.
   b. the example of the saints.
   c. the life, death, and resurrection of Jesus.

5. How can you be a sign of hope to someone this week?

____

____

____

FAITH ALIVE AT HOME AND IN THE PARISH

In this chapter your fifth grader has learned more about the virtue of hope. Help your family to understand that for Christians, the paschal mystery—the life, death, and resurrection of Jesus—is our greatest source of hope. Because of Easter, we know that the risen Christ is truly with us. He is there to bring us new life, to help us avoid sin, and to do God's loving will. We can live in hope because we know that we can always rely on God.

Talk about things your family can do to be a sign of hope to others. Ask the Holy Spirit to guide your family and the entire community of the Church in hope. Remember Jesus' words to us, "I am with you always, until the end of the age" (Matthew 28:20). Finally, look to Mary as an exemplar of true Christian hope.

Faith Summary

- Hope is the virtue that enables us to trust that God will be with us in every situation.
- Jesus is our greatest source of hope.
- Mary, the Mother of the Church, is a sign of hope for us.

26 El don de la caridad de Dios

Jesús, ayúdanos a amarnos unos a otros como tú nos amas.

Nuestra vida

El apóstol Juan escribió una extensa carta a los cristianos en los inicios de la Iglesia. El estaba preocupado de que algunos se abrumaran con las presiones del mundo y olvidaran las enseñanzas más importantes de Jesús acerca de como vivir.

¿Cuáles crees son las enseñanzas más importantes de Jesús acerca de la forma en que debemos vivir?

He aquí un fragmento de la carta de Juan. Léela como si hubiese sido escrita directamente a ti.

Queridos míos, amémonos los unos a los otros, porque el amor viene de Dios. Todo el que ama ha nacido de Dios y conoce a Dios. El que no ama, no ha conocido a Dios, pues Dios es amor. Envió Dios su Hijo Unico a este mundo para darnos la vida por medio de él. Así se manifestó el amor de Dios entre nosotros. No somos nosotros los que hemos amado a Dios sino que él nos amó primero y envió a su Hijo como víctima por nuestros pecados en esto está el amor. Queridos, si tal fue el amor de Dios, también nosotros debemos amarnos mutuamente.

1 de Juan 4:7–11

¿Qué escuchaste en la carta de Juan que puede ayudarte?

Juan usa la palabra amor muchas veces, ¿qué crees que Juan quiere decir con amor?

Compartiendo la vida

Explica: ¿Cómo puedes amar a

- los extraños?
- los que son diferentes a nosotros?

¿Qué esperan de nosotros Jesús y Juan cuando dicen "ámense unos a otros"?

26 The Gift of God's Love

Jesus, help us to love others as you love us.

Our Life

The apostle John once wrote a long letter to the Christians of the early Church. He was concerned that some might be overcome by the pressures of the world and forget the most important teaching of Jesus' way of life.

What do you think is the most important teaching of Jesus about the way we should live?

Here is a part of John's letter. Listen to it as if he is writing it directly to you.

> Beloved, let us love one another, because love is of God; everyone who loves is begotten by God and knows God. Whoever is without love does not know God, for God is love. In this way the love of God was revealed to us: God sent his only Son into the world so that we might have life through him. In this is love: not that we have loved God, but that he loved us and sent us his Son as expiation for our sins. Beloved, if God so loved us, we also must love one another.
>
> 1 John 4:7–11

What did you hear from John's letter for your life?

John uses the word *love* ten times! What do you think John means by *love*?

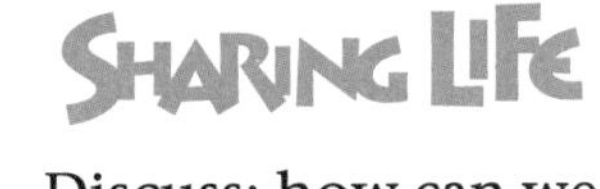

Discuss: how can we love those who are

- strangers to us?
- different from us?

What does Jesus, and John, expect of us when they say "love one another"?

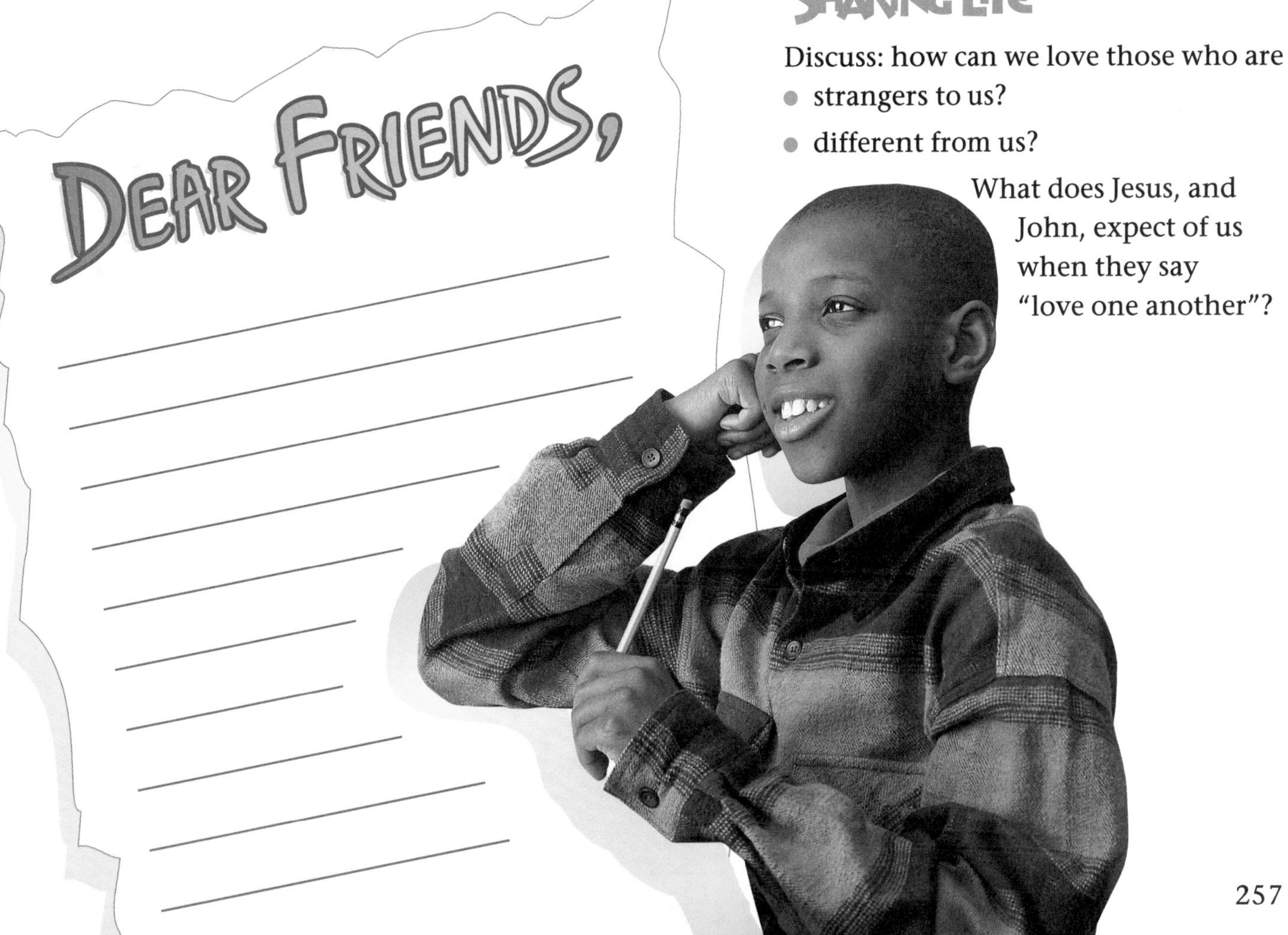

NUESTRA FE CATOLICA

La virtud de la caridad

La virtud de la caridad es uno de los grandes dones de Dios a nosotros. Porque hemos sido creados a su imagen y semejanza, hemos sido creados para amar y ser amados. El vivir la virtud de la caridad es lo que nos hace semejantes a Dios.

Vivimos la virtud de la caridad no sólo con palabras y sentimientos, sino especialmente con lo que hacemos por otros. No debemos dar o hacer algo por otros sólo cuando nos conviene. Para vivir la virtud de la caridad se debe sacrificar o dar algo, para mostrar nuestro amor por Dios y por los demás.

Toda la vida de Jesús fue un acto de amor. El contó esta historia a sus seguidores para ayudarles a entender la importancia de la virtud de la caridad para vivir el reino de Dios.

Jesús dijo que al final de los tiempos él diría: "¡Vengan, los bendecidos por mi Padre! Tomen posesión del reino que ha sido preparado para ustedes desde el principio del mundo. Porque tuve hambre y ustedes me alimentaron; tuve sed y ustedes me dieron de beber. Pasé como forastero y ustedes me recibieron en su casa. Anduve sin ropas y me vistieron. Estaba enfermo y fueron a visitarme. Estuve en la cárcel y me fueron a ver".

Mateo 25:34–36

The Virtue of Love

The virtue of love is one of God's greatest gifts to us. Because we are created in God's image and likeness, we are made to love and be loved. Living the virtue of love is what makes us most like God.

We practice the virtue of love not just with words and feelings, but especially by what we do for others. We should not give to others or do for others only when it is convenient for us. To live the virtue of love we must often sacrifice, or give up something, to show our love for God and others.

Jesus' whole life was an act of love. He once told his followers this powerful story to help them better understand how important the virtue of love is in living for God's reign.

Jesus said that at the end of time he will say, "Come, you who are blessed by my Father. Inherit the kingdom prepared for you from the foundation of the world. For I was hungry and you gave me food, I was thirsty and you gave me drink, a stranger and you welcomed me, naked and you clothed me, ill and you cared for me, in prison and you visited me."

Matthew 25:34–36

Los seguidores preguntarán: "¿Cuándo hicimos estas cosas por ti?"

Jesús contestará: "Cuando lo hicieron con alguno de estos más pequeños, que son mis hermanos, lo hicieron conmigo".
Basado en Mateo 25:31–46

VOCABULARIO

Caridad es la virtud que nos capacita para amar a Dios, a nuestro prójimo y a nosotros mismos.

Jesús estaba enseñando a sus discípulos que el amor exige acción. La virtud de la caridad exige que lleguemos a otros, especialmente a los necesitados. El verdadero amor que Jesús nos enseñó nos exige que tratemos a todo el mundo con justicia y equidad.

La mayor de las virtudes

En nuestra tradición cristiana, conocemos alguna formas específicas de practicar la virtud de la caridad. Estas son las obras corporales y espirituales de misericordia.

Las obras corporales de misericordia nos enseñan como preocuparnos del bienestar físico de nuestro prójimo. Las obras espirituales nos muestran como cuidar del bienestar espiritual.

Cuando practicamos la virtud de la caridad, nos damos cuenta por qué San Pablo termina su descripción del amor diciendo que de las tres virtudes: fe, esperanza y caridad, "la mayor de todas es la caridad" (1 de Corintios 13:13).

Obras espirituales de misericordia

- Compartir el conocimiento.
- Aconsejar al que lo necesite.
- Consolar al que sufre.
- Ser paciente.
- Perdonar al que nos ofende.
- Corregir al que lo necesite.
- Rezar unos por otros.

Obras corporales de misericordia

- Dar de comer al hambriento.
- Dar de beber al sediento.
- Albergar al desamparado.
- Vestir al desnudo.
- Cuidar de los enfermos.
- Visitar a los prisioneros.
- Enterrar a los muertos.

The followers will ask, "Lord, when did we do all these things for you?"

Jesus will reply, "Whatever you did for one of these least brothers of mine, you did for me."

Based on Matthew 25:31–46

Jesus was teaching his disciples that love demands action. The virtue of love demands that we reach out to others, especially to people in need. The true love that Jesus taught us demands that we treat others fairly and with justice.

The Greatest Virtue

In our Catholic tradition, we know some very specific ways to practice the virtue of love. These are called the Corporal and Spiritual Works of Mercy.

FAITH WORD

Love is a virtue that enables us to love God, our neighbor, and ourselves.

The Corporal Works of Mercy show us how to care for the physical well-being of our neighbors. The Spiritual Works of Mercy show us how to care for their spiritual well-being.

When we practice the virtue of love, we come to know why Saint Paul ends his description of love by saying that of the three virtues of faith, hope, and love, "the greatest of these is love" (1 Corinthians 13:13).

Corporal Works of Mercy

- Feed the hungry.
- Give drink to the thirsty.
- Shelter the homeless.
- Clothe the naked.
- Care for the sick.
- Help the imprisoned.
- Bury the dead.

Spiritual Works of Mercy

- Share knowledge.
- Give advice to those who need it.
- Comfort those who suffer.
- Be patient with others.
- Forgive those who hurt you.
- Give correction to those who need it.
- Pray for others.

Acercandote a la Fe

Escribe las obras espirituales y corporales de misericordia como afirmaciones de acción para que sea más fácil para ti practicarlas. Por ejemplo, puedes escribir: "Consolar a los que sufren", "puedo invitar a alguien que está siendo discriminado a pasar un rato con mis amigos".

Mi plan de acción

- Compartir el conocimiento.

  ____
  ____
  ____

- Ser paciente.

  ____
  ____
  ____

- Dar de comer al hambriento.

  ____
  ____
  ____

- Albergar al desamparado.

  ____
  ____
  ____

- Rezar por otros.

  ____
  ____
  ____

Viviendo la Fe

Hablen acerca de una obra de misericordia que pueden llevar a cabo como un proyecto del grupo esta semana. Por ejemplo:

- Trabajar en tu parroquia por los pobres y los desamparados. ¿Cómo pueden ayudar?
- ¿Puede un catequista usar la ayuda de algunos niños?

Planifica lo que puedes hacer. Luego hazlo. Termina escuchando de nuevo las palabras de la carta de San Juan en la página 256.

COMING TO FAITH

Rewrite these Corporal and Spiritual Works of Mercy as action statements so that it is easier for you to practice them. For example, you could rewrite "Comfort those who suffer" as "I can invite someone who is suffering from prejudice to spend time with my group of friends."

MY ACTION PLAN

- Share knowledge.

____

____

____

- Be patient with others.

____

____

____

- Feed the hungry.

____

____

____

- Shelter the homeless.

____

____

____

- Pray for others.

____

____

____

PRACTICING FAITH

Talk together about a work of mercy that you might take on as a group project this coming week. For example:

- Does your parish work for the poor and homeless? How can you help?
- Could a catechist use some help with younger children?

Plan what you can do. Then do it! End by listening again to the words from Saint John's letter on page 257.

REPASO

Contesta.

1. ¿Para qué nos capacita la virtud de la caridad?

____

____

2. ¿Cuándo dijo Jesús que practicáramos la virtud de la caridad?

____

____

3. Nombra las obras corporales de misericordia.

____

4. Nombra las obras espirituales de misericordia.

____

5. Nombra una forma en que practicarás la virtud de la caridad esta semana.

____

____

EN EL HOGAR Y EN LA PARROQUIA

En este capítulo los niños aprendieron algo más sobre la mayor de todas las virtudes, la caridad. Pida a su niño decirle lo que Jesús, Juan y Pablo querían decir con amor. Podemos ver el verdadero significado del amor cada vez que miramos un crucifijo. Es una vieja costumbre católica tener colgados crucifijos en las casas. Esta nos recuerda las palabras de Jesús acerca de su sacrificio—"Nadie tiene mayor amor que este". Mientras más cerca estamos de Jesús en nuestras vidas, mejor comprenderemos el verdadero significado del amor.

En la tradición cristiana el amor siempre demanda justicia; el verdadero amor es más que simple sentimiento. Revisen juntos la descripción que San Pablo hace del amor y los ejemplos que su niño escribió en la página 262. Luego hablen de las formas en que su familia y la parroquia pueden vivir la virtud de la caridad. Recuerde a su hijo que el verdadero amor sólo se logra con la práctica constante. Ayúdele a confiar en la guía del Espíritu Santo y la ayuda de la comunidad de la Iglesia para crecer como persona amorosa durante su vida.

Resumen de la fe

- Caridad es la virtud que nos capacita para amar a Dios, a nuestro prójimo y a nosotros mismos.
- Las obras espirituales y corporales de misericordia son formas específicas de practicar la virtud de la caridad.
- San Pablo nos dice que el amor es la mayor

REVIEW ▪ TEST

Answer.

1. What does the virtue of love enable us to do?

____

____

2. How did the Samaritan in the story Jesus told practice the virtue of Love?

____

____

3. Name a corporal work of mercy.

____

4. Name a spiritual work of mercy.

____

5. Name one way you will practice the virtue of love this week.

____

____

FAITH ALIVE AT HOME AND IN THE PARISH

In this chapter your fifth grader has learned more about the greatest virtue of all, love. Ask her or him to tell you what Jesus and John and Paul mean by love. We can see the true meaning of love each and every time we look at a crucifix. It is a longstanding custom for Catholics to have a crucifix displayed in their homes. It reminds us of Jesus' words about his sacrifice—"Greater love than this no one has." The closer we are to Jesus in our lives, the more we will comprehend love's truest meaning.

In Catholic tradition love always demands justice; true love means much more than a sentimental feeling. Go over together Saint Paul's description of love and the examples of it that your fifth grader did on page 261. Then talk about other ways your family and parish can live the virtue of love. Remind your son or daughter that true love is achieved only by a lifetime of practice. Help him or her to rely on the guidance of the Holy Spirit and the help of the Church community to grow as a loving person throughout life's journey.

Faith Summary

- Love is a virtue that enables us to love God, our neighbor, and ourselves.
- The Corporal and Spiritual Works of Mercy are some very specific ways to practice the virtue of love.
- Saint Paul tells us that love is the greatest Christian virtue.

REVISION DE LA PRIMERA UNIDAD

Jesucristo revela a Dios

Jesucristo es verdaderamente humano. Jesús fue como nosotros en todo menos en el pecado. Jesucristo es también verdaderamente divino. Jesús es el Hijo de Dios. Jesús reveló con sus palabras y obras que "Dios es amor" (1 Juan 4:8). Hoy, Dios obra a través de nosotros y de otras personas para mostrar el amor de Dios al mundo.

Jesucristo y el reino de Dios

Por sus palabras y acciones Jesús mostró que él era el Mesías. Jesús anunció la buena nueva del reino de Dios. La buena nueva es que Dios nos ama y siempre estará con nosotros.

Jesús trajo el reino de Dios por medio de sus palabras y acciones. Jesús nos mostró cómo vivir para el reino de Dios amando a Dios, a nuestro prójimo y a nosotros mismos.

Jesucristo bendice nuestras vidas

Jesucristo invita a todo el mundo a vivir para el reino de Dios. Jesús perdonó los pecados del pueblo. Por sus palabras y acciones Jesús vivió toda su vida ayudando y salvando a otros. Vivimos para el reino de Dios siguiendo el ejemplo de Jesús.

La Iglesia continúa la misión de Jesús

Después que Jesús ascendió al cielo, el Espíritu Santo vino a sus discípulos y les dio el don de predicar la buena nueva a todo el mundo. El Espíritu Santo continúa ayudando a la Iglesia a llevar la misión de Jesús al pueblo.

La Iglesia da la bienvenida a todo el que cree en Jesús y lo sigue. La Iglesia perdona y sana, como lo hizo Jesús. Todos los miembros de la Iglesia son llamados a continuar la misión de Jesús de servir a otros.

Los sacramentos y la Iglesia

Hay muchas señales del amor de Dios en nuestra vida diaria. La Iglesia es el sacramento de Jesús. El signo más efectivo de la presencia de Dios en la Iglesia son los siete sacramentos.

El Bautismo, la Confirmación y la Eucaristía son llamados sacramentos de iniciación. Por medio de estos sacramentos la Iglesia da la bienvenida a todo el mundo a la comunidad de la Iglesia.

La Reconciliación y la Unción de los Enfermos son sacramentos de sanación. Por medio de estos sacramentos la Iglesia nos brinda el perdón de Dios cuando pecamos y nos fortalece cuando estamos enfermos.

El Matrimonio y el Orden Sagrado son sacramentos de servicio. Por medio de estos sacramentos la Iglesia continúa la misión de servicio de Jesús, a través de los casados y los ministros ordenados: obispos, sacerdotes y diáconos.

UNIT 1 • REVIEW

Jesus Christ Reveals God

Jesus Christ is truly human. Jesus was like us in every way except that he never sinned. Jesus Christ is also truly divine. Jesus is God the Father's own Son. Jesus revealed by his words and deeds that "God is love" (1 John 4:8). Today, God works through us and other people to show his love in the world.

Jesus Christ and the Kingdom of God

Jesus showed by his words and actions that he was the Messiah. Jesus announced the good news of the kingdom, or reign, of God. The good news is that God loves us and will always be with us.

By his words and actions Jesus brought about the reign of God . Jesus showed us how to live for the reign of God by loving God, our neighbor, and ourselves.

Jesus Christ Blesses Our Lives

Jesus Christ invited everyone to live for the reign of God. Jesus forgave people their sins. By his words and actions Jesus lived his whole life helping and serving others. We live for the reign of God by following the example of Jesus.

The Church Carries on Jesus' Mission

After Jesus' ascension into heaven, the Holy Spirit came to Jesus' disciples and filled them with gifts to preach the good news to everyone. The Holy Spirit continues to help the Church to carry on the mission of Jesus to all people.

The Church welcomes all people to believe in Jesus and to follow him. The Church forgives and heals, as Jesus did. Every member of the Church is called to carry on Jesus' mission by serving others.

The Sacraments and the Church

There are many signs of God's love in our everyday life. The Church is the sacrament of Jesus. The most effective signs of God's presence in the Church are the seven sacraments.

Baptism, Confirmation, and Eucharist are called sacraments of initiation. Through these sacraments the Church welcomes all people into the community of the Church.

Reconciliation and the Anointing of the Sick are sacraments of healing. Through these sacraments the Church brings us God's forgiveness when we sin, and strengthens us when we are sick.

Matrimony and Holy Orders are sacraments of service. Through these sacraments the Church continues Jesus' mission of service through married couples and through our ordained ministers: bishops, priests, and deacons.

PRUEBA PARA LA PRIMERA UNIDAD

Encierra en un círculo la letra al lado de la respuesta correcta.

1. Encarnación significa que el Hijo de Dios
a. no es como nosotros.
b. es un ángel de Dios.
c. se hizo uno de nosotros.
d. dejó de ser Dios.

2. Jesús nos reveló que Dios
a. prefiere a los ricos.
b. se preocupa por todo el mundo.
c. se preocupa sólo por los buenos.
d. rechaza a los pecadores.

3. Jesús empezó su vida pública
a. naciendo en Belén.
b. anunciando el reino de Dios.
c. muriendo en la cruz.
d. enviando al Espíritu Santo.

4. Jesús ofreció el perdón de los pecados
a. sólo a los buenos.
b. sólo a los enfermos.
c. sólo a los ricos.
d. a todo el mundo.

5. Los signos más efectivos de la presencia de Jesús en la Iglesia son:
a. las iglesias parroquiales.
b. los sacerdotes.
c. el papa y los obispos.
d. los siete sacramentos.

Completa las siguientes oraciones.

6. Bautismo, Confirmación y la Eucaristía son llamados sacramentos de iniciación porque

____

____

7. Reconciliación y Unción de los Enfermos son llamados sacramentos de sanación porque

____

____

8. Matrimonio y Orden Sagrado son llamados sacramentos de servicio porque

____

____

9. Por reino de Dios queremos decir que

____

____

10. Podemos mostrar que vivimos para el reino de Dios con

____

____

Piensa y decide: Explica cómo puedes vivir uno de los sacramentos hoy.

____

Nombre ______________________________

Su niño ha completado la primera unidad de este curso. Pídale entregar esta hoja al catequista. Esto permitirá a usted y al catequista ayudar al niño a crecer en la fe.

_____ Mi hijo necesita ayuda en las partes del resumen que he señalado.

_____ Mi hijo entiende todo lo enseñado en esta unidad.

_____ Me gustaría hablar con usted. Mi número de teléfono es ______________.

(Firma) ______________________________

UNIT 1 • TEST

Circle the letter beside the correct answer.

1. By the incarnation we mean that the Son of God
   a. is not really like us.
   b. became an angel of God.
   c. became one of us.
   d. stopped being God.

2. Jesus revealed to us that God
   a. prefers rich people.
   b. cares for all people.
   c. cares only for good people.
   d. rejects sinners.

3. Jesus began his public ministry by
   a. being born in Bethlehem.
   b. announcing God's reign.
   c. dying on the cross.
   d. sending the Holy Spirit.

4. Jesus offered forgiveness of sins
   a. only to good people.
   b. only to sick people.
   c. only to wealthy people.
   d. to all people.

5. The most effective signs of Jesus' presence in the Church are the
   a. parish churches.
   b. priests.
   c. pope and bishops.
   d. seven sacraments.

Complete the following statements.

6. Baptism, Confirmation, and the Eucharist are called sacraments of initiation because

   ____

   ____

7. Reconciliation and Anointing of the Sick are called sacraments of healing because

   ____

   ____

8. Matrimony and Holy Orders are called sacraments of service because

   ____

   ____

9. By the reign of God we mean

   ____

   ____

10. We can show that we live for God's reign by

    ____

    ____

Think and Decide: Tell how you can live one of the sacraments today.

____

____

Child's name ____

Your fifth grader has just completed Unit 1. Take time now to evaluate how he or she is growing in understanding and living the faith. Check and return this page to your son's or daughter's teacher.

_____ My son/daughter needs help understanding the part of the Review I have underlined.

_____ My child understands how we can build up the kingdom, or reign, of God.

_____ I would like to speak with you. My phone number is ________________________.

(Signature) ________________________________

REVISION DE LA SEGUNDA UNIDAD

Jesucristo nos da vida (Bautismo)

El Bautismo es un sacramento de iniciación. En el Bautismo nacemos de nuevo por medio del agua y del Espíritu Santo. Participamos de la vida y la gracia de Dios y empezamos nuestra iniciación en la Iglesia, el cuerpo de Cristo. Un sacerdote o un diácono derrama agua en la cabeza de la persona que va ser bautizada diciendo, "(*nombre*), yo te bautizo en el nombre del Padre y del Hijo y del Espíritu Santo". Nuestro Bautismo nos llama a vivir para el reino de Dios.

Jesucristo nos fortalece (Confirmación)

La Confirmación es un sacramento de iniciación. En la Confirmación el Espíritu Santo nos llena con los dones que necesitamos para ser testigos de nuestra fe católica.

El obispo extiende sus manos sobre las cabezas de los que van a ser confirmados. El reza para que reciban los dones del Espíritu Santo. Luego unge a los candidatos diciendo: "(*Nombre*), te sello con el don del Espíritu Santo". Los dones del Espíritu Santo nos ayudan a vivir como testigos responsables de la buena nueva de Jesús.

Jesucristo nos alimenta (La Eucaristía)

Jesús es el Pan de Vida. El alimento que Jesús nos da en la Eucaristía es su propio cuerpo y sangre. En la Eucaristía recordamos que Jesús nos pidió hacer lo que él hizo en la última Cena. En esta comida y sacrificio, el pan y el vino se convierten en el cuerpo y la sangre de Cristo.

La Eucaristía es un sacramento de iniciación. La Eucaristía nos alimenta para vivir nuestra nueva vida en Dios. En la Eucaristía, Jesús está realmente presente. Por medio de la Eucaristía nos convertimos en sacrificio de alabanza viviente.

La Iglesia celebra la Eucaristía (La misa)

En la misa damos gracia a Dios por el regalo de Jesucristo. Las partes principales de la misa son la *Liturgia de la Palabra* y la *Liturgia de la Eucaristía*.

Los *Ritos Iniciales* nos preparan para escuchar la palabra de Dios y la celebracción de la Eucaristía. En la *Liturgia de la Palabra* escuchamos y respondemos la palabra de Dios. En la *Liturgia de la Eucaristía* nos unimos con Cristo para dar gracias a Dios por todos las cosas buenas que ha hecho. Nos ofrecemos con Cristo a Dios en el *Rito de Conclusión,* somos bendecidos y enviados a amar y a servir a Dios y a los demás.

La Iglesia recuerda (El año litúrgico)

En el año litúrgico, celebramos y entramos en la vida, muerte y resurrección de Jesús. El año litúrgico nos ayuda a vivir como seguidores de Cristo y a vivir en la presencia de Dios. Los tiempos litúrgicos son: Adviento, Navidad, Cuaresma, Triduo Pascual, Pascua y Tiempo Ordinario. Durante el año litúrgico también honramos a María y a los santos.

UNIT 2 • REVIEW

Jesus Christ Brings Us Life (Baptism)

Baptism is a sacrament of initiation. In Baptism we are born again through water and the Holy Spirit. We share in God's life, or grace, and begin our initiation into the Church, the body of Christ. A priest or deacon pours water on the head of the person being baptized saying, "*Name*, I baptize you in the name of the Father, and of the Son, and of the Holy Spirit." Our Baptism calls us to live for the reign of God.

Jesus Christ Strengthens Us (Confirmation)

Confirmation is a sacrament of initiation. In Confirmation the Holy Spirit fills us with the gifts we need to give witness to our Catholic faith.

The bishop extends his hands over the heads of those to be confirmed. He prays that they will receive the gifts of the Holy Spirit. He then anoints them, saying, "*Name*, be sealed with the Gift of the Holy Spirit." The gifts of the Holy Spirit help us to live as responsible witnesses to the good news of Jesus today.

Jesus Christ Feeds Us (Eucharist)

Jesus is the Bread of Life. The food that Jesus gives us in the Eucharist is his own Body and Blood. In the Eucharist we remember what Jesus asked us to do at the Last Supper. In this meal and sacrifice, ordinary bread and wine become the Body and Blood of Christ.

The Eucharist is a sacrament of initiation. The Eucharist nourishes us to live our new life with God. In the Eucharist, Jesus is really present. Through the Eucharist we become a living sacrifice of praise.

Our Church Celebrates the Eucharist (The Mass)

At Mass we thank God the Father for the gift of his Son Jesus Christ. The major parts of the Mass are the *Liturgy of the Word* and the *Liturgy of the Eucharist.*

The *Introductory Rites* prepare us to listen to God's word and celebrate the Eucharist. In the *Liturgy of the Word*, we listen and respond to God's word. In the *Liturgy of the Eucharist* we join with Christ to praise God for all the great things he has done. We offer ourselves with Jesus to his Father. In the *Concluding Rite* we are blessed and sent forth to love and serve God and people.

The Church Remembers (The Liturgical Year)

In the liturgical year, we celebrate and enter into the life, death, and resurrection of Jesus. The liturgical year helps us to live as Christ's followers and to live in the presence of God. The liturgical seasons are Advent, Christmas, Lent, the Easter Triduum, Easter, and Ordinary Time. During the liturgical year, we also honor Mary and the saints.

PRUEBA PARA LA SEGUNDA UNIDAD

Aparea cada fiesta con la fecha correcta.

1. Inmaculada Concepción ____ 15 de agosto

2. Navidad ____ 19 de marzo

3. San José ____ 1 de noviembre

4. Todos los Santos ____ 8 de diciembre

5. Asunción ____ 2 de febrero

____ 25 de diciembre

Define.

6. Confirmación

____

____

____

7. Eucaristía

____

____

____

8. Liturgia

____

____

____

9. Santísimo Sacramento

____

____

____

10. Misa

____

____

____

Piensa y decide: ¿Cómo vas a compartir a Jesús, nuestro Pan de Vida, con otros?

____

____

____

Nombre ______________________________

Su niño ha completado la segunda unidad de este curso. Pídale entregar esta hoja al catequista. Esto permitirá a usted y al catequista ayudar al niño a crecer en la fe.

____ Mi hijo necesita ayuda en las partes del resumen que he señalado.

____ Mi hijo entiende todo lo enseñado en esta unidad.

____ Me gustaría hablar con usted. Mi número de teléfono es ____________.

(Firma) ______________________________

UNIT 2 • TEST

Match each feast with the correct date.

1. Immaculate Conception ____ August 15

2. Christmas ____ March 19

3. Saint Joseph ____ November 1

4. All Saints ____ December 8

5. Assumption ____ February 2

____ December 25

Define the following words.

6. Confirmation

____

____

____

7. Eucharist

____

____

____

8. Liturgy

____

____

____

9. Blessed Sacrament

____

____

____

10. Mass

____

____

____

Think and Decide: How will you share Jesus, our Bread of Life, with others?

____

____

____

Child's name ______________________________

Your fifth grader has just completed Unit 2. Take time now to evaluate how he or she is growing in understanding and living the faith. Check and return this page to your son's or daughter's teacher.

____ My son/daughter needs help understanding the part of the Review I have underlined.

____ My child understands how we can build up the kingdom, or reign, of God.

____ I would like to speak with you. My phone number is ____________________.

(Signature) ______________________________

REVISION DE LA TERCERA UNIDAD

Jesucristo nos perdona (Reconciliación)

La Iglesia celebra todos los sacramentos por el poder del Espíritu Santo. En el sacramento de la Reconciliación Jesucristo comparte el perdón de Dios de nuestros pecados. La Reconciliación es uno de los sacramentos de sanación.

La Reconciliación, o Penitencia, puede ser celebrada individualmente o en comunidad. En ambos ritos, o formas de celebración, confesamos nuestros pecados al sacerdote en privado.

Examen de conciencia, confesión, contrición, penitencia, y absolución son partes importantes de la Reconciliación.

Jesucristo nos ayuda en la enfermedad y la muerte (Unción de los Enfermos)

En el sacramento de Unción de los Enfermos, la Iglesia continúa la misión de Jesús de llevar el poder sanador de Dios a los enfermos y a los moribundos. La Unción es unos de los sacramentos de sanación. Los dos signos más importantes de este sacramento son la imposición de las manos y la unción con aceite.

También continuamos la misión sanadora cuando cuidamos y respetamos nuestros cuerpos y cuando ayudamos a nuestra Iglesia en sus esfuerzos por eliminar las enfermedades y el sufrimiento en nuestro mundo.

Jesucristo nos ayuda a amar (Matrimonio)

El Matrimonio es un sacramento de servicio. Es un poderoso signo del amor y la fidelidad de Dios. En el Matrimonio los novios entran en un convenio de por vida. Prometen amarse y servir a la Iglesia. Nos podemos preparar para el Matrimonio siendo fieles en nuestra amistad y practicando amor desinteresado.

Jesucristo nos llama a servir (Orden Sagrado)

Jesucristo eligió doce apóstoles para dirigir su Iglesia. Ahora la Iglesia elige otros líderes llamados obispos, sacerdotes y diáconos.

El Orden Sagrado es un sacramento de servicio. Nuestros obispos, sacerdotes y diáconos son ordenados con el sacramento del Orden Sagrado para dirigir nuestra Iglesia en el servicio y el culto. El papa junto con los obispos dirige la Iglesia. Apoyamos a nuestros líderes ordenados rezando por ellos y ayudándolos.

Compartimos el sacerdocio de Jesucristo (Ministerio)

Por el Bautismo todo cristiano participa de la misión sacerdotal de Jesús y es llamado a servir a la Iglesia. Toda persona tiene una vocación, o llamada, a servir a otros. Estas son las vocaciones: matrimonio, sacerdocio, religioso y soltero. Nuestra preparación para la vida de servicio empieza ahora.

UNIT 3 ▪ REVIEW

Jesus Christ Forgives Us (Reconciliation)

The Church celebrates all the sacraments by the power of the Holy Spirit. In the sacrament of Reconciliation Jesus Christ shares God's forgiveness of our sins. Reconciliation is one of the sacraments of healing.

Reconciliation, or Penance, may be celebrated individually or communally. In both rites, or forms of celebration, we confess our sins to a priest in private.

Examination of conscience, confession, contrition, penance, and absolution are important parts of Reconciliation.

Jesus Christ Helps Us in Sickness and Death (Anointing of the Sick)

In the sacrament of Anointing of the Sick, the Church carries on Jesus' mission of bringing God's healing power to the sick and dying. Anointing is one of the sacraments of healing. The two most important signs of this sacrament are the laying on of hands and anointing with oil.

We also carry on Jesus' mission of healing when we take care of and respect our bodies and when we support our Church's efforts to eliminate disease and suffering in our world.

Jesus Christ Helps Us to Love (Matrimony)

Matrimony is a sacrament of service. It is a powerful sign of God's love and faithfulness. In Matrimony a bride and groom enter into a lifelong marriage covenant. They promise to love each other and serve the Church. We can prepare for Matrimony by being faithful in our friendships and practicing unselfish love.

Jesus Christ Calls Us to Serve (Holy Orders)

Jesus Christ chose twelve apostles to lead his Church. In time, the Church chose other leaders called bishops, priests, and deacons.

Holy Orders is a sacrament of service. Our bishops, priests, and deacons are ordained in the sacrament of Holy Orders to lead our Church in service and worship. The pope is the leader of the whole Church. We support our ordained leaders by praying for them and helping them.

We Share Jesus Christ's Priesthood (Ministry)

Through Baptism every Christian shares in Jesus' priestly mission and ministry and is called to serve the Church. Each person has a vocation, or call, to serve others. There are many vocations: married, ordained, religious, and single persons. Our preparation for a life of service begins now.

PRUEBA PARA LA TERCERA UNIDAD

Encierra en un círculo la letra al lado de la respuesta correcta.

1. Un signo del perdón de Dios en la Reconciliación es:
a. el acto de contrición.
b. la absolución.
c. la penitencia.
d. el examen de conciencia.

2. La Unción de los Enfermos y la Reconciliación son sacramentos de:
a. iniciación.
b. servicio.
c. sanación.
d. buena nueva.

3. Por medio del Bautismo, todos los cristianos comparten el
a. orden sacerdotal.
b. pecado original.
c. sello de la confesión.
d. sacerdocio de los fieles.

4. La cabeza de toda la Iglesia es el
a. diácono.
b. papa.
c. lector.
d. sacerdote.

5. Orden Sagrado y el Matrimonio son sacramentos de:
a. iniciación.
b. servicio.
c. sanación.
d. buenas nuevas.

6. El sacramento que ofrece bendiciones especiales a los enfermos, los ancianos y los moribundos es
a. Ordenes Sagradas.
b. Confirmación.
c. Unción de los Enfermos.
d. Eucaristía.

Contesta lo siguiente:

7. Nombra los ministros del Matrimonio.

____

____

8. Nombra las dos maneras de celebrar el sacramento de la Reconciliación.

____

____

9. Explica cómo la Iglesia continúa la misión de Jesús.

____

____

10. Explica cómo los sacerdotes de tu parroquia sirven a la Iglesia.

____

____

Piensa y decide: ¿Cómo te prepararás para tu vocación en la vida?

____

____

Nombre ______________________________

Su niño ha completado la tercera unidad de este curso. Pídale entregar esta hoja al catequista. Esto permitirá a usted y al catequista ayudar al niño a crecer en la fe.

_____ Mi hijo necesita ayuda en las partes del resumen que he señalado.

_____ Mi hijo entiende todo lo enseñado en esta unidad.

_____ Me gustaría hablar con usted. Mi número de teléfono es ____________________.

(Firma) ______________________________

UNIT 3 ▪ TEST

Circle the letter beside the correct answer.

1. The sign of God's forgiveness in Reconciliation is the
a. Act of Contrition.
b. absolution.
c. penance.
d. examination of conscience.

2. Anointing of the Sick and Reconciliation are sacraments of
a. initiation.
b. service.
c. healing.
d. good news.

3. Through Baptism, all Christians share in
a. ordained priesthood.
b. original sin.
c. the seal of confession.
d. the priesthood of the faithful.

4. The servant-leader of the whole Church is the
a. deacon.
b. pope.
c. lector.
d. priest.

5. Holy Orders and Matrimony are sacraments of
a. initiation.
b. service.
c. healing.
d. good news.

6. The sacrament that brings God's special blessing to the sick, elderly, or dying is
a. Holy Orders.
b. Confirmation.
c. Anointing of the Sick.
d. Eucharist.

Answer the following:

7. Name the ministers of Matrimony.

____

____

8. Name two ways of celebrating Reconciliation.

____

____

9. How does the Church continue Jesus' mission of healing?

____

____

10. Explain how your parish priest serves the Church.

____

____

Think and Decide: How can you prepare for your vocation in life ?

____

____

Child's name ________________________________

Your fifth grader has just completed Unit 3. Take time now to evaluate how he or she is growing in understanding and living the faith. Check and return this page to your son's or daughter's teacher.

_____ My son/daughter needs help understanding the part of the Review I have underlined.

_____ My child understands how we can build up the kingdom, or reign, of God.

_____ I would like to speak with you. My phone number is ____________________.

(Signature) ____________________________

REVISION DE LA CUARTA UNIDAD

Jesucristo revela a Dios

Jesucristo es verdaderamente humano. Jesús fue como nosotros en todo menos en el pecado. Jesucristo es también verdaderamente divino. Jesús es el Hijo de Dios. Jesús reveló con sus palabras y obras que "Dios es amor" (1 Juan 4:8). Hoy, Dios obra a través de nosotros y de otras personas para mostrar el amor de Dios al mundo.

Haciéndose católicos (Características de la Iglesia)

La Iglesia es una, santa, católica y apostólica. Estas son características o cualidades que enseñan a la gente el tipo de comunidad que somos.

Que la Iglesia es una significa que estamos unidos en fe y amor. Que la Iglesia es santa significa que comparte la vida misma de Dios. Que la Iglesia es católica significa que está en todas partes y acepta a todo el mundo. Que la Iglesia es apostólica significa que continúa la misión que Jesús dio a los apóstoles. Somos llamados a vivir las cuatros características de la Iglesia.

Todo el mundo es pueblo de Dios

Todos somos creados a imagen y semejanza de Dios. Los católicos respetamos a todo el mundo sin importar su color, sexo o religión. Tenemos una relación especial con el pueblo judío, que sigue siendo el pueblo escogido de Dios. Compartimos muchas creencias y tradiciones con los judíos.

Respetamos y buscamos la unidad con todos los cristianos quienes no son miembros de la Iglesia Católica. Hoy hay mucha iglesias cristianas. Rezamos por el éxito del movimiento ecuménico, que busca la unidad de todas las iglesias cristianas.

Creemos en un solo Dios

Las virtudes de fe, esperanza y caridad son regalos de Dios. La fe es una virtud que nos ayuda a confiar y a creer en Dios, a aceptar lo que Dios ha revelado y a vivir de acuerdo a la voluntad de Dios.

Credos son oraciones que resumen lo que creemos. Nunca entenderemos los misterios de nuestra fe. Creemos y confiamos en Dios y en nuestra Iglesia aun cuando no entendamos. Practicamos nuestra fe viviéndola.

Dios nos llena de esperanza

La esperanza es la virtud que nos ayuda a confiar en que la voluntad de Dios estará con nosotros en toda situación. La resurrección de Jesús es nuestra fuente de esperanza. María es una señal especial de esperanza para nosotros. El celebrar los sacramentos y rezar nos ayuda a actuar con esperanza para cambiar al mundo.

El don de amor de Dios

Caridad es una virtud que nos ayuda a amar a Dios, a nuestro prójimo y a nosotros mismos. San Pablo dijo que entre las virtudes de la fe, esperanza y caridad, la mayor es la caridad. Practicamos la caridad por lo que hacemos. Las obras corporales y espirituales de misericordia nos muestran como vivir la caridad.

UNIT 4 • REVIEW

Becoming a Catholic (Marks of the Church)

The Church is one, holy, catholic, and apostolic. These are marks, or qualities, that let people know the kind of community we are.

That the Church is one means we are united in faith and love. That the Church is holy means we share in God's own life. That the Church is catholic means the Church goes to everyone and all people are welcome. That the Church is apostolic means that we carry on the mission Jesus gave to the apostles. We are called to live the four marks of the Church.

All People Are God's People

All people are created in God's image and likeness. Catholics respect all people who are different in color, sex, religion, or in any way. We have a special relationship with the Jewish people, who are still God's chosen people. We share many beliefs and traditions with them.

We respect and seek unity with those Christians who are not members of the Catholic Church. Today there are many Christian Churches. We pray for the success of the ecumenical movement, the search for the union of all Christian Churches.

We Believe in God

The virtues of faith, hope, and love are gifts from God. Faith is a virtue that enables us to trust and believe in God, to accept what he has revealed, and to live according to his loving will.

Creeds are prayers that summarize what we believe. We will never fully understand the mysteries of our faith. We believe and trust God and our Church even when we do not understand. We practice our faith by living it.

God Fills Us with Hope

Hope is the virtue that enables us to trust that God will be with us in every situation. The resurrection of Jesus is our source of hope. Mary is a special sign of hope for us. Celebrating the sacraments and praying help us to act as hopeful people to change our world.

The Gift of God's Love

Love is a virtue that enables us to love God, our neighbor, and ourselves. Saint Paul said that of the three virtues of faith, hope, and love, the greatest is love. We practice love by what we say and do. The Corporal and Spiritual Works of Mercy show us how to practice love.

PRUEBA PARA LA CUARTA UNIDAD

Encierra en un círculo la letra al lado de la respuesta correcta.

1. Las características de la Iglesia son
a. Bautismo, Eucaristía y Confirmación.
b. obispos, diáconos y sacerdotes.
c. una, santa, católica y apostólica.
d. apóstoles y discípulos.

2. El movimiento ecuménico es
a. la búsqueda de la unión de todos los cristianos.
b. un grupo religioso.
c. una iglesia protestante.
d. un grupo de hermanos separados.

3. Fe, esperanza y caridad son
a. misterios de nuestra fe.
b. sacramentos de la Iglesia.
c. obras de misericordia.
d. virtudes teologales.

4. Las creencias de la Iglesia son resumidas en
a. canciones.
b. credos.
c. cuentos.
d. salmos.

5. La Iglesia nos enseña que María
a. murió en Nazaret.
b. fue un mártir.
c. fue enterrada en Jerusalén.
d. fue subida en cuerpo y alma al cielo.

Contesta lo siguiente:

6. ¿Qué es prejuicio?

____

____

7. ¿Qué significa que la Iglesia es una?

____

____

8. ¿Qué significa que la Iglesia es santa?

____

____

9. ¿Qué significa que la Iglesia es católica?

____

____

10. ¿Qué significa que la Iglesia es apostólica?

____

____

____

Piensa y decide: Escoge una obra espiritual o corporal de misericordia. ¿Cómo puedes practicarla?

____

____

____

UNIT 4 ▪ TEST

Circle the letter beside the correct answer.

1. The marks of the Church are
- **a.** Baptism, Eucharist, and Confirmation.
- **b.** bishops, deacons, and priests.
- **c.** one, holy, catholic, and apostolic.
- **d.** apostles and disciples.

2. The ecumenical movement is
- **a.** the search for the reunion of all Christians.
- **b.** a religious group.
- **c.** a Protestant Church.
- **d.** a group separated from the Church.

3. Faith, hope, and love are the
- **a.** mysteries of the faith.
- **b.** sacraments of the Church.
- **c.** works of mercy.
- **d.** theological virtues.

4. The beliefs of the Church are summarized in
- **a.** songs.
- **b.** creeds.
- **c.** news stories.
- **d.** psalms.

5. The Church teaches that Mary
- **a.** died in Nazareth.
- **b.** died a martyr's death.
- **c.** was buried in Jerusalem.
- **d.** was brought body and soul to heaven.

Answer the following questions.

6. What is prejudice?

____

____

7. What does it mean to say that the Church is one?

____

____

8. What does it mean to say that the Church is holy?

____

____

9. What does it mean to say that the Church is catholic?

____

____

10. What does it mean to say that the Church is apostolic?

____

____

____

Think and Decide: Choose one Spiritual or Corporal Work of Mercy. Tell how you can practice it.

____

____

____

Oración al Espíritu Santo
Ven, Espíritu Santo,
llena los corazones de tus fieles
y enciende en ellos el fuego de tu amor.
Envía tu Espíritu, Señor, y serán creados,
y renovarás la faz de la tierra.
Oh Dios, que has iluminado los corazones de tus fieles con la ciencia del Espíritu Santo,
haz que guiados por este mismo Espíritu,
saboreemos las dulzuras de bien
y gocemos siempre de sus divinos consuelos.
Por Cristo nuestro Señor.
Amén

El Memorare
Acuérdate, oh piadosísima Virgen María,
que jamás se ha oído decir que uno solo de cuantos han acudido a tu protección e implorando tu socorro, haya sido desamparado.
Yo, pecador, animado con tal confianza
acudo a ti, oh Madre, Virgen de las vírgenes,
a ti vengo, delante de ti me presento gimiendo.
No quieras, oh Madre de Dios, despreciar mis palabras; antes bien, óyelas benignamente y cúmplelas. Amén.

La Salve
Dios te salve, Reina y Madre de misericordia, vida, dulzura y esperanza nuestra; Dios te salve.
A ti llamamos los desterrados hijos de Eva;
a ti suspiramos, gimiendo y llorando
en este valle de lágrimas. Ea, pues, Señora, abogada nuestra, vuelve a nosotros esos tus ojos misericordiosos, y después de este destierro, muéstranos a Jesús, fruto bendito de tu vientre. Oh clementísima, oh piadosa, oh dulce Virgen María.

Oración por mi vocación
Dios de Amor, tienes un amoroso plan para mí en el mundo.
Deseo participar completamente con gozo y amor de ese plan.
Ayúdame a entender que es lo que deseas que haga en mi vida.
Ayúdame a estar atento a las señales que me des para preparar mi futuro.
Ayúdame a comprender las señales del reino de Dios dondequiera que quieras te sirva, ya sea en la vida religiosa, de soltero o casado.
Una vez haya escuchado y entendido tu llamado, dame la fuerza y la gracia para seguirlo con generosidad y amor. Amén.

Oración de San Francisco
Señor, hazme instrumento de tu paz.
Donde hay odio, que yo siembre amor;
Donde hay injuria, perdón;
Donde hay discordia, unión;
Donde hay duda, fe;
Donde hay error, verdad;
Donde hay desaliento, esperanza;
Donde hay tristeza, alegría;
Donde hay sombras, luz.
Oh divino Maestro, concédeme
Que no busque ser consolado, sino consolar;
Ser comprendido, sino comprender;
Ser amado, sino amar.
Porque es dando que recibimos;
Perdonando que tú nos perdonas;
Y muriendo en ti que nacemos a la vida eterna.

Prayer to the Holy Spirit

Come, Holy Spirit,
fill the hearts of your faithful
and enkindle in them
the fire of your love.
Send forth your Spirit and
they shall be created, and
you shall renew the face of
the earth.

Memorare

Remember, O most gracious Virgin Mary, that never was it known that anyone who fled to your protection, implored your help, or sought your intercession was left unaided. Inspired with this confidence, we fly unto you, O Virgin of virgins, our Mother. To you we come, before you we kneel, sinful and sorrowful. O Mother of the Word made flesh, do not despise our petitions, but in your mercy hear and answer them. Amen.

Hail, Holy Queen

Hail, Holy Queen, Mother of Mercy;
hail, our life, our sweetness,
and our hope! To you do we cry,
poor banished children of Eve;
to you do we send up our sighs,
mourning and weeping in this valley of tears.

Turn, then, most gracious advocate,
your eyes of mercy toward us;
and after this our exile, show unto us
the blessed fruit of your womb, Jesus,
O clement, O loving, O sweet Virgin Mary!

Prayer for My Vocation

Dear God,
You have a great and loving plan
for our world and for me.
I wish to share in that plan fully,
faithfully, and joyfully.

Help me to understand what it is
you wish me to do with my life.
Help me to be attentive to the signs
that you give me about preparing for the future.

Help me to learn to be a sign
of the kingdom, or reign, of
God whether I'm called to the
priesthood or religious life,
the single or married life.

And once I have heard and understood
your call, give me the strength
and the grace to follow it
with generosity and love. Amen.

Prayer of Saint Francis

Lord, make me an instrument of your peace:
where there is hatred, let me sow love;
where there is injury, pardon;
where there is doubt, faith;
where there is despair, hope;
where there is darkness, light;
where there is sadness, joy.
O Divine Master, grant that I may not
so much seek
to be consoled as to console,
to be understood as to understand,
to be loved as to love.
For it is in giving that we receive,
it is pardoning that we are pardoned,
and it is in dying that we are born
to eternal life.

ORACION FINAL

Guía: Al reunirnos por última vez este año, vamos a dar gracias a Dios por todo lo que hemos compartido. Demos también gracia a Jesús, a quien hemos llegado a conocer mejor durante nuestro estudio de los sacramentos. Finalmente, vamos a llamar al Espíritu Santo para que nos guíe en el amor.

(Se hace una pausa para hacer una oración en silencio. Puede tocar música instrumental).

Lector 1: Antes de ir por caminos distintos, vamos a escuchar de nuevo las palabras de San Pablo que escuchamos al inicio de nuestro curso.

Lectura de Romanos 10:13–15

Guía: Después de todo lo que hemos aprendido este año, debemos estar dispuestos a ser mensajeros que informen la buena nueva, dispuestos a proclamar el amor de Jesucristo al mundo. Vamos juntos a dar gracia a Dios.

Lector 2: Te damos gracias, oh Dios, por los sacramentos de iniciación: Bautismo, Confirmación y Eucaristía. Podemos ayudar a la Iglesia a continuar la misión de Jesús dando la bienvenida a nuevos miembros del cuerpo de Cristo.

CLOSING PRAYER

Leader: As we gather together for the last time this year, let us pause to give thanks to God for all that we have shared. Let us give thanks in the name of Jesus, whom we have come to know even more through our study of the sacraments. Finally, let us call upon the Holy Spirit to guide us in the way of love.

(Pause for quiet prayer. Instrumental music may be playing in the background.)

Reader 1: Before we go our separate ways, let us listen again to the words of Saint Paul that we heard at the beginning of our time together.

See Romans 10:13–15

Leader: After all we have learned this year, we should be ready to be sent out as informed messengers of the good news, ready to proclaim the love of Jesus Christ to the world. Let us join in giving thanks to God.

Reader 2: We thank you, God, for the sacraments of initiation: Baptism, Confirmation, and Eucharist. We can help the Church carry on Jesus' mission of welcoming members into the body of Christ.

Compartiendo nuestra fe como catolicos

Dios está cerca de nosotros todo el tiempo y en todos los lugares, llamándonos y ayudándonos a acercarnos a la fe. Cuando una persona es bautizada y bienvenida a la comunidad de fe de la Iglesia, todos los presentes se ponen de pie junto con los familiares y otros miembros de la parroquia. Escuchamos las palabras: "Esta es nuestra fe. Esta es la fe de la Iglesia. Estamos orgulloso de profesarla en Jesucristo, nuestro Señor". Con gozo contestamos "Amén"- "Sí, creemos".

La Iglesia Católica es nuestro hogar en la comunidad cristiana. Estamos orgullosos de ser católicos, viviendo en nuestro mundo como discípulos de Jesucristo. Todos los días somos llamados a compartir nuestra fe con todo el que encontremos, ayudando a construir el reino de Dios.

¿Cuál es la fe que queremos vivir y compartir? ¿De dónde viene el don de la fe? ¿Cómo celebramos esta fe y cómo damos culto a Dios? ¿Cómo vivimos nuestra fe? ¿Cómo rezamos a Dios? En estas páginas, encontrarás una guía de fe escrita especialmente para ti. Puede ayudarte a crecer en tu fe católica y a compartirla con tu familia y con los demás.

Siguiendo las enseñanzas de la Iglesia y lo que Dios nos ha dicho por medio de la Biblia, podemos resumir algunas de las creencias más importantes en cuatro formas:

QUE CREEMOS—CREDO

COMO CELEBRAMOS—SACRAMENTOS

COMO VIVIMOS—MORAL

COMO REZAMOS—ORACION

Los catolicos creen...

HAY UN SOLO DIOS EN TRES DIVINAS PERSONAS; Padre, Hijo y Espíritu Santo. Un solo Dios en tres divinas Personas es llamado la Santísima Trinidad; es una enseñanza central de la religión cristiana.

DIOS PADRE el creador de todas las cosas.
DIOS HIJO tomó la naturaleza humana y se hizo uno como nosotros. Esto es llamado la encarnación. Nuestro Señor Jesucristo, quien es el Hijo de Dios nació de la Virgen María, proclamó el reino de Dios. Jesús nos dio el nuevo mandamiento del amor y nos enseñó las Bienaventuranzas. Creemos que por su sacrificio en la cruz, él murió para salvarnos del poder del pecado—original y nuestros pecados personales. Fue sepultado y resucitó de la muerte al tercer día. Por su resurrección participamos de la vida divina, que llamamos gracia. Jesús es Cristo, nuestro Mesías. El ascendió a los cielos y vendrá de nuevo a juzgar a los vivos y a los muertos.

DIOS ESPIRITU SANTO es la tercera Persona de la Santísima Trinidad, adorada con el Padre y el Hijo. La acción del Espíritu Santo en nuestras vidas nos ayuda a responder al llamado de Jesús a vivir como sus fieles discípulos.

Creemos que la **IGLESIA ES UNA, SANTA, CATOLICA Y APOSTOLICA** fundada por Jesucristo en la "roca", que es Pedro y los demás apóstoles.

Como católicos, **COMPARTIMOS UNA FE COMUN**. Creemos y respetamos las enseñanzas de la Iglesia: todo lo que está contenido en la palabra de Dios, escrito y pasado a nosotros por la tradición.

Creemos en la **COMUNION DE LOS SANTOS** y que viviremos para siempre con Dios.

También aprendí este año lo que
significa creer como católico

____

____

____

Los catolicos celebran...

LA IGLESIA, EL CUERPO DE CRISTO, continúa la misión de Jesucristo a través de la historia de la humanidad. Por medio de los sacramentos y el poder del Espíritu Santo, la Iglesia entra en el misterio de la muerte y resurrección del Salvador y la vida de gracia.

LOS SIETE SACRAMENTOS son Bautismo, Confirmación, Eucaristía, Orden Sagrado, Matrimonio, Reconciliación y Unción de los Enfermos. Por medio de los sacramentos, participamos de la gracia de Dios para poder vivir como discípulos de Jesús.

LOS SACRAMENTOS SON SIGNOS EFECTIVOS por medio de los cuales Jesucristo comparte la vida y el amor de Dios con nosotros. Por medio del poder del Espíritu Santo, realmente nos dan lo que prometen.

La Iglesia continúa la misión de Jesús de acoger a los miembros del cuerpo de Cristo cuando celebra el Bautismo, la Confirmación y la Eucaristía. Llamamos a estos sacramentos de iniciación.

La Iglesia perdona y sana, al igual que lo hizo Jesús celebrando la Reconciliación y la Unción de los Enfermos. Llamamos a estos sacramentos de sanación.

La Iglesia sirve a todos y de manera especial es señal del amor de Dios celebrando y viviendo los sacramentos del Matrimonio y de las Ordenes Sagradas. Estos son llamados sacramentos de servicio.

EN LOS SACRAMENTOS RECIBIMOS LA GRACIA DE DIOS: participamos de la vida divina, vida y amor de Dios. En los sacramentos, Jesús comparte la vida de Dios con la Iglesia por el poder del Espíritu Santo. Jesús nos llama a responder viviendo como sus discípulos.

Al celebrar los sacramentos, la Iglesia da culto y alabanza a Dios. Al celebrar los sacramentos la Iglesia se convierte en poderoso signo de la presencia de Jesús y del reino de Dios en nuestro mundo.

Los catolicos celebran...

L O S S A C R A M E N T O S

Al participar en la celebración de los sacramentos, los católicos crecen en santidad y en como vivir como discípulos de Jesús. Libres del pecado por el bautismo y fortalecidos por la Confirmación, somos alimentados por el mismo Cristo en la Eucaristía. También participamos de la misericordia y del amor de Dios en el sacramento de la Reconciliación.

LOS CATOLICOS CELEBRAN LA EUCARISTIA EN LA MISA con el sacerdote. El sacerdote ha recibido el sacramento de las Ordenes Sagradas y actúa en la persona de Cristo, nuestro Sumo Sacerdote. La misa es una comida y un sacrificio. Es una comida porque en la misa Jesús, nuestro Pan de Vida, se da a sí mismo como nuestro alimento. Jesús está verdaderamente presente en la Eucaristía. La misa es un sacrificio porque recordamos todo lo que Jesús hizo por nosotros para salvarnos del pecado y traernos nueva vida. En este gran sacrificio de alabanza, nos ofrecemos con Jesús a Dios.

LA EUCARISTIA ES EL SACRAMENTO DEL CUERPO Y LA SANGRE DE CRISTO. Este es el punto central del culto católico. Es un gran privilegio participar todas las semanas en la celebración de la misa con nuestra comunidad parroquial.

Este año también aprendí lo que significa celebrar como católico

____

____

____

____

____

LOS CATOLICOS VIVEN...

SOMOS HECHOS A IMAGEN Y SEMEJANZA DE DIOS y estamos llamados a vivir como discípulos de Jesucristo. Jesús nos dijo: "Amense unos a otros como yo los he amado".

Cuando vivimos de la forma que Jesús nos enseñó y seguimos sus enseñanzas, podemos ser verdaderamente felices y vivir en verdadera libertad.

Para ayudarnos a vivir como discípulos de Jesús, somos guiados por la **LEY DEL AMOR, LAS BIENAVENTURANZAS, Y LOS DIEZ MANDAMIENTOS**. Las obras de misericordia y las leyes de la Iglesia también nos muestran como crecer viviendo como discípulos de Jesús.

COMO MIEMBROS DE LA IGLESIA, EL CUERPO DE CRISTO, somos guiados por las enseñanzas de la Iglesia que nos ayudan a formar nuestra conciencia. Esas enseñanzas nos han llegado desde el tiempo de Jesús y los apóstoles y han sido vividas por el pueblo de Dios a través de los tiempos. Compartimos esas creencias con millones de católicos en todo el mundo.

POR MEDIO DE LA ORACION Y LOS SACRAMENTOS, especialmente la Eucaristía y la Reconciliación, somos fortalecidos para vivir como Jesús nos pidió. En fe, esperanza y caridad, como católicos cristianos somos llamados no sólo a seguir leyes. Somos llamados a vivir una nueva forma de vida como discípulos de Jesús.

Al vivir como discípulos de Jesús, somos retados diariamente a escoger entre lo bueno y lo malo. Aun cuando somos tentados a tomar la decisión equivocada, el Espíritu Santo está siempre presente para ayudarnos a tomar la decisión correcta. Al igual que Jesús, somos llamados a vivir para el reino de Dios. Hacer esto significa que vivimos una vida moral cristiana. Como cristianos estamos siempre llamados a seguir a Jesús.

Este año también aprendí lo que significa vivir como católico

Los catolicos rezan...

Orar es hablar y escuchar a Dios. Hacemos oraciones de acción de gracias y perdón; de alabanza a Dios y de petición por nosotros y por las necesidades de lo demás.

Podemos rezar de muchas formas y en cualquier momento y lugar. Podemos rezar con nuestras propias palabras, con palabras de la Biblia o meditando en la presencia de Dios. También podemos rezar cantando, bailando o moviéndonos.

Podemos rezar las oraciones de nuestra familia católica, que han llegado hasta nosotros a través de los siglos. Algunas de estas oraciones son el Padre Nuestro, el Ave María, el Gloria al Padre, el Credo de los Apóstoles, el Angelus, la Salve y los actos de fe, esperanza y caridad y el Acto de Contrición. Los católicos también rezan el rosario mientras meditan en eventos de las vidas de Jesús y María.

Como miembros de la comunidad católica, participamos en la mayor oración litúrgica de la Iglesia, la misa. También rezamos con la Iglesia durante los tiempos litúrgicos durante el año de la Iglesia— Adviento, Navidad, Cuaresma, Triduo Pascual, Pascua y Tiempo Ordinario.

En la oración, podemos unirnos en comunión con los santos alabando y adorando a Dios.

Este año también aprendí lo que significa rezar como católico

____

____

____

____

____

Sharing Our Faith as Catholics

God is close to us at all times and in all places, calling us and helping us in coming to faith. When a person is baptized and welcomed into the faith community of the Church, everyone present stands with family and other members of the parish. We hear the words, "This is our faith. This is the faith of the Church. We are proud to profess it in Christ Jesus, our Lord." And we joyfully answer, "Amen"—"Yes, God, I believe."

The Catholic Church is our home in the Christian community. We are proud to be Catholics, living as disciples of Jesus Christ in our world. Each day we are called to share our faith with everyone we meet, helping to build up the reign of God.

What is the faith we want to live and to share? Where does the gift of faith come from? How do we celebrate it and worship God? How do we live it? How do we pray to God? In these pages, you will find a special faith guide written just for you. It can help you as a fifth grader to grow in your Catholic faith and to share it with your family and with others, too.

Following the Church's teachings and what God has revealed to us in the Bible, we can outline some of our most important beliefs and practices in four ways:

WHAT WE BELIEVE—CREED

HOW WE CELEBRATE—SACRAMENTS

HOW WE LIVE—MORALITY

HOW WE PRAY—PRAYER

CATHOLICS BELIEVE...

THERE IS ONE GOD IN THREE DIVINE PERSONS: Father, Son, and Holy Spirit. One God in three divine Persons is called the Blessed Trinity. This is the central teaching of the Christian religion.

GOD THE FATHER is the creator of all things.

GOD THE SON took on human flesh and became one of us. This is called the incarnation. Our Lord Jesus Christ, who is the Son of God born of the Virgin Mary, proclaimed the reign of God by his teachings, signs and wonders. Jesus gave us the new commandment of love and taught us the way of the Beatitudes. We believe that by his sacrifice on the cross, he died to save us from the power of sin—original sin and our personal sins. He was buried and rose from the dead on the third day. Through his resurrection we share in the divine life, which we call grace. Jesus, the Christ, is our Messiah. He ascended into heaven and will come again to judge the living and the dead.

GOD THE HOLY SPIRIT is the third Person of the Blessed Trinity, adored together with the Father and Son. The action of the Holy Spirit in our lives enables us to respond to the call of Jesus to live as faithful disciples.

We believe in **ONE, HOLY, CATHOLIC, AND APOSTOLIC CHURCH** founded by Jesus on the "rock," which is Peter, and the other apostles.

As Catholics, **WE SHARE A COMMON FAITH.** We believe and respect what the Church teaches: everything that is contained in the word of God, both written and handed down to us.

We believe in **THE COMMUNION OF SAINTS** and that we are to live forever with God.

I have also learned this year that
to believe as a Catholic means

____

____

CATHOLICS CELEBRATE...

THE CHURCH, THE BODY OF CHRIST, continues the mission of Jesus Christ throughout human history. Through the sacraments and by the power of the Holy Spirit, the Church enters into the mystery of the death and resurrection of the Savior and the life of grace.

THE SEVEN SACRAMENTS are Baptism, Confirmation, Eucharist, Holy Orders, Matrimony, Reconciliation, and Anointing of the Sick. Through the sacraments, we share in God's grace so that we may live as disciples of Jesus.

THE SACRAMENTS ARE EFFECTIVE SIGNS through which Jesus Christ shares God's life and love with us. Through the power of the Holy Spirit, the sacraments actually bring about what they promise.

The Church carries on Jesus' mission of welcoming members into the body of Christ when we celebrate Baptism, Confirmation, and Eucharist. We call these the sacraments of initiation.

The Church forgives and heals as Jesus did by celebrating Reconciliation and Anointing of the Sick. We call these the sacraments of healing.

The Church serves others and is a special sign of God's love by celebrating and living the sacraments of Matrimony and Holy Orders. We call these the sacraments of service.

IN THE SACRAMENTS, WE RECEIVE GOD'S GRACE: a sharing in the divine life of the Father , Son, and the Holy Spirit which Jesus shares with the Church through the power of the Holy Spirit. We are called to respond by living as disciples of Jesus.

By celebrating the sacraments, the Church worships and praises God. In celebrating the sacraments, the Church becomes a powerful sign of God's presence and reign in our world.

CATHOLICS CELEBRATE...

SACRAMENTS

By participating in the celebration of the sacraments, Catholics grow in holiness and in living as disciples of Jesus. Freed from sin by Baptism and strengthened by Confirmation, we are nourished by Christ himself in the Eucharist. We also share in God's mercy and love in the sacrament of Reconciliation.

CATHOLICS CELEBRATE THE EUCHARIST AT MASS. They do this together with a priest. The priest has received the sacrament of Holy Orders and acts in the person of Christ, our High Priest. The Mass is both a meal and a sacrifice. It is a meal because in the Mass, Jesus, the Bread of Life, gives us himself to be our food. Jesus is really present in the Eucharist. The Mass is a sacrifice, too, because we remember all that Jesus did for us to save us from sin and to bring us new life. In this great sacrifice of praise, we offer ourselves with Jesus to God.

THE EUCHARIST IS THE SACRAMENT OF JESUS' BODY AND BLOOD. It is the high point of Catholic worship. It is a great privilege to take part weekly in the celebration of the Mass with our parish community.

I have also learned this year that
to celebrate as a Catholic means

____

____

____

____

____

Catholics live...

WE ARE MADE IN THE IMAGE AND LIKENESS OF GOD and are called to live as disciples of Jesus Christ. Jesus said to us, "Love one another as I have loved you."

When we live the way Jesus showed us and follow his teachings, we can be truly happy and live in real freedom.

To help us live as Jesus' disciples, we are guided by **THE LAW OF LOVE, THE BEATITUDES, AND THE TEN COMMANDMENTS.** The Works of Mercy and the Laws of the Church also show us how to grow in living as Jesus' disciples.

AS MEMBERS OF THE CHURCH, THE BODY OF CHRIST, we are guided by the Church's teachings that help us to form our conscience. These teachings have come down to us from the time of Jesus and the apostles and have been lived by God's people throughout history. We share them with millions of Catholics throughout the world.

THROUGH PRAYER AND THE SACRAMENTS, especially Eucharist and Reconciliation, we are strengthened to live as Jesus asked us to live. In faith, hope, and love, we as Catholic Christians are called not just to follow rules. We are called to live a whole new way of life as disciples of Jesus Christ.

In living as Jesus' disciples, we are challenged each day to choose between right and wrong. Even when we are tempted to make wrong choices, the Holy Spirit is always present to help us make the right choices. Like Jesus, we are to live for God's reign. Doing all this means that we live a Christian moral life. As Christians we are always called to follow the way of Jesus.

I have also learned this year that
to live as a Catholic means

____

____

____

MORALITY

PRAYER

Catholics pray...

Prayer is talking and listening to God. We pray prayers of thanksgiving and sorrow; we praise God, and we ask him for what we need as well as for the needs of others.

We can pray in many ways and at any time. We can pray using our own words, words from the Bible, or just by being quiet in God's presence. We can also pray with song or dance or movement.

We also pray the prayers of our Catholic family that have come down to us over many centuries. Some of these prayers are the Our Father, the Hail Mary, the Glory to the Father, the Apostles' Creed, the Angelus, the Hail Holy Queen, and Acts of Faith, Hope, Love, and Contrition. Catholics also pray the rosary while meditating on events in the lives of Jesus and Mary.

As members of the Catholic community, we participate in the great liturgical prayer of the Church, the Mass. We also pray with the Church during the liturgical seasons of the Church year—Advent, Christmas, Lent, the Triduum, Easter, and Ordinary Time.

In prayer, we are joined with the whole communion of saints in praising and honoring God.

I have also learned this year that
to pray as a Catholic means

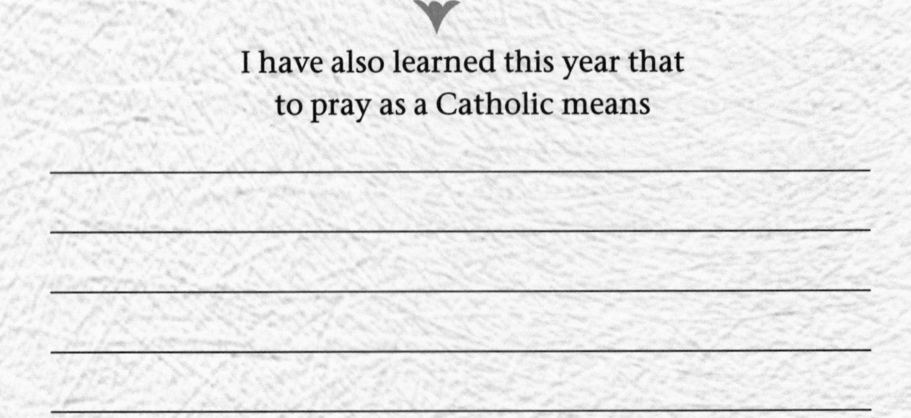

Absolución (Pag. 150)

Es la oración que el sacerdote dice para perdonar nuestros pecados.

Año litúrgico (Pag. 118 and 120)

Adviento, Navidad, Cuaresma, Triduo Pascual, Pascua y el Tiempo Ordinario, componen el año litúrgico. Nuestra Iglesia celebra el año litúrgico para ayudarnos a recordar la historia de la vida, muerte y resurrección de Jesucristo.

Apóstoles (Pag. 220)

Los apóstoles fueron los doce amigos especiales elegidos por Jesús para dirigir la Iglesia en sus inicios.

Ascensión (Pag. 40)

La ascensión es el evento en el cual Jesucristo subió a los cielos después de la resurrección.

Bautismo (Pag. 80)

El Bautismo es el sacramento de nuestra nueva vida con Dios y nuestra iniciación en la Iglesia. Por medio de este sacramento somos liberados del pecado, nos hacemos hijos de Dios y somos bienvenidos como miembros de la Iglesia.

Belén (Pag. 136)

El pueblo donde nació Jesús.

Bienaventuranzas

Las Bienaventuranzas son formas de vivir dadas por Jesús para que pudiéramos ser verdaderamente felices.

Características de la Iglesia (Pag. 218)

Las características de la Iglesia son: una, santa, católica y apostólica. Estas cuatro cualidades dejan saber a la gente el tipo de comunidad que Jesús empezó y a la que estamos llamados.

Caridad (Pag. 260)

Amor es la virtud que nos capacita para amar a Dios, a nuestro prójimo y a nosotros mismos.

Católica (Pag. 218)

La Iglesia da la bienvenida a todo el mundo y lleva el mensaje de la buena nueva de Dios a todos.

Conciencia

Conciencia es la habilidad de decidir por medio de pensamiento, palabra u obra lo que es bueno o malo. Formamos nuestra conciencia de acuerdo a las enseñanzas de la Iglesia.

Confirmación (Pag. 90)

Confirmación es el sacramento por medio del cual somos sellados con el don del Espíritu Santo y somos fortalecidos para ser testigos de la buena nueva de Jesús.

Consagración (Pag. 110)

Es la parte de la misa en la que el pan y el vino se convierten en el cuerpo y la sangre de Jesús por medio del poder del Espíritu Santo y las palabras y acciones del sacerdote.

Culto

Alabanza y acción de gracias a Dios con palabras, acciones o cantos.

Discípulos (Pag. 10)

Un discípulo es uno que aprende y sigue a Jesucristo.

Diez Mandamientos

Los Diez Mandamientos son leyes que nos ha dado Dios para vivir como su pueblo. Dios dio los Diez Mandamientos a Moisés en el Monte Sinaí.

Divino (Pag. 8)

Una palabra que significa tener la naturaleza de Dios.

Dones del Espíritu Santo (Pag. 92)

Los siete dones del Espíritu Santo son:

sabiduría, inteligencia, consejo, fortaleza, ciencia, piedad y temor de Dios. Ellos nos ayudan a vivir y a ser testigos de nuestra fe católica.

Encarnación (Pag. 10)

La encarnación es el misterio de Dios "hecho hombre" o uno de nosotros en Jesucristo.

Esperanza (Pag. 250)

Esperanza es una virtud que nos capacita para confiar en que la voluntad de Dios está con nosotros siempre.

Eucaristía (Pag. 100)

La Eucaristía es el sacramento del cuerpo y la sangre de Jesús quien está realmente presente en la Eucaristía. En la misa nuestras ofrendas de pan y vino se convierten en el cuerpo y la sangre de Cristo.

Evangelización (Pag. 190)

Evangelización significa predicar la buena nueva de Jesucristo y compartir nuestra fe por medio de nuestras palabras y acciones.

Fe (Pag. 240)

Fe es la virtud que nos capacita a confiar y a creer en Dios, a aceptar lo que Dios ha revelado y a vivir de acuerdo a la voluntad de Dios.

Frutos del Espíritu Santo

Los frutos del Espíritu Santo son los buenos resultados que la gente puede ver en nosotros cuando usamos los dones del Espíritu Santo. Estos dones son: caridad, gozo, paz, paciencia, bondad, longanimidad, benignidad, fidelidad, modestia, continencia y castidad.

Gracia (Pag. 50)

Gracia es compartir la vida divina, la vida y el amor de Dios.

Laico (Pag. 190)

Los laicos son personas, casadas o solteras, que pertenecen a la Iglesia. Los laicos sirven a la Iglesia de diferentes formas.

Ley del Amor

Amar al Señor tu Dios con todo tu corazón, con toda tu alma, con toda tu fuerza y con toda tu mente. Amar al prójimo como a ti mismo.

Liturgia (Pag. 110)

Liturgia es la alabanza oficial y pública de la Iglesia. La liturgia incluye las formas en que celebramos la misa y otros sacramentos.

Liturgia de la Eucaristía (Pag. 108)

La liturgia de la eucaristía es una de las dos partes principales de la misa. Comprende la presentación y preparación de las ofrendas, la oración eucarística y la sagrada comunión.

Liturgia de la Palabra (Pag. 108)

La liturgia de la palabra es una de las partes principales de la misa. Comprende las lecturas del Antiguo y el Nuevo Testamento, el salmo responsorial, el evangelio, la homilía, el Credo y la oración de los fieles.

Matrimonio (Pag. 170)

El sacramento del Matrimonio es un poderoso y efectivo signo de la presencia de Cristo que une a un hombre y a una mujer para toda la vida.

Mesías (Pag. 128)

"Mesías" se refiere al salvador y libertador prometido al pueblo en el Antiguo Testamento. Jesús es el Mesías.

Misa (Pag. 108)

La misa es nuestra celebración de la Eucaristía. Las dos partes principales de la misa son la liturgia de la palabra y la liturgia de la eucaristía.

Obras corporales de misericordia (Pag. 260)

Las obras corporales de misericordia son formas de atender las necesidades físicas de los demás.

Obras espirituales de misericordia (Pag. 260)

Las obras espirituales de misericordia son formas en que podemos atender las necesidades espirituales de los demás.

Oración (Pag. 290)

Oración es dirigir el corazón y la mente a Dios. En oración hablamos y escuchamos a Dios.

Orden Sagrado (Pag. 180)

Ordenes Sagradas es el sacramento que confiere la ordenación del ministerio de obispos, sacerdotes y diáconos.

Papa (Pag. 220)

El papa es el Obispo de Roma. El es el sucesor de San Pedro y el líder de toda la Iglesia Católica.

Pascua (Pag. 98)

Pascua es una fiesta en la que los judíos celebran la liberación de Israel del pueblo de Egipto.

Pecado (Pag. 150)

Pecado es elegir libremente hacer lo que sabemos es malo. Cuando pecamos desobedecemos la ley de Dios a propósito.

Pecado original

Pecado original es la condición con que nace todo ser humano. Es la pérdida de la gracia heredada de nuestros primeros padres.

Penitencia (Pag. 150)

La penitencia la recibimos del sacerdote en el sacramento de la Reconciliación, nos ayuda a hacer las paces con aquellos a quienes hemos herido con nuestros pecados y nos ayuda a evitar pecar en el futuro. Nuestra penitencia puede ser una oración o una buena obra.

Racismo (Pag. 230)

Racismo es un pecado de prejuicio en contra de una persona por su raza.

Reconciliación (Pag. 148)

Reconciliación es el sacramento por medio del cual Dios y la Iglesia nos perdonan nuestros pecados.

Reino de Dios (Pag. 20)

El reino de Dios es el poder salvador de la vida y el amor de Dios en el mundo.

Sacerdocio de los fieles (Pag. 188)

El sacerdocio de los fieles es el sacerdocio de Jesús en el cual todo bautizado participa por medio del Bautismo y la unción del Espíritu Santo.

Reino de los cielos (Pag. 20)

El reino de los cielos es otra forma de decir reino de Dios en el Evangelio de Mateo.

Sacramental

Un sacramental es una bendición, una acción, o un objeto que nos ayuda a recordar a Dios, a Jesús, a María y a los santos.

Sacramento (Pag. 50)

Un sacramento es un signo efectivo por medio del cual Jesucristo comparte la vida y el amor de Dios con nosotros. Los sacramentos ofrecen lo que significan. Hay siete sacramentos.

Santísimo Sacramento (Pag. 70)

Otro nombre para la Eucaristía. Jesús está realmente presente en el Santísimo Sacramento.

Unción de los Enfermos (Pag. 160)

El sacramento de Unción de los Enfermos lleva bendiciones especiales de Dios a los enfermos, los ancianos y a los moribundos.

Viático

Viático es llevar la sagrada comunión a un moribundo. Viático significa "comida para el viaje". A menudo se recibe con el sacramento de Unción de los Enfermos.

Vocación (Pag. 190)

Una vocación es nuestra llamada a vivir una vida santa al servicio de nuestra Iglesia y el mundo.

Absolution (page 151)

Absolution is the prayer the priest says asking forgiveness of our sins.

Anointing of the Sick (page 161)

The sacrament of Anointing of the Sick brings God's special blessings to those who are sick, elderly, or dying.

Apostles (page 221)

The apostles were the twelve special helpers chosen by Jesus to lead the early Church.

Ascension (page 41)

The ascension is the event in which Jesus Christ was taken into heaven after the resurrection.

Baptism (page 81)

Baptism is the sacrament of our new life with God and the beginning of our initiation into the Church. Through this sacrament we are freed from sin, become children of God, and are welcomed as members of the Church.

Beatitudes

The Beatitudes are ways of living that Jesus gave us so that we can be truly happy.

Bethlehem (page 137)

The town in which Jesus was born.

Blessed Sacrament (page 71)

Another name for the Eucharist. Jesus is really present in the Blessed Sacrament.

Catholic (page 219)

The Church welcomes all people and has the message of God's good news for all people.

Confirmation (page 91)

Confirmation is the sacrament in which we are sealed with the gift of the Holy Spirit and are strengthened to give witness to the good news of Jesus.

Conscience

Conscience is the ability we have to decide whether a thought, word, or deed is right or wrong. We form our conscience according to the teachings of the Church.

Consecration (page 111)

The consecration is that part of the Mass in which the bread and wine become Jesus' own Body and Blood through the power of the Holy Spirit and the words and actions of the priest.

Corporal Works of Mercy (page 261)

The Corporal Works of Mercy are ways we care for one another's physical needs.

Disciple (page 11)

A disciple is one who learns from and follows Jesus Christ.

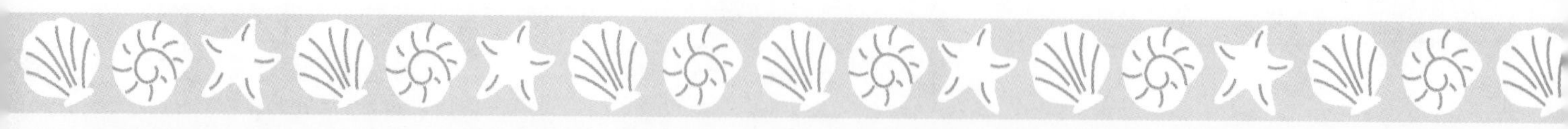

Divine (page 9)

A word that means having the nature of God.

Eucharist (page 101)

The Eucharist is the sacrament of Jesus' Body and Blood. Jesus is really present in the Eucharist. Our gifts of bread and wine become the Body and Blood of Christ at Mass.

Evangelization (page 191)

Evangelization means spreading the good news of Jesus Christ and sharing our faith by our words and actions.

Faith (page 241)

Faith is a virtue that enables us to trust and believe in God, to accept what he has revealed, and to live according to his loving will.

Fruits of the Holy Spirit

The fruits of the Holy Spirit are the good results people can see in us when we use the gifts of the Holy Spirit. They are love, joy, peace, patience, kindness, goodness, faithfulness, humility, and self-control.

Gifts of the Holy Spirit (page 93)

The seven gifts of the Holy Spirit are: wisdom, understanding, right judgment, courage, knowledge, reverence, and wonder and awe. They help us to live and witness to our Catholic faith.

Grace (page 51)

Grace is a sharing in the divine life, in God's very life and love.

Holy Orders (page 181)

Holy Orders is the sacrament that confers the ordained ministry of bishops, priests, and deacons.

Hope (page 251)

Hope is a virtue that enables us to trust that God will be with us in every situation.

Incarnation (page 11)

The incarnation is the mystery of God "becoming flesh," or becoming one of us in Jesus Christ.

Kingdom of Heaven (page 21)

The kingdom of heaven is another way of saying kingdom, or reign, of God in Matthew's gospel.

Laity (page 191)

The laity are single or married people who belong to the Church. Lay people serve the Church in many ways.

Law of Love

Love the Lord your God with all your heart, with all your soul, with all your strength, and with all your mind. Love your neighbor as you love yourself.

Liturgical Year (page 119 and 121)

Advent, Christmas, Lent, the Easter Triduum, Easter, and Ordinary Time make up the seasons, or times, of the liturgical year. Our Church celebrates the liturgical year to help us remember the whole story of the life, death, and resurrection of Jesus Christ.

Liturgy (page 111)

Liturgy is the official public worship of the Church. The Liturgy includes the ways we celebrate the Mass and the other sacraments.

Liturgy of the Eucharist (page 109)

The Liturgy of the Eucharist is one of the two major parts of the Mass. It is made up of the presentation and preparation of the gifts, the eucharistic prayer, and Holy Communion.

Liturgy of the Word (page 109)

The Liturgy of the Word is one of the two major parts of the Mass. It is made up of readings from the Old and New Testaments, responsorial psalm, gospel, homily, creed, and prayer of the faithful.

Love (page 261)

Love is a virtue that enables us to love God, our neighbor, and ourselves.

Marks of the Church (page 219)

The marks of the Church are: one, holy, catholic, and apostolic. These are four great identifying qualities that let people know the kind of community Jesus began and calls us to be.

Mass (page 109)

The Mass is our celebration of the Eucharist. The two major parts of the Mass are the Liturgy of the Word and the Liturgy of the Eucharist.

Matrimony (page 171)

The sacrament of Matrimony is a powerful and effective sign of Christ's presence that joins a man and woman together for life.

Messiah (page 129)

"Messiah" refers to the savior and liberator promised to the people in the Old Testament. Jesus is the Messiah.

Original Sin

Original sin is the sinful condition into which all human beings are born. It is the loss of grace passed on from our first parents to all generations.

Passover (page 99)

Passover is a feast in which Jews celebrate God's deliverance of their ancestors from slavery in Egypt.

Penance (page 151)

The penance we receive from the priest in the sacrament of Reconciliation helps to make up for the hurt caused by our sins and helps us to avoid sin in the future. Our penance can be a prayer or good deed.

Pope (page 221)

The pope is the bishop of Rome. He is the successor of Saint Peter and the leader of the whole Catholic Church.

Prayer (page 296)

Prayer is directing one's heart and mind to God. In prayer we talk and listen to God.

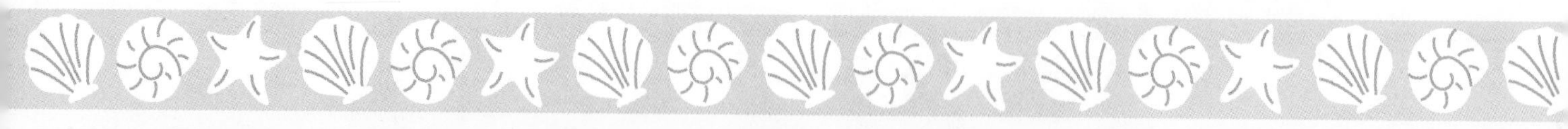

Priesthood of the Faithful (page 189)

The priesthood of the faithful is the priesthood of Jesus in which all baptized people share through Baptism and the anointing of the Holy Spirit.

Racism (page 231)

Racism is a sin of prejudice against a person because of race.

Reconciliation (page 149)

Reconciliation is the sacrament in which we are forgiven by God and the Church for our sins.

Reign of God (Kingdom of God) (page 21)

The reign, or kingdom, of God is the saving power of his life and love in the world.

Sacrament (page 51)

A sacrament is an effective sign through which Jesus Christ shares God's life and love with us. The sacraments cause to happen the very things they stand for. There are seven sacraments.

Sacramental

A sacramental is a blessing, an action, or an object that helps us remember God, Jesus, Mary, or the saints.

Sin (page 151)

Sin is freely choosing to do what we know is wrong. When we sin, we disobey God's law on purpose.

Spiritual Works of Mercy (page 261)

The Spiritual Works of Mercy are ways we care for one another's spiritual needs.

Ten Commandments

The Ten Commandments are laws given to us by God to help us live as his people. God gave the Ten Commandments to Moses on Mount Sinai.

Viaticum

When Holy Communion is given to a dying person, it is called Viaticum. Viaticum means "food for the journey." Viaticum is often received along with the sacrament of Anointing of the Sick.

Vocation (page 191)

A vocation is our call to live holy lives of service in our Church and in our world.

Worship

Worship is praise and thanks to God in signs, words, and actions.